CLAIRE PONTBRIAND

LE SECRET DE LYDIA GAGNON

ROMAN

Claire Pontbriand

Auteure du Manoir d'Aurélie et de La découverte d'Aurélie

Le Secret de Lydia Gagnon

Les Éditions Goélette

Couverture : Jeanne Côté
Révision, correction : Patricia Juste, Fleur Neesham et Élaine Parisien
Graphisme : Geneviève Nadeau
Photographie de la couverture : Shutterstock

© Les Éditions Goélette, Claire Pontbriand, 2014

www.editionsgoelette.com
www.facebook.com/EditionsGoelette

Dépôt légal : 1er trimestre 2014
Bibliothèque et Archives nationales du Québec
Bibliothèque et Archives Canada

Les Éditions Goélette bénéficient du soutien financier de la SODEC
pour son programme d'aide à l'édition et à la promotion.

Nous remercions le gouvernement du Québec de l'aide financière
accordée par l'entremise du Programme de crédit d'impôt pour
l'édition de livres, administré par la SODEC.

 Patrimoine   Canadian
canadien   Heritage

Nous reconnaissons l'aide financière du gouvernement du Canada par
l'entremise du Fonds du livre du Canada pour nos activités d'édition.

 Membre de l'Association nationale des éditeurs de livres

Imprimé au Canada

ISBN : 978-2-89690-638-3

De la même auteure

Poignées d'amour, roman, Les Intouchables, 1998.
Fugues au soleil, roman, Les Intouchables, 1999.
L'amitié avant tout, roman, Les Intouchables, 2000.
Un soir de juin, roman, La Pleine lune, 2000.
Le manoir d'Aurélie, roman, Les Éditions Coup d'œil, 2012.
La découverte d'Aurélie, roman, Les Éditions Coup d'œil, 2012.
Sainte-Victoire, T. 1 Les chemins de l'amitié, roman, Les Éditions Coup d'œil, 2013.
Sainte-Victoire, T. 2 Les rêves d'une génération, roman, Les Éditions Coup d'œil, 2013.

Lydia regardait le parc qui s'étendait devant sa fenêtre. Les arbres étaient touffus, la pelouse, bien verte, et les sentiers bétonnés étaient parcourus de passants, mais Lydia semblait ne rien voir, comme si ses yeux étaient tournés vers l'intérieur. Elle se disait que c'était dommage que Grégoire ne puisse pas être à ses côtés. Il lui manquait tellement. Elle prit une profonde inspiration. Elle devait être forte et garder ses secrets malgré tout. Elle le devait à la mémoire de l'homme qu'elle avait aimé toute sa vie. Pauvre Grégoire, s'il avait su tout ce qu'elle avait fait pour lui. Pas seulement pour lui, bien sûr. Les enfants avaient eu une vie heureuse et épanouie grâce à… ses crimes. Mais ce n'était pas vraiment des crimes, non, pas vraiment. Même si elle savait qu'un juge les aurait probablement définis ainsi.

La porte s'ouvrit et une femme vêtue d'un ensemble pantalon turquoise entra avec un plateau de nourriture. Elle le déposa sur une table à roulettes près du lit.

— Il faudrait manger un peu, madame Chabot.

Lydia se tourna vers elle et força un sourire. Cette manie qu'avaient les jeunes de vous appeler par votre nom de naissance.

— Gagnon, je m'appelle Lydia Gagnon.

La femme lui sourit en retour.

— C'est bien, vous vous en rappelez.

Lydia soupira. Pourquoi tout le monde prenait-il ce ton enfantin pour lui parler ? Même le médecin qui lui faisait passer des tests lui parlait en chantonnant. Un peu plus et il applaudissait à chaque bonne réponse. Il voulait tester sa mémoire. Elle testait sa patience en gardant souvent les bonnes réponses pour elle. Elle ne se souvenait pas de ce qu'elle avait mangé la veille, mais elle se souvenait trop bien de ce qu'elle avait vécu.

Elle tourna la tête et regarda toutes les photos que ses enfants et petits-enfants avaient épinglées sur un babillard, dans l'espoir de lui rappeler des souvenirs. Elle n'avait pas besoin de tableau d'affichage pour se remémorer la première fois qu'elle avait rencontré Grégoire.

Il faisait une telle chaleur. Le soleil plombait hommes et bêtes. Les prairies étaient couvertes d'herbes fortes et drues, de luzerne, de trèfle et de lotier. Le temps était parfait pour le fauchage. Les récoltes de foin seraient bonnes, mais il fallait les faire avant la pluie. Tout le monde était donc aux champs, hommes, femmes et enfants, du matin au soir. Les longs jours d'été permettaient de faire de nombreuses heures de travail.

Lydia venait d'avoir seize ans. Quelques garçons des villages voisins commençaient à la regarder avec plus d'attention. Elle les voyait se tordre le cou à la messe du dimanche ou carrément la dévisager sur le parvis. Elle n'était pas la seule à être l'objet de ces regards insistants. Les filles à marier profitaient des beaux jours d'été pour montrer leurs meilleurs atours, relevant les manches de leur blouse, le bas de leur jupe, montrant leur chair bien pâle tout en cachant leur visage sous un grand chapeau de paille.

Lydia était parfaitement consciente des regards posés sur elle et elle connaissait tous les garçons du coin. Il y avait des travailleurs, des têtes folles, des orgueilleux, des paresseux. Elle ne savait pas trop ce qu'elle voulait, elle savait seulement qu'aucun d'entre eux ne la faisait frémir. Son cœur ne s'accélérait pas, ses mains n'étaient pas moites, ses jambes la supportaient sans problème. Elle ignorait pourquoi elle attendait ces symptômes de l'amour, mais elle se languissait. Sa mère avait beau lui chuchoter parfois : « Regarde celui-là », Lydia commençait à désespérer de trouver un homme à aimer. Elle savait qu'elle pouvait patienter encore quelques années, mais pas trop. Coiffer sainte Catherine ferait d'elle une vieille fille racornie tout juste bonne à s'occuper de ses parents jusqu'à leur mort.

Il faisait très chaud. Lydia apportait une cruche remplie d'eau fraîche qu'elle venait de tirer du puits pour désaltérer les travailleurs. C'est à ce moment-là qu'elle l'avait aperçu. Sur une charrette à foin. Sa chemise était collée sur sa peau par la sueur, ses bras habitués aux lourds travaux soulevaient le foin comme si c'était des plumes. Il avait levé la tête et essuyé son visage avec son bras, puis il l'avait regardée directement dans les yeux. Elle le trouvait tellement beau qu'elle n'avait pas baissé la tête, elle avait bravé son regard et son sourire. Le reste de la journée s'était étiré dans l'attente du coucher du soleil. Lydia n'avait pas osé demander comment il s'appelait, mais elle ne l'avait pas quitté des yeux.

Grégoire venait de Saint-Tite-des-Caps dans la Côte-de-Beaupré. Après les éboulis de mars 1936 qui avaient fait douze morts dont ses parents, il avait décidé de s'éloigner pour louer ses bras. Il avait besoin de repartir à neuf, d'oublier le paysage familier qui s'était révélé meurtrier. Contrairement à la misère, le travail était rare. Grégoire était monté jusqu'en Mauricie pour rencontrer des fermiers prêts à l'engager. Il avait trouvé à se loger chez une veuve au village. Il était un bon travailleur et sa réputation commençait à se faire. Il n'aurait pas à quêter sa nourriture. Un emploi de bûcheron l'attendait à l'arrivée de l'hiver.

Pour le moment, il profitait du soleil et des jolies filles qui le regardaient à la dérobée avant de sourire et de baisser les yeux lorsqu'elles se savaient observées. Une seule affrontait son regard. Une belle brunette à la taille fine et aux grands yeux noisette. Son audace l'intriguait et lui donnait envie de la connaître davantage. Il savait qu'il ferait un bon mari, mais il n'avait rien à lui, pas de terre, pas d'héritage. Que la force de ses bras et la grandeur de son cœur. Ça ne faisait pas de lui le meilleur parti qui soit.

Lydia avait dû attendre jusqu'au dimanche pour parler à Grégoire. Elle avait passé toute la messe à se demander comment elle allait l'aborder tout en restant une jeune fille respectable. Elle pourrait échapper son chapelet devant lui. Non, elle aurait l'air d'une empotée. Lui sourire? Était-ce correct? Elle n'osait pas le demander à sa mère qui priait à ses côtés. Le mieux serait de lui être présentée. Mais par qui?

À la sortie de l'église, Lydia n'avait rien eu à faire. Grégoire était allé vers elle en tortillant sa casquette. Voulait-elle l'accompagner au pique-nique organisé par les dames patronnesses? La jeune femme était restée un moment immobile, étonnée et ravie. Ses prières avaient été exaucées. Elle lui avait offert un large sourire, prête à accepter, quand il avait ajouté: «Si vos parents sont d'accord, bien sûr.» Lydia s'était tournée vers sa mère et, à voir son sourire, elle n'avait plus douté de leur autorisation. Sa mère avait déjà remarqué son intérêt pour le nouveau venu et elle s'était renseignée auprès de ses voisines et du curé. Tout le monde s'entendait: Grégoire Gagnon était un bon parti, même s'il n'était pas riche. Qui l'était en ces jours, de toute façon? Seuls les bons travailleurs s'en sortaient.

Qu'avaient-ils mangé au pique-nique? Lydia ne s'en souvenait plus. Elle se rappelait pourtant très bien les frissons qui l'avaient parcourue quand Grégoire avait frôlé son bras. Et quand il avait posé doucement sa main sur son épaule pour l'inviter à passer devant lui, elle avait cru défaillir. Elle venait de trouver l'homme de sa vie.

— Maman, tu as froid?

Lydia sursauta. Quelqu'un venait de poser un châle sur ses épaules. Elle leva la tête vers une femme dans la quarantaine. Une femme aux yeux d'un bleu magnifique. Juliette, oui, sa fille Juliette. Sa petite deuxième.

— C'est moi, maman, Juliette.

Lydia savait bien qui était Juliette et d'où elle venait, mais ça, elle ne pouvait pas le lui dire. Elle pouvait se rappeler beaucoup de choses, l'important était de ne pas les répéter. Mourir avec ses secrets était la seule façon de ne pas faire de mal à ses enfants, de ne pas faire exploser leur monde, de ne pas tout détruire.

– Juliette, ma bonne Juliette.

Juliette retint un soupir. Sa mère l'avait plus d'une fois appelée comme ça. Elle n'avait jamais osé lui dire qu'elle détestait être la «bonne» fille, même si elle l'avait toujours été. Elle aimait s'occuper des autres depuis son enfance, mais «bonne» fille, femme ou mère grinçait à ses oreilles. Elle se sentait réduite à une fonction charitable. Encore plus maintenant que sa mère avait besoin d'être entourée.

Juliette ne pouvait pas trop compter sur son frère aîné qui était de nouveau en voyage d'affaires. Son travail d'ingénieur l'amenait à passer des mois en Afrique du Nord ou en Asie. Encore célibataire et sans enfant, du moins connu, il n'avait pas souvent été là pour seconder sa sœur. Et comme Juliette était infirmière, Henri avait toujours su qu'il pouvait compter sur elle. Il revenait quelques fois par année les bras chargés de cadeaux pour tout le monde. Il réussissait ainsi à se faire aimer sans avoir à s'occuper de quoi que ce soit. La bonne Juliette voyait à tout.

Lydia lui tapota la main affectueusement. Si Juliette ne l'avait pas aidée sans le savoir, elle n'aurait jamais pu faire ce qu'elle avait fait. La brave Juliette, travailleuse, dévouée, si maternelle. Elle avait toujours été son bras droit, celle sur qui elle pouvait compter. Henri, c'était différent. Il était le fils de son père. Façon de parler. Il suivait Grégoire partout, l'imitait en tout. Il faisait tout comme lui : marcher, manger, même se coiffer. Jusqu'aux années soixante où les cheveux longs et la musique rock avaient transformé les rapports père-fils.

En apparence du moins. Car Henri avait démontré son sérieux en terminant ses études classiques comme Grégoire le voulait tant. Un fils instruit, quel honneur ! Encore plus quand Henri était entré à l'École polytechnique avec une bourse d'études. Grégoire jubilait. Lui, l'homme à tout faire, celui qui louait ses bras aux fermiers, avait un fils ingénieur.

Lydia se souvenait encore de la fierté de Grégoire, de ses yeux brillants, de son émotion. Henri avait été pour lui un cadeau du ciel. Et c'était elle qui avait offert à l'homme de sa vie ce présent magnifique.

Lydia et Grégoire s'étaient mariés à l'église du village, l'été suivant leur rencontre. Un cousin de Lydia leur avait loué une maisonnette au bout d'un rang. L'endroit était plutôt délabré, laissé à l'abandon depuis quelques années. Grégoire avait travaillé très fort pour en faire un lieu habitable. Refaire le toit, calfeutrer les fenêtres, remplacer le bois pourri du perron, repeindre les murs. Lydia avait fait un potager dont elle était fière. Le jeune couple vivait des jours heureux. L'été à la ferme, aux champs, et l'hiver dans la forêt pour Grégoire, à la maison pour Lydia. Leur bonheur aurait été parfait si des enfants étaient venus enrichir leur amour.

Ils n'étaient pas les seuls à espérer une descendance. La mère de Lydia attendait un petit-fils pour la consoler de la perte de son mari mort à la drave au printemps. Le pauvre homme avait passé l'âge de faire ce travail, mais il avait voulu montrer à un jeunot comment défaire un empilement de bois. Avec plus de vingt ans d'expérience, il avait réussi à coincer son pied entre deux billots. Ses compagnons n'avaient pas eu le temps de se rendre jusqu'à lui. Il avait eu les poumons broyés. Dès le début de son veuvage, madame Chabot avait quitté le village pour aller vivre chez sa fille, à Québec. Lydia aurait aimé la voir plus souvent, lui demander conseil pour devenir enceinte. Mais l'été succédait à l'hiver et, après trois ans de mariage, Lydia avait toujours sa taille fine.

S'ils n'avaient pas d'enfant, ce n'était pas faute d'essayer. Son Grégoire faisait tout pour ensemencer son ventre qui demeurait stérile. Quand elle regardait son mari partir pour les camps de bûcherons, Lydia espérait lui écrire pendant l'hiver pour lui annoncer sa grossesse. La maisonnette était alors bien vide et bien isolée. La routine s'installait. Chauffer le poêle, cuisiner, nettoyer, enlever la neige accumulée pour dégager portes et fenêtres. La messe du dimanche était parfois l'unique sortie de la semaine. Et chaque printemps, Grégoire retrouvait sa femme avec bonheur, mais sans un petit Gagnon en route.

Pour gagner quelques sous et surtout pour sortir de sa solitude, Lydia avait commencé à faire le ménage chez le notaire Hamelin au village. Deux fois par semaine, elle entrait par la porte arrière de la maison en pierres située non loin de l'église. Simone Hamelin l'accueillait dans la cuisine, toujours avec le sourire. Lydia avait l'impression que la femme du notaire avait besoin de compagnie presque autant qu'elle. Et c'était le cas. Simone venait d'avoir trente ans, mais en paraissait davantage. Peut-être à cause de sa coiffure sévère, de ses vêtements stricts en tout temps, de sa voix posée, de la tristesse dans ses yeux. Non, pas de la tristesse, plutôt de la résignation.

– Vous savez, Lydia, nous allons fêter nos dix ans de mariage et j'aimerais que vous m'aidiez à préparer une petite fête. Rien de bien compliqué, mais j'aimerais vous avoir à mes côtés, je sais que je peux vous faire confiance.

Lydia n'en revenait pas, madame Hamelin lui faisait confiance. Elle en était profondément touchée.

– Avec plaisir, madame. Tout ce que vous voudrez.

Simone sourit. Tout ce qu'elle voulait… qui aurait pu le lui offrir ? Elle avait épousé un homme de vingt ans son aîné sans trop savoir pourquoi. Le notaire était veuf depuis peu et les familles des environs faisaient parader leurs filles en âge de se marier. Tout le monde se disait que, le temps du deuil écoulé, le notaire ne resterait pas longtemps disponible. C'était un bon parti. Il n'était pas beau, il avait un nez un peu trop long, il perdait déjà ses cheveux à quarante ans, mais il était instruit et surtout prospère. De quoi assurer à une famille entière une vie meilleure. Surtout avec la crise économique qui semblait encore faire rage dans le monde. C'est du moins ce que disaient les journaux à ceux qui savaient lire. Les chômeurs émaciés attendaient en ligne devant les soupes populaires, les banquiers à chemise blanche sautaient des immeubles à New York et la misère bien noire s'abattait partout. Dans les campagnes éloignées, il n'y avait pas de soupes populaires, mais la misère était bien connue depuis longtemps. Personne n'aurait cependant songé à l'écrire quelque part.

L'épouse du notaire ne se rappelait pas que sa famille ait vraiment fait pression sur elle pour ce mariage. Paul Hamelin avait été séduit par sa jeunesse, sa beauté et le fait qu'elle avait reçu une bonne éducation chez les ursulines de Trois-Rivières. Simone s'était sentie flattée. Elle était soudain une jeune fille désirable, convoitée. Elle avait dit oui sans trop y penser. Que faire d'autre de toute façon? Comment dire non à toute cette attention, à cette respectabilité? Et surtout pourquoi? Pour épouser un jeune fermier, un bûcheron et devenir une femme travaillant du matin au soir pour nourrir les siens? Paul Hamelin lui offrait un statut social en vue, les responsabilités d'une dame patronnesse, l'occasion de faire le bien autour d'elle tout en ayant de la nourriture sur la table tous les jours. Refuser les avances de cet homme avait été impossible.

Simone n'était pas une femme malheureuse. Le notaire la traitait bien, lui demandait peu. Il visitait sa chambre à l'occasion. Elle se montrait une épouse docile comme on le lui avait appris, fermant les yeux et priant Dieu. Ils n'avaient pas d'enfant. Le notaire n'en avait pas eu non plus avec sa première épouse. Personne ne parlait de ce fait. Dix ans avaient passé sans que Simone s'en rende compte. Sa vie avait si peu changé dans son village. Le temps s'était arrêté. La guerre avait beau faire rage en Europe depuis près d'un an, le village demeurait tranquille. Seuls quelques fils de cultivateurs avaient quitté la région pour s'engager dans l'armée canadienne. Ils espéraient vivre l'aventure dans les vieux pays et revenir en héros quelques mois plus tard.

Avec l'accord de Grégoire, Lydia accepta de loger quelques jours chez le notaire pour nettoyer la maison et aider la cuisinière du curé à préparer la nourriture pour ce qu'elle appelait « la réception ». Tous les gens importants du village allaient être à ce repas, le curé, le bedeau, les marguilliers, le propriétaire du magasin général, le maréchal-ferrant, le médecin.

Un matin où elle lavait le plancher de la cuisine, Lydia entendit frapper à la porte. Elle ouvrit à un jeune homme qui essayait de lisser ses cheveux rebelles avec ses mains. Ses vêtements étaient froissés, ses souliers, poussiéreux. Il avait visiblement dormi à la belle étoile.

– Bonjour, madame. Je suis dans le coin depuis pas longtemps. Je cherche du travail et je suis habile de mes mains. Je me suis dit qu'une belle maison comme ça avait peut-être besoin de petits travaux.

Il lui offrit son sourire le plus engageant, son regard le plus doux. Dans le journal que le notaire achetait régulièrement, Lydia avait lu qu'on parlait de plus en plus de conscription. Elle se demandait encore si son Grégoire serait appelé sous les drapeaux ou si les employés de ferme en seraient exemptés. Cette nouvelle l'avait effrayée et, en voyant le jeune homme devant elle, elle comprit soudain qu'il fuyait les grandes villes pour disparaître dans la nature. Elle le fit donc entrer et lui servit même une tasse de thé pendant qu'elle allait chercher madame Hamelin.

Simone était assise à son bureau à faire sa correspondance. Elle se plaisait à écrire à d'anciennes compagnes de couvent, à échanger avec elles des propos amusants et légers. Elle avait meublé joliment cette petite pièce où elle aimait se retirer pour lire ou peindre des aquarelles. C'était sa chambre de paresse, comme elle l'appelait. La pièce où elle pouvait oublier sa vie de madame notaire. Elle fut surprise de voir Lydia arriver en tortillant son tablier.

– Je m'excuse de vous déranger, madame. Il y a quelqu'un qui cherche du travail à faire dans les maisons. Comme j'ai entendu monsieur le notaire parler de la toiture de votre camp de pêche au lac Rond… Mon Grégoire aurait pu le faire mais, là, il est engagé pour un mois pour les routes.

Simone était contente que Lydia soit là pour veiller sur tout. Elle avait l'impression que la jeune femme était plus âgée qu'elle, plus mature. Et elle s'y fiait entièrement. Elle se leva donc pour aller voir cet ouvrier dans la cuisine. Et ce qu'elle vit la saisit à la poitrine, la transperça et la laissa pantelante.

Le jeune homme se leva d'un bond et la regarda avec intensité. Son visage régulier, avec son nez droit et sa bouche aux lèvres bien dessinées, était encadré par des cheveux noirs et fournis qui semblaient avoir une vie propre en allant dans tous les sens. Il sourit et dévoila des dents blanches qu'on avait envie de toucher pour vérifier si elles étaient vraies.

– Madame, je m'appelle François Cloutier. Je suis là pour vous servir.

Le cœur de Simone se mit à battre plus vite. François le sut tout de suite, car le sien y répondit immédiatement. Même Lydia s'en aperçut. Elle avait l'impression de revivre en spectatrice sa rencontre avec Grégoire. L'air s'était chargé d'électricité et le silence avait tout envahi. Même les mouches si bruyantes à cette époque de l'année s'étaient posées avec calme sur le bord de la fenêtre.

La suite était inévitable. François alla s'installer au vieux chalet du lac Rond pour réparer la toiture. Les dix ans de mariage du notaire furent fêtés en grande pompe, puis la tranquillité revint au village avec la chaleur de l'été. Dès que le notaire s'absentait pour aller à Trois-Rivières ou à Québec, Simone partait pour le chalet. Elle ne prétendait même plus surveiller les travaux. Dès qu'elle dépassait le village à bicyclette, elle détachait ses cheveux et défaisait quelques boutons à sa blouse.

C'était une autre femme qui traversait les bois en suivant des sentiers étroits. Une femme plus jeune, plus souriante, plus vibrante. Elle arrivait essoufflée pour se jeter dans les bras de son amant et connaître des troubles charnels dont elle ignorait l'existence peu de temps auparavant. Elle avait toujours cru que cette passion dévorante était l'invention de romanciers en mal de sensations fortes. Elle savait maintenant que cette exaltation existait et elle en profitait pleinement.

Lydia comprenait très bien cette ardeur, mais elle aurait souhaité ne pas servir d'alibi. Plus d'une fois, Simone était rentrée chez elle pour y trouver son mari qui était déjà de retour. Et chaque fois elle avait raconté avoir rendu visite à Lydia dont la maisonnette n'était pas très loin du lac Rond. Le notaire n'avait rien dit, il ne voulait pas le savoir et il ne voulait surtout pas d'un scandale. Tant que les rumeurs ne venaient pas à lui, sa vie était tout à fait normale et il tenait à ce qu'elle continue de l'être.

Lydia avait l'impression parfois d'entendre les amants crier. Ce qui était bien sûr impossible, vu la distance et la forêt qui les séparaient. Mais elle voyait bien les joues roses de Simone, ses yeux brillants, sa poitrine redressée. Puis elle vit sa taille épaissir, ses seins se gonfler. Il n'y avait plus de doute dans son esprit. La femme du notaire était enceinte et son mari douterait fortement de cette paternité. Il devait déjà savoir qu'il était stérile. Et il découvrirait que sa femme ne l'était pas. Le scandale serait énorme. Simone devrait quitter le village; le notaire irait s'établir ailleurs. Lydia retournait cette histoire dans sa tête. Comment faire pour sauver tout le monde, le bébé de l'amour, la réputation du notaire, même la vie des amants? Lydia aurait aimé se confier à Grégoire, mais elle hésitait. Elle voulait trouver une solution avant de lui en parler. Le notaire s'en chargea pour elle.

Paul Hamelin n'était ni idiot ni aveugle. Il visita son petit chalet et comprit tout. La réparation de la toiture n'avait guère avancé et l'ouvrier était bel homme, surtout torse nu à clouer des bardeaux et à montrer ses bras forts.

François descendit du toit lentement, se demandant si le mari bafoué le tuerait tout de suite ou s'il ferait faire ça par un professionnel. Paul entra dans le chalet et regarda le lit qui semblait connaître un désordre permanent. Les draps avaient encore l'odeur de sa femme. Il serra les poings. Il n'avait plus l'âge de se battre, surtout avec un homme trente ans plus jeune que lui. Mais il pouvait faire mal, très mal. Et c'était bien son intention.

– Je te laisse deux jours pour tout finir et quitter la région. Je ne veux plus jamais te revoir la face.

Il sortit une liasse de billets et la déposa sur la table.

– Tu vois, je ne suis pas un salaud. Mais si tu ne pars pas de la région, c'est la police militaire qui va te ramasser. Tu ne la revois plus, tu ne la touches plus.

François comprit qu'il parlait de Simone et que ses jours étaient comptés. Il termina la toiture dans la journée, espérant que Simone viendrait le voir au moins un moment. Il l'attendit toute la journée du lendemain, puis il partit. Il s'arrêta chez Lydia pour lui parler de la visite du notaire et pour lui dire jusqu'à quel point il aimait Simone. Mais il devait partir, pour lui comme pour elle.

– Promettez-moi, madame Gagnon, que vous allez vous occuper d'elle.

Il sortit des billets froissés. Lydia posa la main sur son bras.

– Laisse faire ça. Si tu veux, tu peux me donner des nouvelles, comme ça elle en aura aussi.

Elle le regarda s'éloigner avec tristesse. Quel gâchis! Ils auraient fait un si beau couple. Mais il était jeune, il pouvait encore refaire sa vie, alors que celle de Simone serait de plus en plus pénible. Le notaire y veillerait.

Le lendemain, Lydia trouva Simone en larmes. Entre deux sanglots, celle-ci lui raconta que son mari exigeait qu'elle fasse passer le bébé pour sauver son honneur. Pas question de jouer les heureux papas avec un bâtard.

– Je ne peux pas, Lydia, je ne peux pas le tuer. Mais je n'ai pas le choix.

Lydia pensait à toute cette histoire depuis un moment. Un plan s'était formé dans son esprit. Mais elle ne pouvait le réaliser sans la complicité des autres.

– Vous êtes pas obligée de le tuer. Il y a un autre moyen.

Simone cessa soudain de pleurer, attentive. Lydia lui exposa son stratagème. Le visage de Simone se détendit, puis s'éclaira peu à peu. Ça pouvait marcher. Ça devait marcher.

Henri détestait les hôpitaux, même les cliniques avec un gros budget de plantes vertes et de couleurs pastel comme celle-ci. Il poussa doucement la porte de la chambre. Sa sœur Juliette, « sainte Juliette » comme il l'appelait, aidait leur mère à manger. Vieillir et redevenir un enfant. Il trouvait cette perspective décourageante. Il approchait de la cinquantaine et cette vision de Lydia ouvrant la bouche pour manger un yogourt le peina. Pas longtemps. Lydia se tourna vers lui et ses yeux s'allumèrent. Son plus vieux était enfin de retour. Elle sourit. Henri s'approcha d'elle. Elle lui ouvrit les bras et passa sa main dans les cheveux drus qui grisonnaient un peu plus chaque fois qu'elle le voyait.

— T'es là, mon François.

Juliette regarda son frère, puis leva les yeux au ciel. Il y avait des jours où leur mère mélangeait tout. Henri se pencha pour embrasser Lydia.

— Henri, c'est Henri, maman.

— Mais oui, bien sûr. J'aurais aimé t'appeler François, mais ton père, mon Grégoire, tenait à te donner le nom de son père. Je pouvais pas lui refuser ça. T'as maigri, je trouve.

— Mais non, maman.

— T'as l'air fatigué.

— C'est le décalage horaire. J'arrive d'Alger, je suis passé par Paris. Trop de monde, trop d'avions. Mais j'ai quelques jours de repos avant de partir pour Jakarta.

— T'as pas envie de t'arrêter un peu ?

— Et pourquoi tu veux que j'arrête ? J'aime ça, cette vie-là.

— Pas d'attache, pas de femme. Une vie de survenant.

— Maman, qui te dit que j'ai pas de femme ?

— Oh, tu dois en avoir plein, mais aucune sérieuse comme…

Henri et Juliette la regardaient et attendaient la suite. Comme quoi ou comme qui ? Depuis quelque temps, Juliette avait remarqué que sa mère s'efforçait de peser ses mots, comme si elle avait peur de trop en dire. Lydia leur sourit pour masquer son malaise.

— T'es un coureur de jupons. T'as peur de tomber en amour. Je te le souhaite un jour, mon grand. L'amour, c'est la plus belle invention qui soit. Je pense même que c'est ça qui nous fait faire les choses les plus incroyables. T'es d'accord avec moi, Juliette ?

Juliette sursauta. Elle avait été rarement incluse dans les discussions mère-fils aîné. De quoi parlaient-ils ? Ah oui ! L'amour. Elle l'avait connu, bien sûr. Ça faisait si longtemps. Elle travaillait à l'urgence à cette époque. Un poste qui n'était vraiment pas fait pour elle. Mais elle était jeune et il fallait bien apprendre. Michel était arrivé assis sur un fauteuil roulant poussé par un collègue. Il avait encore son habit de pompier sur le dos, le visage noirci par la fumée et une vilaine coupure à la main. Comme elle se penchait vers lui, il avait souri. Elle se rappelait encore le contraste entre ses dents et sa peau noire de suie. Elle avait eu envie de l'embrasser tout de suite. Et elle croyait encore qu'il avait eu la même envie au même moment. Ça faisait plus de vingt ans. Ce souvenir la détendit et la fit sourire. Juliette regarda Lydia et son frère.

— C'est vrai que le coup de foudre, ça porte bien son nom.

Henri se tourna vers sa mère.

— J'ai connu ça, maman, t'en fais pas. Je sais que c'est magnifique.

— Je te parlais de ce qui suit le coup de foudre. L'amour. Juliette le sait, son coup de foudre s'est changé en amour, comme le mien avec mon Grégoire. Ça, ça vaut tous les voyages du monde.

Henri n'avait pas envie de tomber dans ce piège où il aurait à raconter de long en large sa vie amoureuse. Et surtout où il devrait justifier ses abandons. Car même les bras d'une femme exceptionnellement belle ne pouvaient pas le retenir. Il ne savait pas trop pourquoi et il n'avait pas du tout envie de le découvrir. Sa vie était organisée à son goût et il ne se collerait pas à une bobonne pour satisfaire sa mère. Il ne pouvait pas concevoir de se réveiller avec toujours la même femme à ses côtés. Une femme qui vieillirait, s'empâterait et finirait par manger du mou à la petite cuillère. Tant qu'une jeune femme acceptait de faire l'amour avec lui, il était jeune, presque immortel et toujours satisfait. Les femmes qui voulaient prolonger l'aventure d'un soir devenaient pitoyables en peu de temps. Suppliantes, jalouses, possessives. Non, cette vie-là n'était pas pour lui.

Lydia le regardait penser. Il était pour elle un livre ouvert. S'il savait. Mais elle n'allait pas le lui dire. Son stratagème extraordinaire serait dévoilé et il ne le fallait pas.

Il faisait un soleil de plomb, les champs semblaient griller sur place. Un dernier soubresaut de l'été avant que le froid ne s'installe. Lydia avait chaud, mais elle n'osait pas enlever sa robe pour se baigner dans le petit ruisseau qui était devenu un filet d'eau fraîche. Elle se contenta de mouiller son visage et sa gorge. Le petit coussin qu'elle portait en permanence et les guenilles qui bourraient son corsage rendaient la chaleur encore plus suffocante. Elle avait hâte que l'automne arrive. Tout son plan reposait sur l'arrivée de l'hiver et le départ de Grégoire pour les chantiers de bûcherons.

Pauvre Grégoire! Il se collait à elle tous les soirs et elle était obligée de garder sa robe de nuit. Ça n'avait pas été facile de lui faire avaler que c'était une lubie de femme enceinte. Il ne comprenait pas que sa femme lui cache son corps, surtout depuis qu'il se transformait, mais il n'avait pas osé la contredire. Il aurait pourtant aimé profiter des seins qui se gonflaient, les caresser et les embrasser, mais il devait se contenter de les admirer à travers les vêtements et de faire l'amour dans l'obscurité. Il était si heureux de cet enfant qui se préparait dans ce joli bedon rond qu'il était prêt à tout.

Lydia se rendait régulièrement chez le notaire. Simone avait tellement besoin de se confier et Lydia était la seule personne avec qui elle pouvait le faire. Les deux femmes s'affairaient au ménage ensemble pour pouvoir parler plus longtemps. Simone portait des corsets et cachait ainsi très bien ses rondeurs à peine visibles pour le moment. Le seul problème était les seins qui débordaient. Le notaire les fixait souvent et Simone se demandait si c'était par envie ou par dégoût. Il n'était pas revenu dans sa chambre depuis le départ de François. Elle en avait été soulagée. Elle passait d'ailleurs plus de temps au lit, regardant son corps qui se transformait lentement. Si seulement François avait été là pour le voir, le caresser, l'aimer. Elle était attentive à son petit et lui parlait doucement.

Le notaire avait accepté l'explication de sa femme qui disait que le bébé avait passé tout seul. Mais cette histoire n'avait pas fait long feu devant les seins gonflés de Simone. Il savait qu'elle cachait sa grossesse. Mais où voulait-elle en venir ? Elle ne pourrait pas faire ça pendant des mois sans que quelqu'un au village le remarque. Puis Paul Hamelin comprit ce qui se passait vraiment.

Il venait de plus en plus souvent à la maison à l'improviste, prétextant au début des papiers oubliés, puis ne prétextant plus rien. Un jour, il entra dans le salon et entendit sa femme et Lydia rire. Il ouvrit la porte de la cuisine et vit Simone et la femme de ménage à genoux, récurant le plancher. Simone portait une vieille robe et ses seins gonflaient le tissu. Lydia était mince et des morceaux de guenille sortaient en bordure de son corsage. Les deux femmes se figèrent devant lui. Puis Lydia rentra les bouts de tissu dans son vêtement et Simone cacha ses seins de ses mains. Le notaire les fixa un moment, puis sourit.

— Qu'est-ce que tu vas faire, ma très chère épouse ? Vous allez échanger vos ventres dans la cabane au fond des bois ?

Lydia avait envie de le frapper. Sa maison n'était pas une cabane au fond des bois, c'était une demeure modeste mais pas une cabane. Elle se leva, prête à partir. Elle ne voulait plus voir le notaire.

Simone se leva à son tour. Elle se tint droite et affronta le regard amusé de son mari.

— Mon cher époux, je n'ai aucunement l'intention de vous faire honte. C'est ce qui compte le plus pour vous et vous n'avez pas à vous inquiéter. Votre honneur sera sauf. Je pars dans quelques semaines rejoindre ma cousine malade à Montréal. Celui que vous appelez « le bâtard » passera. Je serai de retour pour fêter Noël avec toute la paroisse. Nous célébrerons l'arrivée de l'enfant Dieu. Satisfait ?

Le ton était sec et tranchant. Le notaire tourna les talons et sortit. Son honneur serait peut-être sauf, mais pas son cœur. Il avait aimé cette femme dès le premier moment. Son regard farouche qui s'était adouci avec un compliment, sa crainte de commettre des impairs, ses yeux qui semblaient parfois se perdre au loin dans un rêve inaccessible. Sous sa force apparente se cachait une fragilité qui l'avait séduit. Il n'avait pas osé lui dire qu'elle ne connaîtrait jamais la maternité. Il se disait que le bonheur pouvait venir avec autre chose : l'amour, la tendresse, la reconnaissance des gens autour de soi. Mais il avait fallu qu'un bon à rien la séduise comme une fille facile.

Le soir même, le notaire entra dans la chambre de sa femme. Il ne cogna même pas à la porte. Simone était étendue sur son lit, le regard perdu au plafond comme ça lui arrivait si souvent. Elle sursauta, puis prit peur. Allait-il la frapper ? Il ne bougea pas pendant un moment. Elle s'assit sur le bord du lit, attendant la suite. Il s'approcha.

— Je veux te voir nue.

Simone se recroquevilla.

— Je suis ton mari, je te le rappelle, même si je sais que tu t'en souviens très bien. J'ai le droit de voir ton corps.

Elle se leva, tremblante, et fit glisser sa robe de nuit. Le notaire regarda attentivement les seins bien ronds, le ventre bombé. Craignant qu'il cogne sur son ventre, la jeune femme le protégea de ses mains. Il tendit la main vers elle. Elle ne pouvait reculer davantage. Il frôla les seins de ses doigts.

— Ce que tu es belle ! J'aurais aimé pouvoir t'offrir un enfant. Je suis désolé pour toi. Mais trop de monde sait qu'une maladie infantile m'a rendu stérile. J'aurais dû te le dire avant de demander ta main.

Trop de monde le savait! Pas ses parents! Non, pas eux. À moins qu'ils ne lui aient caché ce fait pour ne pas empêcher un si beau mariage. Comment sa mère avait-elle pu lui faire une chose pareille? Devant le regard triste de son mari, Simone sentit sa peur s'évanouir. Elle respira mieux. Elle avait presque pitié de lui.

— On pourrait l'adopter. Tout le monde serait content. Je suis certaine que tu ferais un bon père.

Le visage de Paul Hamelin se durcit.

— On peut adopter des dizaines d'enfants, mais pas celui-là. Pas de ce gars-là. Tu vas aller à Montréal et je veux que tu reviennes rapidement.

Il se retourna pour sortir de la chambre.

— Et cette Lydia Gagnon... arrête de la fréquenter. Elle n'est pas de notre monde. Tôt ou tard, elle te trahira et racontera partout que tu es une femme facile, une bonne à rien, une putain.

Sa voix s'étrangla sur le mot «putain». Il était incapable d'accepter que quelqu'un puisse penser ça de sa femme, sa brave épouse dévouée... souillée par ce salaud. Non, il ne voulait plus penser à ça. Le mal était fait, il fallait maintenant le réparer.

Simone partit deux jours plus tard pour Montréal. Son mari alla la reconduire au terminus d'autobus de Trois-Rivières. Le trajet se fit en silence. Mais le climat n'était pas lourd entre eux. Ils étaient simplement devenus des étrangers polis, prévenants même. Les gens du village les avaient regardés partir en se disant qu'ils formaient un beau couple solide. Et Simone était une femme tellement dévouée qu'elle allait s'occuper de sa cousine malade.

Seule Lydia avait eu un pincement au cœur. Mais Simone lui avait laissé une adresse où la rejoindre. Il fallait laisser un peu de temps passer. Le plan tenait toujours.

Henri regardait le profil de sa mère. Il s'était souvent demandé à l'adolescence à qui il ressemblait le plus. Il n'y avait pas de doute pour son père, il marchait comme lui, mangeait comme lui, parlait comme lui. Mais il n'était pas aussi grand et costaud que lui. Il avait hérité du physique plus délicat de sa mère. Avec l'âge, elle était devenue encore plus fragile. Mais son regard restait aussi vif. Elle fixait le parc de la fenêtre comme si elle y cherchait des fantômes. Henri aurait eu bien du mal à savoir ce qui se passait dans sa tête. Il se pencha vers elle. Lydia sursauta. Elle avait oublié sa présence.

– Tu pars, mon grand?

– Oui, maman. Avec le décalage horaire, je suis crevé. Juliette va revenir pour le souper. Albert devrait passer aussi.

– J'ai l'impression que vous vous êtes mis d'accord pour veiller au corps. Je suis pas encore morte. Et je peux manger toute seule. Les petits yogourts à la cuillère, je fais ça pour faire plaisir à ta sœur. Elle a commencé à jouer à la poupée avant même de savoir marcher et elle a jamais lâché.

Henri sourit. C'était vrai que sainte Juliette avait toujours été là pour veiller sur tout le monde. Quand il avait appris qu'elle voulait devenir infirmière, il s'était dit que c'était la meilleure chose qui pouvait lui arriver. Et elle avait en plus épousé un pompier. Le sauvetage de l'humanité était assuré.

– Veux-tu que je ferme la fenêtre? C'est bruyant dehors avec l'heure de pointe.

– Non, laisse. J'aime bien ce bruit-là. Ça prouve qu'il y a encore du monde qui bouge. C'est mieux que la télé à longueur de journée. La première fois que je suis venue à Montréal, il y avait ben moins d'autos. Il y avait aussi des tramways. Seigneur, que j'ai eu peur la première fois que j'ai dû embarquer là-dedans! Je savais pas trop si j'allais dans la bonne direction.

– Papa devait le savoir, lui.

Lydia regarda son fils. Il ne fallait rien lui dire. Mais c'était si lourd, un secret, et ça s'alourdissait encore plus avec le temps. Ça prenait du poids et de l'expansion. Henri la regardait attentivement. Elle allait lui dire quelque chose et il ne voulait pas le manquer. Il se rassit en lui prenant la main.

– C'était comment, cette journée-là? Pourquoi vous étiez venus à Montréal?

– J'étais pas avec ton père. Je venais rejoindre la femme du notaire. Elle était malade et j'allais m'occuper d'elle. Ton père était parti bûcher dans le bois comme tous les hivers. Au moins, j'avais pas à rester toute seule dans la vieille maison.

– La maison au bout du rang? Elle a dû être démolie depuis longtemps. Je m'en souviens pas vraiment.

– T'avais deux ans quand on a déménagé. Tu peux pas t'en souvenir. Quand je suis venue à Montréal, c'était l'automne. Tu sais comment c'est beau en Mauricie quand les feuilles virent au rouge. J'ai regardé les arbres tout le long du trajet en autobus. Pis quand j'ai vu le parc La Fontaine, ça m'a aidée de savoir que les arbres étaient rouges aussi. Mais c'est des vieilles histoires, ça t'intéresse pas.

– Non, ça m'intéresse. Raconte. Te retrouver dans une grande ville, ça devait être excitant. T'as dû sortir, voir des films, des spectacles. C'était comment?

– La vie, c'est pas comme dans les films où les gens tombent en amour, pis il y a de la musique et des violons qui partent.

– T'étais pas prisonnière non plus. La femme du notaire n'était quand même pas méchante?

– Oh non! On s'entendait bien. C'était une brave femme. Je veux que tu le saches, c'était vraiment une femme bonne, et belle aussi. Tu l'aurais aimée…

Lydia passa sa main sur son visage. Avait-elle le droit de lui parler de Simone? Henri la regardait et attendait la suite. Sa mère ne lui avait jamais parlé de ce séjour et encore moins de la femme du notaire. Mais Lydia se refermait doucement. Henri sentait que cette histoire était importante et il insista:

– C'était quand? Vous vous êtes mariés en 1937. C'était cette année-là?

Lydia ferma les yeux un moment. Elle revoyait Simone avec son gros ventre qui l'attendait sur le perron de la maison de chambres. Elle était resplendissante. Lydia avait l'air terne à ses côtés avec son ventre de guenilles. Elle ouvrit les yeux et regarda son fils aîné avec intensité.

– C'était en 1940. La guerre battait son plein en Europe et il y avait des soldats partout, à l'entraînement, en permission. Ça bougeait à Montréal. La musique, la danse, les films. Avec de l'argent, on pouvait faire plein de choses. Et les gens travaillaient en masse, alors l'argent coulait. Mais moi pis Simone, on était des femmes bien, alors on sortait pas beaucoup.

Henri fit le calcul dans sa tête. Automne 1940. Il était né en mars 1941.

– Mais t'étais enceinte de moi à ce moment-là.

Lydia lui sourit.

– Oui, mon grand, t'étais en route. T'es né à Montréal d'ailleurs. C'est écrit sur ton certificat de naissance. Mais t'as été baptisé au village. Grégoire avait tellement hâte de te voir que j'ai fait le trajet de retour dans le temps de le dire. T'as même pas braillé dans l'autobus. Tout le monde en revenait pas de voir comment t'étais un bon bébé.

– Tu es restée tout l'hiver à Montréal? Elle était très malade, la femme du notaire…

C'était trop de souvenirs en même temps. Lydia appuya ses mains sur son fauteuil et se leva lentement.

– Je vais faire une petite sieste avant le souper. Va te reposer, mon gars.

Henri la serra dans ses bras et elle passa sa main dans ses cheveux rebelles, les cheveux de François.

La maison de chambres tenue par une Irlandaise corpulente ne recevait que des femmes, la plupart ouvrières à l'usine d'armement de l'est de Montréal. Les horaires étaient réglés à la minute près. L'heure d'éteindre les lumières, de se lever, de manger et surtout l'utilisation de l'unique salle de bain. Dans un brouhaha de rires et de cris, la maison se transformait en cirque tous les samedis soir. Il manquait toujours d'eau chaude après que les pensionnaires se furent lavées à tour de rôle. Elles allaient dans tous les sens, vêtues de jupons ou de sous-vêtements de satin, empruntant une paire de bas, un crayon à sourcils ou un fer à friser. On aurait dit une fête foraine où les acrobates avaient peur d'arriver en retard.

Lydia et Simone s'assoyaient au salon comme les vieilles dames qu'elles n'étaient pas. Ces discussions autour des cheveux dans le lavabo ou des serviettes mouillées abandonnées par terre les faisaient sourire. Toute cette effervescence pour attraper un homme. Elles regardaient les jeunes femmes maquillées et parfumées partir les unes après les autres à la recherche du mari idéal. Ces célibataires ne reviendraient qu'en fin de soirée. Aucune n'aurait osé passer la nuit à l'extérieur, même si l'envie ne devait pas leur en manquer.

La patronne, madame O'Reilly, était une femme stricte. Elle martelait quotidiennement qu'elle ne tenait pas un bordel, mais une maison pour jeunes filles respectables. Et elle était très fière de ses deux sages pensionnaires venues de la Mauricie. Des femmes mariées et enceintes qui semblaient se plaire en ville. Elles ne parlaient pas de retourner dans leur village. L'hiver était trop rude et le confort de la ville était le bienvenu dans leur état. Elles tricotaient souvent, lisaient un peu et faisaient de longues promenades bras dessus, bras dessous. Elles occupaient la grande chambre du rez-de-chaussée, un ancien salon double qui possédait deux lits. Elles étaient discrètes et serviables. Des perles pour madame O'Reilly.

Le printemps approchait et le ventre lourd de Simone commençait à la faire souffrir. Elle avait souvent mal au dos. Elle décrivait ses sensations dans les moindres détails à Lydia qui essayait ensuite de l'imiter en marchant les pieds plus ouverts ou en posant sa main dans le bas de son dos pour soulager un élancement. Elles avaient de plus en plus l'air de deux sœurs. Simone parlait souvent de François, elle voulait que Lydia connaisse le père de son bébé, qu'elle puisse un jour lui en parler. Lydia essayait de ne pas l'écouter. Le père serait Grégoire et pas un autre.

Lydia avait hâte que cette mascarade soit terminée. Elle aurait voulu revenir tout de suite auprès de son mari avec leur beau bébé. Mais Grégoire était encore dans les chantiers de bûcherons. Heureusement qu'il lui écrivait de temps en temps. Ces lettres faisaient le bonheur de Lydia et rassuraient madame O'Reilly sur la légitimité de ses pensionnaires.

Simone écrivait parfois à son mari des lettres neutres pour repousser son retour. Sa cousine était au plus mal et avait besoin de ses soins. Le notaire répondait laconiquement qu'il comprenait et lui rappelait chaque fois qu'elle n'avait pas été là pour la messe de minuit. Cet affront lui semblait difficile à pardonner. Mais il envoyait régulièrement l'argent nécessaire pour subvenir aux dépenses de sa femme.

Paul Hamelin n'apprit que plus tard la présence de Lydia aux côtés de Simone. Lui qui se vantait de tout savoir sur son entourage détestait pourtant prêter l'oreille aux commérages. Il attendait son tour au bureau de poste quand il entendit une commère parler avec la postière. Elle se demandait comment la petite madame Gagnon vivait sa grossesse. Elle avait eu raison d'aller chez sa sœur à Québec. C'était certainement plus prudent, dans son état, que de passer l'hiver isolée au bout du rang.

Le notaire comprit que le subterfuge continuait. Il eut envie de partir pour les camps de bûcherons visiter Grégoire Gagnon et le traiter de tous les noms, l'humilier devant tout le monde. Comme il n'était pas un homme impulsif mais réfléchi, il eut finalement pitié d'un autre homme stérile. Celui-ci élèverait un bâtard sans le savoir. Stérile et idiot. Mais Paul Hamelin ne voulait pas que sa femme s'en sorte si facilement. Il la menaça alors de lui couper les vivres.

Simone reçut cette lettre avec inquiétude. Elle ne pouvait pas se présenter devant lui avec son ventre énorme. Et si ses calculs étaient bons, le bébé n'arriverait que dans un mois. Elle devait gagner du temps. Elle s'empressa donc de lui annoncer son retour dans deux semaines, le temps de se remettre d'une vilaine grippe.

Son mari la crut plus ou moins, habitué aux délais jamais respectés. Mais il attendit. Il se disait qu'avec le printemps tout redeviendrait comme avant. Il retrouverait sa femme, et le village, sa dame patronnesse. Son honneur serait intact. Personne ne douterait que son épouse dévouée ait passé des mois au chevet d'une parente. Et avec de l'argent, il pourrait se débarrasser de ces Gagnon et les envoyer s'installer ailleurs.

Simone s'assit dans son lit, stupéfaite. Les draps étaient trempés. Puis elle réalisa qu'elle avait perdu les eaux. Elle réveilla Lydia qui se leva aussitôt. Cette dernière se mit à chercher son ventre en guenilles. Personne ne devait voir sa taille toujours aussi fine. Elle s'habilla à la hâte pendant que Simone retenait un cri de douleur. Il n'était pas question pour elle d'aller à l'hôpital. Leur secret serait alors certainement découvert. Simone mordit dans son oreiller.

– Tu veux que j'aille chercher une sage-femme?

Simone fit signe que non. Même en échangeant leur identité, elles risquaient d'être dévoilées. Le ventre de Lydia n'était pas très convaincant, sauf pour madame O'Reilly qui voulait se vanter d'être entourée de saintes. Il faisait encore nuit. La maison était endormie, mais pas pour longtemps. Les planchers se mettraient bientôt à craquer sous le poids des pensionnaires toujours à la course pour aller travailler. Simone souhaitait qu'à ce moment-là elles fassent le plus grand vacarme qui soit. Elle n'était pas certaine de pouvoir retenir ses cris bien longtemps.

Lydia sortit rapidement du salon double et alla chercher de l'eau à la cuisine. Elle n'osa pas allumer et fit attention de ne pas heurter un meuble. Elle emplit la bouilloire d'eau et la mit sur le feu. Les tuyaux hurlèrent comme d'habitude. Pourvu que madame O'Reilly ne descende pas tout de suite. En cherchant une chaudière, Lydia vit la bouteille de whisky que sa logeuse cachait derrière le seau à charbon. Elle était sérieusement entamée. Une chance pour elles.

La jeune femme courut ensuite jusqu'au lit de son amie avec la chaudière d'eau. Elle avait répété dans sa tête les étapes de l'accouchement, mais tout se brouillait maintenant. Elle posa tous les oreillers qu'elle trouva derrière le dos de Simone qui mordait une serviette mouillée à se casser les dents.

Lydia retourna chercher l'eau chaude et eut tout juste le temps de se faufiler dans leur chambre. Elle entendit l'escalier craquer à intervalles réguliers. Madame O'Reilly descendait de son pas lourd et lent. Les portes des chambres s'ouvraient. Les pensionnaires commençaient à se disputer pour la salle de bain. Tout ressemblait à une journée normale jusqu'à présent.

Comme elles avaient l'habitude de se lever plus tard que les autres, Simone et Lydia avaient peut-être une chance de passer inaperçues. Le silence était revenu, les pensionnaires étaient toutes parties. Simone mordait toujours la serviette. Elle n'y tenait plus. La tête du bébé était déjà engagée. Lydia essayait de l'encourager en murmurant que tout allait bien. Puis madame O'Reilly cogna à leur porte.

— Ça va, vous autres? Vous dormez encore là-dedans? J'ai des commissions à faire, je vous ai laissé du porridge sur le poêle.

Lydia s'approcha de la porte, prête à lui bloquer l'entrée.

— Tout va bien, madame O'Reilly. Merci beaucoup. On vient juste de se réveiller.

— Je sais pas comment vous faites pour dormir avec le bruit qu'elles font. Bon, j'y vais.

Simone n'en pouvait plus de mordre la serviette. Dès qu'elle entendit la porte de la maison se refermer, elle poussa un cri à ébranler les murs. Lydia eut peur que leur logeuse fasse demi-tour. Mais son attention revint rapidement vers Simone. Un petit garçon tout gluant sortit en gigotant. Les deux femmes éclatèrent de rire, autant de soulagement que de nervosité. Le bébé se mit à hurler quand Lydia lui tapa sur les fesses. Un fils, son fils. Simone se mit à pleurer. Elle prit l'enfant dans ses bras. Cette petite chose ratatinée lançait ses poings dans toutes les directions et ouvrait sa bouche toute ronde. Simone le posa sur son sein et il se mit à téter avidement.

Lydia avait envie de prendre le bébé, mais elle laissa Simone profiter de son fils qu'elle devrait abandonner bientôt. Elle lava les draps, nettoya le nourrisson qui s'endormit dans les bras de sa mère. Lydia le prit ensuite pour laisser Simone faire sa toilette. Elles étaient radieuses toutes les deux.

Quand madame O'Reilly retourna chez elle, elle vit les draps étendus sur la corde à linge. Qu'est-ce qui s'était passé? Elle alla vers le salon double et ouvrit la porte sans frapper. Elle n'eut pas le temps de demander des explications. Simone se trouvait dans son lit, un poupon dans les bras. Le visage de la logeuse se radoucit. La chambre était en ordre, Lydia était assise sur son propre lit et tenait son gros ventre. Madame O'Reilly se pencha vers le bébé qui se mit à pleurer.

— Vous avez fait ça vite. C'est un beau bébé.

Simone fit signe que oui sans pouvoir dire un mot. Elle tenait le petit corps chaud contre elle. Elle savait que, dans quelques jours, il ne serait plus son enfant, mais celui de Lydia. Chaque seconde avec lui dans ses bras était du bonheur volé.

Madame O'Reilly se tourna vers Lydia.

— Pis votre tour va venir bientôt, on dirait.

Lydia sourit pour toute réponse. Deux jours plus tard, les deux femmes ramassaient leurs affaires et reprenaient l'autobus pour Trois-Rivières. Au terminus, Lydia laissa son ventre de guenilles dans les toilettes et prit le bébé avec elle. Simone téléphona à son mari pour qu'il vienne la chercher chez ses parents, le lendemain. Lydia prit l'autobus pour le village avec les biberons et le lait maternisé achetés par Simone. Ces petites bouteilles lui seraient fort utiles. Et Lydia pourrait dire fièrement à Grégoire qu'elle était une maman moderne en donnant le meilleur à leur nouveau-né.

Les seins gonflés, le cœur en miettes, Simone promit de la visiter le plus tôt possible. Lydia savait qu'elle aurait à partager l'enfant. Cela ne lui faisait pas peur. Elle se disait que ce bébé aurait la chance d'avoir deux mamans.

Le soir était tombé. Les lampadaires s'étaient allumés, donnant un aspect différent au parc, plus mystérieux, presque inquiétant. Lydia regardait Juliette mettre de l'ordre dans les draps. Elle revit les draps de madame O'Reilly flotter sur la corde. Elle mesura toute la chance que Simone et elle avaient eue avec cet accouchement. En fait, la chance était souvent changeante et elle allait les quitter peu de temps après.

La route était cahoteuse par moments, mais Lydia n'y prêtait pas attention. Elle regardait avec étonnement le nourrisson qui dormait dans ses bras. Elle n'en revenait tout simplement pas. Ce petit être était maintenant à elle. Elle était devenue sa mère avec toutes les responsabilités, les peurs et les joies que cela comportait.

Un peu avant d'arriver au village, elle demanda au chauffeur d'autobus de la déposer sur le bord de la route. Il avait hésité à la laisser au milieu de nulle part, mais elle avait insisté. Elle habitait tout près. Elle ne voulait pas montrer son nouveau-né tout de suite. Pas avant que Grégoire ne l'ait vu.

Chargée des bagages et de l'enfant, elle aurait voulu couper par la forêt, mais la neige fondante était encore trop abondante pour marcher sans raquettes. Lydia dut faire le tour par les chemins forestiers pour arriver chez elle. Un long trajet qui se fit rapidement. Elle avait hâte d'être enfin à la maison et marchait d'un pas énergique. L'enfant ouvrait parfois les yeux, puis il se rendormait aussitôt, ballotté par les bras de celle qu'il appellerait maman.

Grégoire était de retour de Grandes-Piles depuis deux jours et il attendait des nouvelles de sa femme et de son enfant. Il allait régulièrement au village, espérant trouver une lettre lui annonçant l'heureux événement. Le silence de Lydia commençait à l'inquiéter. Ce jour-là, il avait attendu le passage de l'autobus qui montait jusqu'à La Tuque. Toujours pas de nouvelles de sa femme. Il revenait d'un pas lourd chez lui, essayant de minimiser ses craintes. Entre les arbres, il vit de la fumée sortir de la cheminée de sa maison. Les fenêtres étaient éclairées. Il se mit à courir. Est-ce que Lydia était de retour? Pourquoi ne l'avait-il pas vue au village?

Il ouvrit la porte toute grande. Lydia préparait le repas. Elle se tourna vers lui, souriante.

– Ferme la porte. Il va prendre froid.

Grégoire regarda le tiroir de commode posé sur la table. Un bébé dormait paisiblement. Il tendit les mains en tremblant. Le nourrisson ouvrit les yeux et le fixa. Grégoire n'osait pas y toucher. Lydia prit l'enfant et le déposa dans les bras de son mari.

– J'aimerais ça, qu'on l'appelle François.

– C'est le plus vieux, il doit porter le nom de mon père. Mon petit Henri.

Lydia les regarda tous les deux. Ils avaient déjà l'air de s'entendre. Elle retourna au poêle. Grégoire examina le bébé, puis se tourna vers sa femme. Elle était toujours aussi belle et désirable. Il remit le bébé dans le tiroir.

– Notre enfant va pas dormir là-dedans. J'ai fait un ber.

Il sortit et alla dans la remise. Quelques minutes plus tard, il revenait avec un berceau de bois. Il le nettoya de la poussière de bran de scie.

– Je l'ai pas encore peinturé.

Lydia sourit et s'approcha de son mari.

– T'as le temps. Il est encore petit et il peut bien passer quelques jours dans le tiroir.

Elle se serra contre lui. Il lui avait terriblement manqué. Chaque printemps, au retour des chantiers, Grégoire et elle passaient des heures au lit pour rattraper le temps perdu. Ils s'embrassèrent longuement. Mais Grégoire ne la déshabilla pas. Lydia le poussa vers la chambre. Il résista.

– J'ai tellement hâte, mais je veux pas nuire à tes relevailles.

Lydia retint un soupir. Il fallait continuer de jouer le jeu, au moins pour quelques semaines. Feindre encore, cette fois-ci, des menstruations, alors qu'elle n'avait qu'un désir : retrouver le corps de son homme.

Le lendemain, toute la petite famille Gagnon se rendit à l'église du village pour faire baptiser son nouveau-né. Lydia aurait aimé que Simone soit sa marraine, mais la maison du notaire était fermée. Elle téléphona à sa sœur à Québec. Celle-ci la félicita pour l'heureux événement et promit d'être là avec son mari le samedi suivant. Ils seraient enchantés d'être le parrain et la marraine du petit Henri.

Grégoire parada un peu avec l'enfant, histoire de faire savoir à tous qu'il était enfin père. Tout le monde lui rendit son sourire et personne n'osa lui dire que des enfants, ça ne manquait pas dans le coin.

Le printemps s'installa en force et Simone revint au village avec son mari. Le notaire avait une gueule d'enterrement. Les gens commençaient à s'y habituer, cela datait de l'automne précédent. Paul Hamelin n'avait pas digéré l'absence prolongée de son épouse. Mais personne au village n'aurait osé dire que le couple allait mal. Des gens respectables demeuraient des gens respectables. Tout le monde était d'accord sur un point : Simone était bien pâle. Le séjour à Montréal ne lui avait pas réussi. Peut-être avait-elle attrapé la maladie de sa cousine. Elle passait presque tout son temps au lit.

Lydia fut étonnée de ne pas voir Simone au baptême d'Henri. Celle-ci devait pourtant le savoir, tout le monde en parlait. Lydia se dit que le notaire lui avait sans doute interdit cette sortie ou que Simone avait eu peur de dévoiler ses émotions en revoyant son fils devant des témoins. Quelques jours plus tard, Lydia se faufila chez le notaire Hamelin par la porte de la cuisine. Elle avait attendu de le voir partir en auto pour le faire. Elle trouva son amie au lit, fiévreuse. Elle s'assit à ses côtés et épongea son visage. Simone ouvrit les yeux et lui sourit difficilement.

— Dis-moi que je rêve et qu'on est encore à Montréal.

— Ça fait longtemps que t'es comme ça?

— Ç'a commencé chez mes parents, mais je voulais pas qu'un docteur m'examine, alors je suis revenue ici avec Paul. Mais je vais déjà un peu mieux. Ça va passer.

Parler la fatiguait, mais Simone voulait des nouvelles de son bébé.

— Tu l'as fait baptiser. Raconte…

Lydia parla de la joie de Grégoire, du petit qui était un beau bébé souriant. Ce qui ne l'avait pas empêché de pisser dans sa robe de baptême. Simone souriait.

— Je sais pas quand j'aurai la force d'aller le voir.

— Je peux te l'amener. Demain, si tu veux.

— Oui, demain. Mais il faut que tu partes tout de suite. Paul est allé chercher le médecin et je ne veux pas qu'il te voie. Il t'en veut beaucoup… comme si tu étais responsable de ma grossesse. Pauvre homme.

— C'est pas lui qui est à plaindre. Repose-toi. Henri a hâte de connaître son autre maman.

Simone ferma les yeux, imaginant son fils qui lui ouvrait les bras. Lydia épongea son front, inquiète. Elle sortit de la maison au moment où le notaire revenait avec le médecin. Quand elle se présenta avec son bébé le lendemain, elle vit le curé sortir de la maison du notaire. Il avait le visage dévasté.

— Qu'est-ce qui se passe, monsieur le curé?

— On dirait bien que le bon Dieu va rappeler la pauvre madame Hamelin à lui. Une sainte femme. Le notaire est vraiment pas chanceux, perdre une autre épouse.

Lydia se précipita vers la maison. Comme elle allait frapper, le notaire ouvrit la porte. Il les regarda longuement, l'enfant et elle. Puis il referma la porte brusquement. Lydia ne savait plus quoi faire pour montrer le bébé à Simone. Elle fit le tour de la maison, espérant le lui faire voir par la fenêtre de la chambre, mais tous les rideaux étaient tirés.

Elle se rendit au magasin, puis au bureau de poste. Tout le monde parlait de la mort imminente de Simone et du chagrin énorme du notaire. Une si bonne femme, si dévouée, si honorable. Une grosse perte pour tout le village. Lydia se taisait en regardant le petit Henri. C'était en effet une perte immense. Il était déjà orphelin.

Juliette se tenait dans l'embrasure de la porte. Albert aurait dû être là depuis un moment. Il était souvent en retard mais, cette fois-ci, il exagérait. Elle regarda sa montre de nouveau, puis tourna la tête vers sa mère qui était encore assise face au parc, comme si elle attendait quelqu'un. Elle allait refermer la porte quand elle entendit des pas rapides dans le couloir. Son frère arrivait, essoufflé. Juliette tendit le bras pour lui mettre sa montre sous le nez.

— Tu vas réussir à être en retard à ton enterrement.

— Guillaume a passé d'autres tests. Tu sais comment c'est, ça n'en finit plus. J'ai même raté la répétition cet après-midi.

Il semblait si désolé et si fatigué que Juliette ne pouvait pas lui en vouloir.

— Moi, je vais rentrer. Je suis crevée. T'as pas à rester longtemps, elle va bientôt se coucher.

Elle revint dans la chambre prendre son sac à main et embrasser sa mère. Lydia la serra dans ses bras.

— Sois pas si demandante. Je suis pas mourante, après tout. Pis tu sais c'est quoi, avoir un enfant malade, ça gruge ton énergie.

Juliette savait tout ça, mais elle ne pouvait pas s'empêcher de tout diriger. Henri lui avait déjà dit que leur mère aurait dû l'appeler Germaine, car elle gérait et menait tout autour d'elle. Elle passa la main dans le dos de son frère pour l'encourager et sortit de la chambre. Albert se pencha pour embrasser sa mère.

Lydia tint son visage entre ses mains. En vieillissant, il ressemblait de plus en plus à son père, le pianiste.

– Tu peux rentrer. Va te reposer, t'as l'air si fatigué. Va t'occuper du petit Guillaume, pis oublie pas Émilie. Vous avez besoin de vous épauler, tous les deux.

Albert regardait sa mère et souriait. Il n'avait jamais pu garder des secrets bien longtemps avec elle. Elle avait toujours eu le don de lui dire les choses sans détour. Il n'avait pas réussi à en faire autant dans sa vie. Il sortit de sa poche un lecteur de CD portatif. Il brancha les écouteurs et les tendit à sa mère. Lydia regarda son fils insérer un disque compact dans l'appareil.

– Ça s'arrête pas, toutes ces nouveautés. Autant de musique dans si peu de place. On est loin des gramophones.

– Je l'ai choisi pour toi. Tu te souviens de la fameuse *Lettre à Élise* de Beethoven. Combien de fois tu m'as entendu pratiquer ce morceau ? Tu n'avais pas l'air de trouver ça trop pénible.

– J'ai toujours aimé ce que t'as fait, mon grand. Je savais que tu serais un grand musicien.

Albert rougit presque. Il avait connu ses moments de gloire, du moins de reconnaissance publique. Il avait été une vedette, avait tout perdu et avait réussi à refaire sa vie. Il était maintenant heureux avec Émilie. Si seulement leur fils pouvait guérir. Lydia posa les écouteurs sur ses oreilles et Albert mit l'appareil en marche. Elle souriait. Il l'embrassa sur le front avant de quitter la chambre.

La musique et le parc dans la nuit s'accordaient bien ensemble. Un bonheur simple comme celui que Lydia avait connu avec Grégoire et Henri la première année. Voir les saisons passer, regarder le bébé devenir un petit enfant curieux et rieur. Grégoire était si fier de lui qu'il parlait de plus en plus à sa femme de son envie d'en avoir un autre. Lydia se faisait évasive. On pouvait bien essayer. Si Dieu le voulait, ça pouvait marcher. Grégoire, lui, le voulait et faisait tout pour l'obtenir.

Leur bonheur aurait été au beau fixe si la politique mondiale ne les avait pas rattrapés. Henri venait de fêter son premier anniversaire. Les Canadiens étaient allés voter sur la conscription. Les Québécois avaient massivement dit non, alors que le reste du Canada votait oui. Deux peuples qui ne se comprenaient pas, même quand ils essayaient de s'expliquer.

Grégoire regardait Henri faire quelques pas maladroits dans la cuisine. Il était inquiet. Lydia étendait de la pâte à tarte avec un rouleau. Elle n'osait pas briser le silence. Elle aussi était inquiète. À n'importe quel moment, des soldats pouvaient entrer chez elle et ordonner à son mari de les suivre. Il irait se faire tuer en Europe. On racontait souvent que les Canadiens français servaient de chair à canon. Leurs régiments étaient les premiers à être envoyés dans les combats les plus dangereux pendant que les officiers anglais les observaient avec des jumelles, servant leur patrie à moindre risque. Lydia n'y tenait plus.

— Y paraît que les hommes mariés avec enfant seront pas touchés. Il faut bien qu'y reste des hommes pour cultiver la terre et couper le bois.

Grégoire prit Henri sur ses genoux.

— Tu sais bien que les politiciens ont pas l'habitude de respecter leur parole. Quand ils vont manquer de soldats, ils vont prendre tout le monde. Ça va être vous autres, les femmes, qui allez bûcher avec les vieux et les garçons. Une chance que notre Henri est trop petit. La guerre s'éternisera pas jusqu'à ce qu'y soit en âge de porter l'uniforme.

— T'en fais pas, on va s'en tirer.

— Les seuls qui sont exemptés sont ceux qui travaillent dans les usines d'armement. C'est là qui va falloir aller.

Lydia s'immobilisa, le rouleau à pâte à la main. Grégoire était-il sérieux en disant vouloir aller vivre ailleurs? Il se leva avec le petit dans les bras.

— Pis c'est là que je vais aller.

Lydia faillit s'évanouir. Son Grégoire allait partir, la laisser seule au bout du rang avec un enfant.

— T'as pas le droit de me faire ça. De nous abandonner tous les deux.

– Ça sera pas pour longtemps. J'ai un cousin qui travaille à Marine Industries à Sorel. Je vais y demander de me trouver une place. Y paraît que c'est même plus payant que de bûcher.

Voyant Lydia au bord des larmes, il l'enlaça.

– Dès que j'aurai du travail là-bas, je vais prendre un logement, pis tu me rejoindras. Tu seras pus toute seule au bout du rang. Tu vas pouvoir sortir, t'amuser, comme t'as fait à Montréal.

– Parce que tu penses que je me suis amusée là ?

– Ben, t'as tenu compagnie à madame Hamelin, t'as vu du monde, pis t'étais pas toute seule. Tu tiens tant que ça à rester ici ?

– N'importe où, ça ne me dérange pas, pourvu qu'on soit ensemble.

– Ben, tu vois, on va être ensemble.

L'été passa, les récoltes arrivèrent et le cousin de Sorel restait muet. Les usines de guerre avaient surtout besoin de travailleurs spécialisés ; les journaliers ne manquaient pas dans la région, surtout après les récoltes.

Grégoire n'y tenait plus. Il fixait le plafond de la chambre dans le noir. Lydia savait qu'il ruminait dans sa tête son avenir immédiat. Il devrait se décider bientôt. Soit retourner dans les chantiers de bûcherons en espérant que l'armée le laisse tranquille pour l'hiver, soit partir pour Sorel sans savoir ce qui allait arriver. Il se tourna vers sa femme. Elle l'embrassa.

– Fais ce que t'as à faire, mon homme. Je vais t'attendre.

– Je vais essayer Sorel. Je deviendrai balayeur s'il le faut.

La musique s'était arrêtée. Lydia s'était endormie dans son fauteuil. Une main prit doucement le lecteur de CD et le déposa sur la table de nuit. Les écouteurs tombèrent et Lydia sursauta. Elle ouvrit les yeux pour voir une jeune préposée lui sourire, gênée.

– Je m'excuse, madame Cha… euh… Gagnon. Je voulais pas vous faire peur. Vous serez mieux dans votre lit pour dormir.

– À mon âge, on dort où on peut.

Lydia se leva et se dirigea vers son lit. Par la porte entrouverte, elle vit un homme qui passait une large vadrouille. Ses gestes étaient lents et silencieux. Un travailleur invisible comme des milliers d'autres qu'on ne remarquait plus, mais qui faisaient tourner la machine de la civilisation. Son Grégoire aurait pu faire ça toute sa vie ; cependant, il avait eu plus de chance. Et de l'entêtement aussi.

Grégoire était arrivé à Sorel en fin de journée. L'autobus était passé près d'un vaste campement. L'armée avait déjà installé des baraques militaires à la périphérie de la ville dont la population avait triplé en quelques mois. Certains soldats marchaient au pas ; d'autres couraient avec des sacs sur le dos. Grégoire s'était calé sur son siège. Il ne voulait surtout pas être de ceux-là. Quand il descendit au centre-ville, il fut étonné de voir autant de soldats marcher en petit groupe, flirter avec les filles qui riaient si elles étaient en groupe ou baissaient simplement les yeux si elles étaient seules. La ville avait l'air d'une immense caserne à ciel ouvert.

Grégoire se mit tout de suite à la recherche de son cousin. Il n'eut aucune difficulté à le trouver dans une des nombreuses tavernes de la ville. Jacques Gagnon avait la même carrure que lui. Grand, costaud, il n'avait pas l'habitude de s'en laisser imposer. Il l'accueillit avec de grandes tapes dans le dos. Une salutation d'homme à homme. Après quelques bières, ils échafaudaient déjà un plan pour que Grégoire entre à Marine Industries.

Celui-ci pouvait balayer les installations des chantiers maritimes, mais c'était un travail précaire pour un jeune père de famille. Le mieux était d'acquérir un métier. Jacques se leva brusquement et alla à une table remplie de bouteilles de bière vides. Il se pencha vers un grand rougeaud et lui dit quelques mots. Le gaillard regarda Grégoire qui se demandait s'il devait sourire ou jouer au dur. Un signe de tête, encore deux ou trois mots et Jacques revint vers son cousin avec un sourire de vainqueur.

— T'es chanceux, mon homme, d'être tombé sur moi, pis moi de connaître le *foreman*.

— J'ai un travail?

— Prends pas le mors aux dents. Lui, c'est un homme important, il a l'oreille des *boss*. Et, demain, tu vas commencer ton apprentissage comme soudeur. Ça prend du temps pour avoir tes cartes de compétence, mais il y a un début à toute chose.

Jacques leva son verre et Grégoire l'imita, le cœur en joie. Il déchanta quand vint le temps de se trouver un endroit où dormir. Beaucoup de travailleurs venant des campagnes environnantes dormaient dans des autos stationnées près des usines, faute de trouver une simple chambre à louer. Maintenant que les récoltes étaient rentrées, ils étaient encore plus nombreux. Tout un quartier de maisonnettes était en construction, mais le chantier ne serait pas terminé pour l'hiver. Les habitants de la ville faisaient aussi un effort en louant tout espace disponible. Mais ça ne suffisait pas.

Jacques avait une chambre chez une famille dont le mari était machiniste à Sorel Industries. Une chambre minuscule. Il sortit la clé de sa poche et chuchota à son cousin:

— Fais pas de bruit. Si sa femme te voit, t'es fait. Tu pourras dormir par terre pour cette nuit, mais demain il faudra chercher autre chose.

Grégoire suivit son cousin, marchant dans ses pas comme il le faisait souvent dans la forêt. Ils montèrent un escalier dont le bois craquait au moindre mouvement. Ils étaient à peine entrés que la porte de la chambre principale s'entrouvrit, puis se referma doucement.

Grégoire garda les yeux ouverts pendant des heures, recroquevillé sur le plancher dur, son maigre bagage lui servant d'oreiller. Était-il tombé dans la gueule du loup? Avait-il abandonné femme et enfant pour un peu d'aventure, comme s'il était célibataire? Quand il s'endormit finalement, Jacques se levait pour aller travailler.

— Suis-moi. Fais pas de bruit. Ils sont déjà levés. Lui aussi commence aux aurores.

— Qu'est-ce qu'on va leur dire?

— La vérité. T'es arrivé tard hier soir, pis t'as pas trouvé de place.

— J'aurais pu aller à l'hôtel.

— Un chômeur, ç'a pas d'argent pour un hôtel. Viens, c'est pas du méchant monde.

Le couple ne montra aucune surprise en voyant le nouveau venu. Comme les deux cousins se ressemblaient physiquement, la femme en conclut qu'on ne pouvait pas laisser un membre de la famille dans la rue. Elle aurait bien aimé lui louer un endroit où dormir mais, avec son père et ses deux jeunes enfants, la maison était pleine. Elle offrit un gros sandwich à Grégoire.

— Ç'a beau être la guerre, ici, on manque pas à manger, pis on gagne bien sa vie.

Grégoire dévora son sandwich avec un féroce appétit. Il marcha tout heureux vers les grilles de l'usine. Le *foreman* de la veille le salua et le confia à un vieux soudeur. Les deux hommes traversèrent de longs ateliers bruyants pour aboutir à un immense hangar où des dizaines de bouées maritimes gisaient sur le flanc.

La plupart étaient ouvertes en deux et de la fumée s'échappait de l'une d'elles. Le vieux soudeur chiquait du tabac et regardait son nouvel apprenti en souriant de ses dents jaunes.

– C'est là que tu vas commencer. T'es un peu costaud pour ça, mais le bas de l'échelle, c'est le bas de l'échelle.

Grégoire vit une tête sortir d'une bouée. L'homme à qui elle appartenait était petit et couvert de saleté. La fumée qui se dégageait de la bouée le fit tousser. Il leva ses lunettes protectrices. Deux ronds blancs apparurent autour de ses yeux. Il sourit et fit signe à Grégoire de s'approcher.

Le travail s'avéra beaucoup plus pénible que Grégoire ne l'avait imaginé. Habitué au grand air été comme hiver, il supportait mal cet environnement enfumé et poussiéreux qui lui arrachait la gorge et les poumons. Mais il ne pouvait se permettre de refuser tout le sale travail qu'on lui faisait faire. C'était mieux que les champs de bataille européens. Il trouva une chambrette dont le locataire venait de retourner à sa ferme. La pièce était petite, sombre, mais le lit était assez confortable pour accueillir son grand corps épuisé le soir venu.

Grégoire n'avait que le dimanche de congé. Il avait envie de revoir Lydia, et le petit Henri lui manquait. Mais le trajet en autobus avec les correspondances était long. Le temps d'arriver, il devrait repartir presque aussitôt. Il aurait aimé que Lydia vienne le voir avec leur fils, mais le problème était le même. Après le long trajet, où allaient-ils loger? Ils durent donc se résoudre à passer l'hiver éloignés l'un de l'autre. Ils s'écrivaient souvent. Lydia, de sa petite écriture fine apprise chez les sœurs, Grégoire, de ses lettres maladroites formées de sa grande main.

La séparation n'avait pas que des mauvais côtés. Lydia allait souvent au village et la postière était devenue plus bavarde avec elle. Un couple marié qui s'écrivait si souvent, c'était une belle preuve d'amour, comme dans les romans à l'eau de rose que Joséphine lisait abondamment. Lydia aimait bien se changer les idées en l'écoutant raconter ses histoires. La solitude de la maison au bout du rang devenait de plus en plus difficile à supporter. Et puis, cette sortie réjouissait aussi Henri qui gazouillait de plus en plus, charmant avec ses yeux doux toutes les personnes qui le rencontraient.

Et ce fut grâce à la postière que Lydia sut qu'elle offrirait un autre enfant à son Grégoire.

Lydia ouvrit les yeux et se demanda un moment où elle était. Elle ne reconnaissait pas les draps, ni cette horrible lumière au plafond. Elle regarda autour d'elle. Un plateau de nourriture était posé sur une petite table; une robe de chambre rose, sur le dossier d'un fauteuil. Tout lui revint. La clinique, les tests.

Pourquoi était-il si important pour tout le monde de se souvenir? C'était important pour plein de choses, par exemple pour ne pas refaire la même erreur, savoir que le feu brûle et que l'eau noie. Mais, en dehors de ces besoins pratiques de la mémoire, à quoi servait de ressasser le passé alors qu'on ne pouvait pas le changer? Se souvenir aurait pris tout son sens si on avait pu voyager dans le temps, faire et défaire. Et puis, non. Même les choses à défaire pouvaient s'avérer être de bonnes et belles choses. Il n'y avait que l'avenir pour le dire.

Lydia s'étira et sortit du lit. Les arbres étaient encore plus verts que la veille, la pluie accentuant la couleur du feuillage et de la pelouse. Elle avait passé une grande partie de sa vie entourée de forêts et elle ne se lassait pas de suivre le temps avec les arbres. C'était beaucoup plus agréable que de regarder un calendrier.

Les feuilles rouges des érables avaient disparu depuis un moment. Une fine couche de neige recouvrait le sol. Lydia regardait par la fenêtre et se demandait si elle irait aujourd'hui au bureau de poste. Sa lettre était prête à être envoyée. Mais il fallait habiller le petit Henri, qui jouait avec son cheval de bois, et marcher ensuite jusqu'au village. Elle regarda de nouveau l'intérieur de la maison. Tout était en ordre, récuré, rangé, nettoyé. Que ferait-elle de sa journée si elle n'allait pas voir la postière qui aurait sans doute une autre histoire romanesque à lui raconter? Et puis, elle pourrait acheter quelques bonbons pour le petit. Elle se décida donc à sortir. Une décision dont elle allait se féliciter toute sa vie.

Quand elle arriva au bureau de poste, Lydia vit Paulette Tremblay qui attendait un paquet. La postière le cherchait dans une grande boîte près du comptoir. Paulette salua Lydia et sourit à Henri dans les bras de sa mère. L'enfant tendit les doigts vers elle pour la toucher. Elle recula légèrement le visage pour être hors de portée du petit.

— C'est ton premier?

— Oui, pis on en veut d'autres.

— Moi, j'ai même pas besoin de le souhaiter, ça m'arrive presque à tous les ans.

Paulette toucha son ventre qu'on voyait à peine sous son manteau.

— Ça va être le treizième, celui-là.

Lydia resta bouche bée. Le treizième. Cette femme parlait de ses enfants comme de gâteaux qu'elle aurait sortis du four. Une autre fournée cette année, madame Chose?

— Je sais pas quand ça va s'arrêter, mon Gaston est encore entreprenant…

Paulette sourit comme si elle était responsable de la libido de son Gaston.

— Pis, toi, ton mari est dans le bois pour l'hiver?

— Non, il travaille dans une usine de guerre, là où ils font des bateaux, à Sorel.

— Il y a plusieurs usines là-bas, il paraît. Vas-tu passer l'hiver toute seule icitte?

— Il y a pas beaucoup de logements à Sorel. Je sais pas quand je pourrai le rejoindre.

— Séparés comme vous êtes, vous aurez pas gros d'enfants de même. Ça se fait pas à distance, cette affaire-là.

Paulette partit d'un rire qui donna la chair de poule à Lydia. Cette dernière la trouvait vulgaire et insultante. Elle eut soudain envie de la frapper dans le ventre. Quelle horrible image son cerveau venait-il de lui lancer? Puis elle se ravisa. Paulette était une femme sévère qu'on qualifiait souvent de brutale. Elle ne ménageait personne, à commencer par ses propres enfants. Lydia eut envie de la battre sur son propre terrain.

– Oh! Il y en a déjà un en route. Ça paraît pas trop encore.

Lydia se mit à compter les mois depuis la dernière fois qu'elle avait vu Grégoire. Elle essayait de faire vite pour ne pas avoir l'air de mentir.

– Ce sera pour le début de juillet.

– Ah oui? Moi, ça devrait être pour la fin de juin. Un petit saint Jean-Baptiste peut-être. De toute façon, tous mes enfants sont beaux pis frisés.

Lydia sourit. Elle avait vraiment envie de lui faire ravaler son orgueil. Ses enfants étaient plus sales que beaux.

La postière revint avec le paquet de Paulette. Celle-ci le prit et sortit après de rapides salutations. Joséphine se pencha au-dessus du comptoir et baissa le ton, même si elle était seule avec Lydia. Elle aimait l'intonation des confidences, ce ton feutré propice au secret. Elle avait alors l'impression que ses paroles avaient plus de poids, plus d'importance.

– Son petit saint Jean-Baptiste, il est mieux d'être travaillant. Ils ont pas deux ans qu'ils ont déjà des tâches à faire. Comme si elle était en train d'élever une armée. Les deux plus vieilles servent de mères aux autres. Remarque qu'avec douze enfants elle a pas ben le choix.

– Elle est comme une usine. Ça sort à tous les ans.

– Son Gaston pourrait se calmer un peu le moineau à son âge. C'est vrai que, lui, il paraît qu'il cuve son vin de pissenlit dans la grange, caché derrière les bottes de foin. C'est facile quand t'as toute une gang d'enfants pour travailler à ta place. Pis tu vas voir. Ils vont en avoir un autre l'année prochaine. Une vraie fabrique.

Lydia sourit à Joséphine qui venait de renforcer son désir de maternité. Une fabrique avec autant de bébés… Un de plus ou de moins, ça ne devrait pas faire une grande différence. Lydia regarda la lettre qu'elle tenait dans ses mains. L'enveloppe était déjà cachetée, prête à être envoyée à Grégoire. La bonne nouvelle serait pour la lettre suivante. Demain, pas plus tard.

Joséphine prit la lettre avec précaution, comme si elle manipulait un objet précieux. Puis elle tendit à Lydia celle de Grégoire, fraîchement arrivée du matin.

— En tout cas, je suis ben contente pour vous autres. Pis le beau Henri va avoir un petit frère ou une petite sœur pour jouer avec.

Henri émit un cri bref, comme s'il avait compris et voulait partager sa joie. Lydia y vit un signe d'encouragement. Et, grâce à Joséphine, tout le village saurait que Grégoire avait fait son devoir avant de partir pour les chantiers maritimes.

Lydia n'avait qu'une chose à faire pour les longs mois à venir : échafauder un plan pour voler le petit saint Jean-Baptiste. Comment prendre un nouveau-né entouré de onze enfants et de deux adultes ? Sans oublier les chiens, les vaches, les poules. Beaucoup de témoins et de sonneurs d'alarme.

Quand elle entra, Juliette trouva Lydia riant toute seule face à la fenêtre. Sa mère était-elle Alzheimer ou simplement folle ?

— Qu'est-ce qu'il y a de si drôle, maman ?

Lydia se tourna vers elle.

— La vie, ma belle Juliette, la vie. Tout ce qu'elle nous fait faire. Viens t'asseoir à côté de moi. Laisse faire le déjeuner. Je suis capable de manger toute seule.

Juliette s'assit, un peu inquiète de la bonne humeur de sa mère. Était-ce la maladie qui lui jouait des tours ? Lydia lui prit la main.

— Tu t'en fais trop, ma fille. Tu trouves ça normal d'être ici de bonne heure le matin, de courir pour me faire manger avant d'aller travailler à l'hôpital ? Passe plus de temps avec Michel et tes enfants.

– Tu veux plus me voir?

– Mais non, c'est pas ça. Je veux te voir heureuse, pas inquiète pour moi. Ce que j'ai fait, je l'ai fait pour ton bonheur, pour que tu sois pas une servante comme Cendrillon dans une maison qui méritait le nom de soue à cochons. Je pense qu'ils se lavaient tous dans la même eau du bain.

Juliette ne comprenait plus rien. Cendrillon dans une soue à cochons! Il faudrait qu'elle en parle au médecin. Il semblait hésiter dans son diagnostic. C'était pourtant clair. Sa mère devenait confuse.

Juliette sortit, la mort dans l'âme. Se faire reprocher de s'occuper de sa mère. Quelle injustice! Alors que des enfants s'empressaient de placer leurs parents au moindre problème de santé, Lydia lui disait qu'elle en faisait trop. Sa mère avait beau être confuse, ce rejet faisait mal.

Lydia soupira devant son plateau de déjeuner. Juliette avait mal pris ses paroles, pourtant pleines de bonnes intentions. Depuis l'enfance, chaque fois que sa mère lui suggérait de s'occuper d'elle-même, Juliette boudait, se sentant exclue. Si seulement elle avait su à quelle vie difficile elle avait échappé. Mais il n'était pas question pour Lydia de le lui dire, même si cela l'eût soulagée. Le crime était trop important pour être pardonné. Seul Grégoire aurait pu le faire, à cause du bonheur qui en avait résulté.

Il avait pleuré de joie en apprenant que Lydia attendait un autre enfant. Il venait tout juste de lui écrire qu'il avait eu une promotion. Son patron semblait content de ses progrès. Grégoire avait quitté les bouées pour souder des plaques dans la coque des navires. Il rouvrit l'enveloppe pour ajouter qu'il était l'homme le plus heureux du monde. La seule chose qui lui manquait était d'être aux côtés de sa femme pour l'épauler dans sa grossesse. Mais il espérait bien trouver un logement d'ici l'arrivée de leur bébé. Ils seraient enfin tous ensemble.

Lydia relut la lettre à plusieurs reprises. Les choses se compliquaient. Elle ne pouvait pas accoucher à Sorel d'un bébé inexistant. Elle ne pouvait pas non plus espérer une complicité de la part de Paulette. Jamais celle-ci ne donnerait un de ses petits, même contre de l'argent. De toute façon, de l'argent, Lydia n'en avait pas. Elle n'avait pas le choix, elle devait rester dans la maison du bout du rang jusqu'à l'été.

Elle écrivit à Grégoire pour lui dire d'économiser son argent. Le logement pouvait bien attendre à l'été, quand le bébé serait né. Ce serait moins compliqué que de déménager leurs maigres possessions en hiver. En relisant sa lettre, elle réalisa qu'elle avait été un peu trop catégorique. Elle recommença pour lui écrire, cette fois, qu'elle était impatiente de le voir pour Noël qui approchait. Aurait-il quelques jours de congé pour venir les visiter? Henri grandissait et il avait hâte aussi de voir son papa. Puis elle ajouta que le déménagement à l'été, après la naissance de leur bébé, serait une bonne solution pour mettre fin à leur séparation.

Grégoire revint pour deux jours à Noël. Ce fut la fête. Henri déballa ses cadeaux en criant de joie. Lydia reçut un collier de perles d'eau douce et elle offrit à son homme un chandail de laine qu'elle avait tricoté. L'enfant s'endormit près du sapin de Noël. Grégoire le prit dans ses bras et le coucha dans son lit qui commençait à être trop petit pour lui.

— Il va falloir que j'en fasse un autre.

— T'as du temps pour ça?

— Non, pas vraiment. On fait de longues semaines. Les bateaux sortent à toute allure, les uns après les autres. Si les Allemands voyaient ça, ils auraient peur.

Lydia prit Grégoire par la taille et l'embrassa. Elle l'entraîna vers la chambre. Grégoire la souleva dans ses bras et la déposa sur le lit.

— On peut, tu penses?

— Ben oui, c'est encore juste au début.

Elle souffla la lampe à huile. Elle avait beau gonfler son ventre, il serait difficile de faire illusion avec sa minceur. Grégoire était si heureux de revoir sa femme qu'il ne remarqua qu'une chose: ils s'aimaient comme de jeunes mariés et étaient restés éveillés une bonne partie de la nuit.

Lydia passa les premiers mois de l'année à mettre son plan au point. Elle confectionna un ventre de guenilles souple avec un espace vide au milieu. Elle remplirait l'espace petit à petit, suivant les mois de grossesse. Elle fit plusieurs essais et trouva un moyen ingénieux de tenir le ventre attaché dans le dos et ouvert par une fente sur le côté. Elle pourrait le vider et y glisser le nouveau-né des Tremblay. C'était la partie la plus facile du plan.

Elle écrivit ensuite à sa sœur à Québec. Elle ne voulait surtout pas que sa mère ait envie de venir lui tenir compagnie au bout du rang. Elle avait omis dans ses cartes de vœux du Nouvel An de parler de sa grossesse. Un peu avant Pâques, elle la mentionna vaguement, écrivant que c'était arrivé au congé de Grégoire à Noël, un cadeau du petit Jésus. Elle aurait la paix jusqu'à la fin de l'été. Elle leur annoncerait l'heureux événement quand elle aurait déménagé à Sorel.

Il lui restait à planifier le vol. Lydia chaussa ses raquettes à plusieurs reprises pour se rendre à la ferme des Tremblay. Henri adorait ces promenades en traîneau. Il riait très fort, puis il s'endormait rapidement, ballotté par le mouvement régulier de la luge et apaisé par le bruit cadencé des raquettes se posant sur la neige. Lydia passa d'abord par la forêt, puis le long de la rivière, et contourna finalement le petit lac Rond. Ce n'était pas très difficile d'y arriver, tous les chemins y menaient. Mais comment y prendre un enfant et s'enfuir sans laisser de traces?

Lydia examina la ferme attentivement. Même en hiver, il y avait un va-et-vient constant du matin au soir. Les enfants s'occupaient des animaux de l'étable, de la porcherie et du poulailler. Deux gros chiens les suivaient partout. Et à l'été il y aurait encore plus d'activité avec les foins et les animaux sortis dans les prés. La jeune femme resta longtemps à observer les alentours, appuyée contre un arbre. Sa seule voie de sortie serait la forêt, car elle serait trop visible à travers les champs. En suivant le ruisseau, elle pourrait semer les chiens, mais l'eau risquait d'être encore assez haute au début de l'été. Il avait beaucoup neigé tout l'hiver. S'il pleuvait autant au printemps, la fuite par le ruisseau serait difficile. Courir entre les arbres en évitant les branches mortes et les pierres avec un nouveau-né dans les bras serait un parcours à obstacles dangereux.

À chaque retour à la maison, Lydia se sentait encore plus découragée. Elle avait calculé le temps qu'elle mettait à parcourir la distance la séparant de la ferme. En raquettes, ça prenait une bonne heure. Ce serait plus rapide l'été mais, même en courant, elle ne pourrait pas faire le trajet en moins de quarante-cinq minutes. Cela suffirait pour qu'on la rattrape. Il fallait donc que personne ne s'aperçoive de la disparation du bébé pendant au moins une demi-heure.

Et puis, le nouveau-né serait probablement à l'intérieur de la maison. Avec son gros ventre de grossesse à terme, elle ne passerait pas inaperçue. Que pourrait-elle dire pour justifier sa présence ? « Bonjour, je passais par là à une heure de marche en forêt et je suis venue vous féliciter pour le petit dernier. Je n'ai pas voulu venir à travers les champs, trop facile. »

Cette idée qu'elle trouvait géniale au début devenait un casse-tête. Mais Lydia refusait de baisser les bras. Elle écrivait encore à Grégoire que tout allait bien et elle priait à chaque instant pour avoir l'idée de génie qui ferait réussir son plan. Le printemps arriva avec ses rivières en crue et ses fossés débordant. Puis le soleil aida à assécher le tout. Lydia avait des nouvelles de Paulette par Joséphine : tout allait bien, elle portait son gros ventre comme une habituée, sans se plaindre.

Le mois de juin se pointa. Grégoire écrivit qu'il avait trouvé un logement qui se libérerait bientôt. Il recommanda à sa femme de commencer à mettre leurs quelques affaires dans des boîtes. Cette lettre donna à Lydia l'envie de pleurer. Elle n'aurait pas d'autre choix que de déclarer une fausse couche avant l'arrivée de Grégoire.

Le médecin toucha le bras de Lydia. Elle sortit de son rêve éveillé.

– Comment ça va, madame Gagnon?

– Ça va bien. Mais je pense que Juliette est fâchée. Elle se dévoue trop, pis elle aime pas ça, quand je lui dis.

Lydia regarda le médecin dans les yeux.

– Elle s'est plainte, c'est ça?

Le docteur Legendre sourit en baissant les yeux, embarrassé par la perspicacité de sa patiente.

– Je vois que vous êtes allumée aujourd'hui. Ça vous tenterait quelques tests? Ce ne sera pas long.

– Ça me tente pas, mais est-ce que j'ai le choix?

– Vous êtes ici pour ça.

– Je sais ben.

Le docteur Legendre consultait sa feuille. Lydia le regardait avec une lueur de malice dans les yeux.

— J'ai-tu des bonnes notes? C'était moins niaiseux que de me demander l'heure avec votre horloge en plastique.

Elle avait fait un effort pour bien répondre. Elle venait de réaliser que c'était une chose de faire celle qui ne se souvenait de rien et une autre de se faire enfermer pour cause de maladie. Le médecin la fixa, puis retourna à ses feuilles. Il sourit soudain.

— Parfois, j'ai l'impression que vous vous rappelez bien ce que vous voulez.

Lydia baissa la tête comme une gamine prise en faute.

— Vous savez, docteur, des fois, rendue à mon âge, vaut mieux pas tout se rappeler.

— Allons, madame Gagnon, vous avez eu une bonne vie, de beaux enfants.

Oui, elle avait eu une bonne vie. Mais si les autres avaient su comment elle avait réussi à avoir une famille de cinq enfants, ils auraient enlevé l'adjectif «bonne». Si elle n'avait pas été si âgée, ç'aurait même été la prison.

Quand elle apprit par Joséphine que Paulette avait accouché la veille d'une petite fille en bonne santé, Lydia eut de la difficulté à cacher sa joie. Un joli bébé qu'elle pourrait avoir avant l'arrivée de Grégoire. Elle rentra chez elle en se disant qu'elle devait au moins essayer. Si ça ne fonctionnait pas, elle passerait pour une folle qui avait fait une fausse couche et refusait de croire à la mort de son bébé. Et comme elle déménagerait dans quelques jours, cela n'avait plus d'importance que les gens du village la traitent de cinglée.

Il faisait chaud et Lydia allait se débarrasser de son ventre de guenilles pour quelques heures quand elle entendit une auto arriver en cahotant sur le chemin de terre. Elle eut tout juste le temps de remettre sa robe avant de voir Grégoire sortir de la voiture. Il remercia le conducteur qui fit demi-tour et s'en alla lentement par le chemin à ornières. La jeune femme sortit l'accueillir. Il la regarda avec étonnement. Il ne l'avait jamais vue si grosse. Avec de la chance, il serait là pour l'accouchement. Ils s'embrassèrent et Henri courut se jeter dans les bras de son père.

— Comme je suis content de vous voir! Une chance que je travaille tout le temps, sinon ça serait pas vivable.

Lydia ne savait plus quoi dire. Elle le regarda tristement, prête à lui annoncer sa supercherie. Voilà, elle venait d'être découverte.

— T'as pas l'air contente.

— C'est pas ça, c'est la surprise. T'as perdu ton travail?

Grégoire rit de son gros rire sonore. Cela fit du bien à Lydia. La voix de son homme lui avait manqué.

— Ben non! Le grand Coulombe a perdu sa mère, pis il a eu deux jours de congé pour aller aux funérailles à La Tuque. Comme j'avais fait pas mal d'*overtime*, j'ai demandé deux jours de congé aussi pour venir vous voir. On va avoir notre logement la semaine prochaine. Pis après, je te jure qu'on se quitte plus.

Lydia n'osa pas gâcher la joie de son mari en se dénonçant. Ils mangèrent ensemble, Grégoire joua avec son fils, et Lydia rumina sa confession. Mais pourquoi ruiner de si belles retrouvailles? Elle décida qu'il serait toujours temps de lui annoncer la mort de leur bébé dans quelques jours. Et puis, la cueillette du nouveau-né était peut-être simplement retardée.

Le soir venu, Grégoire s'endormit comme une bûche. Lydia gardait les yeux ouverts dans l'obscurité. Le principal obstacle à l'enlèvement du bébé était le grand nombre de gens qui pouvaient en être témoins. Et si elle en faisait un avantage? Si le kidnapping était si évident que personne n'y croyait? Et pourquoi en plein jour, quand la nuit cache si bien les choses?

Lydia se leva doucement et ferma la porte de la chambre. Elle vida son ventre de guenilles, y glissa une petite couverture et prépara un biberon de lait maternisé. Henri dormait à poings fermés. Elle sortit silencieusement de la maison et se mit à courir vers la forêt. La lune presque pleine éclairait la nuit. Lydia connaissait bien le chemin. Elle s'enfonça entre les arbres avec assurance. Il faisait encore nuit quand elle arriva près de la ferme des Tremblay. Elle s'approcha du poulailler et s'accroupit près d'un massif de lilas qui la cachait de la maison. Elle attendit, haletante.

Une lumière s'alluma dans la cuisine, puis deux fillettes sortirent et se dirigèrent vers le poulailler. Le coq et les poules se mirent à caqueter. Les petites filles revinrent avec un panier d'œufs. Les lumières s'allumaient d'une fenêtre à l'autre. Le soleil se levait. Il devait être cinq heures environ. Lydia n'avait pas bougé. Après avoir mangé, les enfants sortirent en groupe avec leur père. Ils montèrent sur la charrette tirée par le tracteur conduit par Gaston. Ils allèrent tous vers les champs de foin. Un des chiens les suivit. Ils en auraient pour longtemps.

Paulette sortit à son tour avec sa nouveau-née dans les bras. Elle la passa à sa fille aînée et entra dans la porcherie. Le deuxième chien, le plus vieux, se coucha sur la galerie qui longeait deux côtés de la maison. L'adolescente coucha le bébé dans un couffin posé sur un banc de bois de la véranda et entra dans la cuisine. Alors que Lydia allait s'élancer, la jeune fille ressortit avec un bambin un peu plus jeune qu'Henri. Celui-ci s'assit près du couffin avec un ourson en peluche tout sale. Le chien semblait le surveiller, la tête appuyée sur ses pattes avant, les yeux mobiles.

Lydia se tourna vers la forêt. Elle pouvait encore s'en sortir en fuyant. Cette solution lui déplaisait. Être aussi près du but et rebrousser chemin. Quelle malchance! Elle vit alors des vaches et de jeunes veaux dans un enclos. Ils pouvaient peut-être l'aider. Lydia contourna la porcherie, rampa vers l'enclos et ouvrit la barrière. Ne la connaissant pas, les vaches et leurs petits restèrent immobiles un long moment, la fixant de leurs yeux sombres.

La jeune femme retourna derrière le lilas. Elle se disait qu'elle faisait une folie en restant là. Paulette la découvrirait en sortant de la porcherie ou alors sa fille la verrait à travers les branches du lilas. Même si Lydia avait apporté un châle noir pour se dissimuler pendant la nuit, il faisait maintenant clair. Elle était une grosse tache d'encre entre les branches. Puis le destin vint l'aider. Les vaches sortirent les unes derrière les autres avec leurs veaux excités qui bondissaient dans tous les sens. La fille qui gardait le couffin prit aussitôt un bâton et se dirigea vers les vaches, résolue à les faire retourner dans l'enclos. Le chien la suivit. Il aboya un peu. Les vaches le connaissaient et elles n'étaient pas pressées d'obéir. Elles marchaient nonchalamment devant le vieux chien qui jappait toujours.

Lydia courut le plus rapidement possible. Elle défit la couverture enveloppant le bébé et le prit dans ses bras. Elle roula la couverture en boule et la replaça dans le couffin pour faire croire que le nourrisson dormait, bien enveloppé. Le petit garçon était assis tout près d'elle et la regardait avec un sourire, mordillant l'oreille de l'ourson de peluche. Elle lui sourit pour qu'il continue à se tenir tranquille. Puis elle courut jusqu'au lilas. Personne d'autre ne semblait l'avoir vue. La fille aînée criait après les vaches. Lydia galopa jusqu'à la forêt, sans regarder derrière elle.

Le bébé se réveilla et se mit à chialer. La jeune femme le serra contre elle et continua à se faufiler entre les arbres. Elle fit une pause et sortit le biberon. La petite la regarda avec surprise, puis se mit à téter. Elle était déjà habituée à être dans des bras différents. Lydia avançait le plus vite qu'elle le pouvait dans les bois. Elle entendit le chien aboyer plus fort. Paulette et sa fille avaient sans doute découvert le couffin vide. La fuyarde mit le nourrisson dans le ventre de guenilles et se remit à courir.

Après un long moment, elle eut la gorge en feu et la poitrine oppressée. Elle souleva le côté de sa jupe. La petite tétait encore. Lydia ralentit et la nouveau-née se rendormit. Elle s'enfonça davantage dans la forêt. Rendue au ruisseau, elle prit soin de mouiller un peu sa robe. Réalisant que la petite était trop propre pour venir de naître, elle lui enleva sa couche de coton qu'elle enterra sur la berge et prit un peu de boue qu'elle frotta sur l'enfant qui se mit à pleurer. Elle l'enveloppa dans une petite couverture et la berça un moment. Le bébé s'endormit de nouveau et Lydia reprit sa marche après avoir caché le biberon dans son ventre vide. Elle entendit au loin des chiens aboyer. Allaient-ils trouver le vêtement du bébé?

Elle vit avec soulagement sa maison entre les arbres. Grégoire semblait désespéré. Henri pleurait dans ses bras. Lydia s'avança vers eux. Quand il la vit, son mari se mit à courir vers elle. Elle lui présenta leur nouvelle petite fille. Grégoire hésitait entre la colère et la joie.

— Je t'ai cherchée partout. Pourquoi t'es pas restée à maison?

— Je pensais pas que ça arriverait si vite. Je suis allée chercher de l'ail des bois. Quand ç'a commencé, j'étais plus proche du ruisseau que de la maison. Alors, je suis allée au ruisseau.

Grégoire regardait la petite chose brunâtre enveloppée dans la petite couverture d'Henri.

— T'avais amené la couverte?

— J'ai pas trouvé le panier, il faisait encore noir quand je suis partie, pis j'ai pris ça au hasard… Là, j'aimerais me reposer.

Grégoire se sentit coupable de la questionner ainsi. Il discutait avec sa femme qui était en sueur, les cheveux mouillés collés sur son front, le visage rouge, le souffle court. Il déposa Henri par terre et tendit les bras pour prendre l'enfant. Lydia serra le petit corps de sa fille contre elle.

— Je vais la laver avant.

Ils marchèrent vers la maison. Lydia tremblait encore légèrement. Si Grégoire racontait au village cette histoire d'accouchement au ruisseau, quelqu'un quelque part ferait le lien avec la disparition de la petite Tremblay.

Arrivé à la maison, Grégoire remplit une bassine avec l'eau chaude laissée sur le poêle. Lydia lava la petite qui gigota vigoureusement. Sa peau un peu rougie, ses plis, son cordon ombilical qui n'était pas encore tombé, tout pouvait prouver qu'elle était une nouveau-née. Grégoire était déjà en admiration devant elle, prêt à avaler n'importe quelle histoire.

Lydia enveloppa l'enfant dans une serviette propre et la tendit à son mari.

— Tu sais ce qui serait bien? On pourrait tous partir pour Sorel avec le gars qui va venir te chercher cet après-midi. On n'a pas grand-chose à paqueter. J'ai pas envie de rester ici sans toi... avec deux petits maintenant.

Grégoire sourit, comblé.

— On va avoir le logement dans une semaine. Mais on peut ben s'arranger. J'ai tellement envie de vous avoir avec moi. C'est plate, la vie, quand vous êtes pas là.

Lydia avait retrouvé son fauteuil face au parc. Une femme était assise sur un banc avec un landau à ses côtés. Elle tenait un livre d'une main et bougeait doucement le landau de l'autre main. Lydia sourit. Les mères avaient de tout temps été polyvalentes.

Il lui avait fallu moins d'une heure pour ramasser les maigres possessions de la famille. Des vêtements, un service de vaisselle offert par sa mère, quelques jouets et le berceau qu'ils avaient attaché sur le toit de la voiture. Le grand Coulombe s'était montré conciliant. Il retournait à Sorel de toute façon. Lydia s'était dit que le lit et la vieille table de cuisine pouvaient bien rester dans la maison. Elle rêvait déjà des jolis meubles qu'elle achèterait pour sa nouvelle vie.

En arrivant au village, la jeune femme demanda à Georges Coulombe de s'arrêter quelques minutes au bureau de poste. Elle voulait donner sa nouvelle adresse à la postière. En fait, elle voulait surtout savoir ce que cette dernière avait appris.

Joséphine était dans tous ses états.

– Tu me croiras pas, Lydia. Il paraît que Paulette s'est fait enlever son bébé par des loups. Ils l'ont pris dans son berceau et l'ont traîné dans le bois. Ils ont dû le manger ben vite à la gang. Comme un petit poulet. Les pauvres Tremblay…

– Mais comment des loups peuvent venir si proche des maisons?

– C'est ben la question. Ils prennent un bébé sur une galerie et personne les a vus. Sauf le petit. Heureusement qu'ils l'ont pas mangé, celui-là.

— Qu'est-ce qu'y dit, le petit?

— Il parle pas ben franc. Il répète juste : « Lilas, lilas. » C'est pas le plus malin de la famille. Pis tous les autres étaient aux champs. Le temps qu'ils reviennent, plus de traces des loups.

Lydia avait envie de sourire, mais elle se composa un visage triste.

— C'est un gros malheur pour eux autres.

Joséphine la regarda soudain. Elle mit la main devant sa bouche de surprise.

— Mon Dieu, j'avais pas remarqué. T'as eu ton bébé.

— Oui, hier soir. Grégoire venait tout juste d'arriver. J'ai pas besoin de te dire qu'il est content. Pis là on déménage à Sorel. On a la chance d'avoir une voiture. On va faire baptiser le bébé là-bas. Tu vas faire suivre le courrier?

— Ben oui, certain. Je suis contente pour vous autres. Une bonne nouvelle qui en chasse une mauvaise.

Lydia sourit. En effet, une bonne nouvelle. Joséphine sortit saluer Grégoire qui tenait un petit paquet de couverture dans ses bras. Comme elle s'approchait pour le voir, Lydia prit le bébé et s'assit dans l'auto. Henri sauva la situation en tendant les bras vers Joséphine pour avoir un câlin. La postière se pencha vers lui et le serra dans ses bras.

— Tu vas me manquer, mon trésor. Tu vas revenir me voir?

Henri fit signe que oui et rejoignit sa mère sur la banquette. Lydia se pencha en serrant le petit corps de sa fille contre elle.

— Je te donne des nouvelles, Joséphine.

La postière leur envoya la main jusqu'à ce que la voiture disparaisse au bout du village. Ses discussions presque quotidiennes avec la jeune madame Gagnon allaient lui manquer.

Lydia n'aurait su dire si le trajet avait été long ou non. Dès qu'elle sentit le roulement de l'auto, elle s'endormit avec la petite dans ses bras. Elle était épuisée et si heureuse de s'enfuir. Henri se pencha vers la fenêtre et regarda, ébahi, la route défiler à travers forêts et montagnes. C'était la première fois qu'il faisait un si long voyage et il resta le nez collé à la vitre pour ne rien manquer du paysage. Grégoire se retournait souvent pour s'assurer que sa femme allait bien. Après tout, elle venait tout juste d'accoucher. Il était content de la voir dormir avec leur petite fille si calme.

Après avoir traversé la ville de Trois-Rivières, ils longèrent le fleuve jusqu'à Berthierville. Henri écarquilla les yeux devant le lac Saint-Pierre. C'était la plus grande rivière qu'il ait jamais vue. Comme la mer que Lydia lui avait montrée dans un livre de contes. De gros bateaux passaient lentement pour aller dans de lointains pays. Ils étaient tellement gros que les gens à bord avaient l'air de fourmis. Grégoire s'amusa de la réaction de son fils, mais il n'osa pas réveiller sa femme pour lui en parler. La petite gigota un peu. Lydia ouvrit les yeux, lui donna un biberon qu'elle avait déjà préparé, puis elle se rendormit en souriant à son mari.

L'achèvement, quelques années plus tôt, des trois ponts reliant l'île de Saint-Ignace-de-Loyola à Berthierville permettait aux automobilistes de prendre le traversier au quai de Saint-Ignace. La voiture s'arrêta dans la file, et le moteur fut coupé. Lydia sortit de son sommeil en se demandant où elle était. La vue de Grégoire, d'Henri et du bébé la rassura. Elle n'avait pas rêvé, elle avait bel et bien fui le village et la famille Tremblay.

Quand l'auto embarqua sur le traversier, Lydia sortit de la voiture avec la petite pour voir le fleuve. Henri, dans les bras de son père, criait de joie devant cette immense étendue d'eau, imaginant qu'il partait pour le bout du monde. Grégoire n'avait jamais vu son fils aussi excité. Le trajet ne prenait qu'une dizaine de minutes, mais celles-ci furent riches en émotions.

Lydia laissait son autre vie derrière elle et elle avait bien l'intention de l'enterrer à jamais. Le fleuve Saint-Laurent servirait de frontière à son passé, de barrière impénétrable. Une nouvelle vie les attendait tous, une vie heureuse.

Dès que la petite famille se présenta à la pension où vivait Grégoire, la logeuse, madame Guévremont, fut séduite par Henri et se prit d'affection pour Lydia. Pendant une semaine, elle leur prêta sa chambre et logea dans la chambrette du fond qu'avait occupée Grégoire. Lydia installa le berceau et un matelas par terre pour Henri. Grégoire pouvait partir tranquille au travail, sa femme venait de se faire une nouvelle amie. Elle passa les jours suivants à acheter des meubles pour le nouveau logement qui se trouvait dans un immeuble fraîchement construit, pas très loin de l'usine.

Lydia et Grégoire firent baptiser leur petite Juliette. Madame Guévremont se fit un plaisir de servir de marraine, alors que Georges Coulombe accepta d'être parrain. On fêta le baptême et l'installation dans leur logement tout neuf. Une vie différente commençait, au grand soulagement de Lydia. Fini la grande solitude du bout du rang, la vie étroite du village. La jeune femme avait l'impression que tout lui était permis, que sa nouvelle vie remplirait ses promesses de bonheur.

Henri grandissait tout près de son père. Comme il lui avait manqué, il le suivait partout. Il tenait à l'imiter en tout, les regards, les manières, la façon de parler. Même quand il se penchait au-dessus du berceau de sa sœur, il prenait le sourire de son père pour saluer la petite qui lui tendait les bras en gazouillant. Grégoire en était tellement fier.

Et Juliette était comme un angelot, souriante et sage. Lydia la trouvait tout simplement adorable. Elle avait arraché un ange à un enfer de travaux rudes et exigeants. Ce qui ne l'empêchait pas d'avoir peur à tout moment que Paulette ne vienne frapper à sa porte. Juliette avait de grands yeux d'un bleu profond que personne ne pouvait oublier. Les yeux de Paulette. Lydia avait beau dire que sa petite avait les yeux de son arrière-grand-mère irlandaise, elle savait que son mensonge ne tiendrait pas la route. Même si Grégoire l'avait accepté sans un mot. De toute façon, il aurait accepté n'importe quoi pour garder ce petit ange avec lui.

Et il commençait déjà à parler d'un troisième enfant. Lydia lui répondait alors qu'il valait mieux assurer le bonheur de deux enfants plutôt que de tirer le diable par la queue avec trois. Grégoire souriait et entraînait sa femme au lit. Il se disait qu'il finirait bien par en fabriquer un autre. Elle ne protestait pas, bien au contraire. Elle était heureuse d'avoir enfin son mari près d'elle tous les jours.

Lydia regardait un jeune couple s'embrasser longuement sur un banc du parc. Eux aussi fabriqueraient peut-être un bébé. Mais c'était différent aujourd'hui, avec la contraception. Les gens choisissaient le moment de faire un enfant et s'ils ne pouvaient pas en avoir, la médecine venait à leur secours. Il n'y avait aucune aide pour elle quand Grégoire lui demandait un bébé. Sauf le destin qui allait les favoriser une autre fois.

Lydia ouvrit les yeux et vit Albert debout près de la fenêtre. Il y avait une telle tristesse dans son regard qu'elle eut un pincement au cœur. Elle repoussa les couvertures et s'assit au bord de son lit. Albert sursauta.

— Excuse-moi, maman, je ne voulais pas te réveiller.

— Parce que tu penses qu'il y a autre chose à faire ici ? J'ai hâte de revenir à la maison.

— On te l'a dit, maman, c'est pas sûr que tu vas pouvoir vivre toute seule dans ton appartement.

— C'est drôle, hein ? On s'occupe de vous autres quand vous êtes petits, pis après vous vous sentez obligés de nous traiter comme des enfants quand on devient vieux. Je te rappelle que je porte pas encore de couche.

— Toujours aussi combative ! Tu lâcheras jamais.

— Pourquoi j'arrêterais ? C'est en me battant que je t'ai eu.

Albert vint s'asseoir près d'elle, puis regarda sa montre-bracelet.

— J'ai rendez-vous à l'hôpital dans une demi-heure.

— Qu'est-ce qui se passe avec Guillaume ?

— Rien de certain pour le moment. Mais tu as raison, il faut se battre pour son enfant.

Lydia sourit et caressa de ses doigts noueux le visage de son fils.

— Tu vas en avoir la force, j'en suis sûre.

Il la prit par le cou et l'embrassa.

— J'aurais pas pu rêver d'une meilleure mère que toi.

Lydia allait lui dire que la sienne avait été une femme merveilleuse. Mais elle empêcha les mots de sortir de sa bouche.

Hélène était sa voisine de palier. À peu près du même âge, elles s'étaient liées d'amitié rapidement, passant souvent leurs moments libres ensemble à se promener au parc avec les enfants, ou à la plage. Sorel était devenue une ville grouillante de monde. Le chômage était pratiquement inexistant et le camp militaire regorgeait de jeunes hommes qui ne demandaient qu'à se distraire avant de partir pour l'Europe. Parmi eux se trouvaient des Écossais reconnaissables à leurs kilts et des Australiens qui portaient d'étranges chapeaux relevés sur un seul côté. Lydia trouvait amusant de les entendre parler une langue qu'elle ne comprenait pas. La tranquillité de la campagne était loin derrière elle. Elle était totalement dépaysée, vivant dans une petite ville au caractère soudain international. L'argent ne manquait pas, les divertissements non plus.

Hélène chantait dans le *lounge* de l'hôtel Saurel quatre soirs par semaine avec un petit orchestre. Elle s'était mariée cinq ans plus tôt avec le clarinettiste. Sa vie lui plaisait et elle aurait continué ainsi, mais la guerre était venue tout chambouler. Lydia écoutait son amie comme s'il s'agissait d'un feuilleton radiophonique, ébahie de cette vie si différente de la sienne et de celle des gens qu'elle avait connus.

— Il s'est engagé dans l'armée. Il a même pas attendu la conscription. Je pense que l'uniforme lui plaisait. Il a voulu démontrer son patriotisme aussi. Il était certain que la guerre durerait pas bien longtemps. Ça fait plus de deux ans de ça.

— Il est au front ?

— Il est tout content d'être maintenant en Angleterre. Il a pensé qu'en tant que musicien, il pourrait divertir les troupes à l'arrière. Mais ils l'ont pas mis dans un orchestre. Il en parle à mots cachés dans ses lettres, l'entraînement semble pas mal difficile et il sait jamais ce qui va se passer. La routine de l'entraînement ou la bataille au front.

— Il doit te manquer beaucoup.

Hélène rougit. Elle joua un moment avec un bouton de sa blouse, puis regarda Lydia dans les yeux.

– Il me manque pas tant que ça. En fait, il m'annoncerait qu'il a trouvé une belle petite Anglaise et qu'il veut refaire sa vie avec elle que ça m'arrangerait.

– T'as rencontré quelqu'un, c'est ça ?

Hélène sourit, les yeux brillants.

– C'est Tom, le pianiste. Je le connais depuis des années. Je l'ai toujours apprécié en tant que musicien. Mais disons que, là, nos rapports ont changé. Je sais pas trop comment c'est arrivé. Je pensais pas devenir amoureuse de lui. Je pense que j'étais trop jeune quand je me suis mariée.

– Tu peux pas divorcer, l'Église l'interdit. Pis quand ton mari va revenir de la guerre, qu'est-ce que tu vas faire ?

– Je sais pas. Je serai peut-être plus ici.

Lydia la fixa, attendant la suite. Les yeux d'Hélène s'allumèrent.

– Il y a un impresario que Tom connaît. Il m'a entendue chanter la semaine passée. Il m'a dit que j'avais des chances de me trouver du travail à New York. J'aimerais ça. Je serais avec Tom aussi. Je suis si bien avec lui. Ça me tente ben gros de partir.

Lydia avait beaucoup d'affection pour Hélène. Le divorce était autorisé aux États-Unis. Elle espérait secrètement que son amie pourrait se libérer de cette union mal assortie. Ce contrat américain serait peut-être sa chance.

Comme tout le monde, Lydia suivait les nouvelles de la guerre dans les journaux. Le débarquement de Normandie fit les manchettes un bon moment. Une victoire qui avait coûté beaucoup de vies humaines.

Hélène venait tous les jours s'amuser avec Juliette qui avait un an maintenant. Lydia était habituée à voir sa voisine pousser un peu la porte et passer la tête dans l'entrebâillement pour sourire à la petite qui attendait ses visites quotidiennes. Un jour, Hélène ne se présenta pas et Lydia sut que quelque chose d'anormal se passait. Elle alla frapper à sa porte. Son amie mit un moment à répondre. Elle avait les yeux rougis. Lydia la serra contre elle.

— Qu'est-ce qui se passe? Ton mari?

Hélène alla s'écraser dans un fauteuil. Lydia s'assit à ses côtés.

— Faut pas pleurer comme ça. C'est lui qui voulait aller à la guerre. Il savait le danger qu'il courait.

— C'est pas ça.

La jeune chanteuse sanglota encore plus fort.

— Alors quoi? Ton mari est revenu?

Hélène fit signe que non. Lydia n'y comprenait plus rien. Elle entendit Juliette crier. La petite était près de la porte. Henri la retenait. Leur mère les rejoignit.

— Henri, qu'est-ce que tu fais?

— Je l'empêche de sortir. Tu m'as dit de la garder.

Lydia prit Juliette dans ses bras.

— C'est correct, mon grand, on va rentrer. Hélène, viens prendre une tasse de thé.

Elle entendit son amie renifler et marmonner qu'elle arrivait. Henri retourna à son jeu de mécano et Lydia mit Juliette dans son parc avec sa poupée. Hélène s'avança dans l'appartement en regardant les enfants. Elle avait mis de l'ordre dans ses cheveux et appliqué un peu de rouge sur ses lèvres, mais ses yeux étaient encore gonflés. Henri lui sourit et Juliette lui tendit les bras. N'ayant pas la force de la prendre, la jeune femme lui envoya un baiser de la main. La fillette retourna à sa poupée. Les deux amies s'assirent à la table de la cuisine et parlèrent à voix basse pour ne pas être entendues des petits.

— Il est mort et… je sais plus quoi faire.

— Mais t'es libre maintenant. Tu vas pouvoir aller à New York avec Tom et devenir une grande chanteuse.

— Oui, ç'aurait dû marcher de même…

Hélène observait Juliette comme si elle voulait garder son image gravée dans sa mémoire. Lydia essayait de comprendre pourquoi devenir veuve semblait être un problème pour son amie alors que celle-ci voulait retrouver sa liberté.

— Qu'est-ce qui se passe vraiment?

— Je pense que je suis enceinte. J'ai sauté un mois et j'ose pas aller voir un docteur. Maintenant que je suis officiellement veuve, c'est pire.

— Veuve ou pas, je vois pas ce que ça change. C'est peut-être juste la nervosité qui t'a fait sauter un mois.

Hélène se mit à fixer ses mains.

— Il est mort dans un hôpital anglais... des suites de graves brûlures. Le militaire qui me l'a annoncé m'a laissée entendre que, dans l'état où il était, c'était peut-être mieux qu'il soit mort... Je pense qu'il voulait me consoler en disant ça. Mais ça change rien à mon problème.

— Quel problème ? Tu peux te marier rapidement avec Tom et avoir l'enfant.

— C'est ce que j'ai dit à Tom hier soir...

La jeune femme se remit à sangloter. Lydia la laissa faire sans rien dire. Hélène releva finalement la tête.

— Il en veut pas. Il dit que c'est pas une vie de famille de jouer dans les clubs le soir et dormir le jour avec un petit. Il m'a offert de l'argent pour que je règle ça. Tu te rends compte ? Régler ça !

Lydia connaissait bien cette expression. Et elle comprenait pourquoi Hélène avait tant de peine. Elle savait aussi qu'elle avait une solution à ce problème. Il fallait seulement qu'elle élabore un plan. Et elle commençait à avoir de l'expérience dans le domaine. Elle se pencha vers son amie.

— Je pense que je peux t'aider. Et ça va rendre tout le monde heureux.

— Vraiment ?

— Ça va faire plaisir à Tom, tu vas pouvoir aller à New York et Grégoire va être aux anges.

Hélène la fixait, essayant de sourire au regard illuminé de Lydia. Qu'est-ce que Grégoire avait à voir là-dedans ?

Une femme portant un pantalon de toile kaki aux poches multiples et une blouse brodée très colorée passa la tête dans l'embrasure de la porte. Elle entra dans la chambre. Ses sandales faisaient un bruit de succion sur le plancher. La femme portait un sac à dos sur une épaule et un chapeau de paille à la main.

– Salut, maman !

Lydia était assise face à la fenêtre. Elle se retourna et sourit.

– Ma petite Charlotte. Chaque fois que je te vois, je trouve que tu rajeunis. Ça doit être tes vêtements de hippie qui font ça. Tu fais pas tes quarante ans.

Charlotte embrassa sa mère.

– Quarante-deux. Et c'est pas des vêtements de hippie. J'arrive de l'aéroport. J'ai pas eu le temps de me changer.

– T'arrives du Honduras ?

– Oui, on dirait que ça s'améliore là-bas. Ça se peut que j'y retourne, mais je pense qu'on va plutôt m'envoyer en Haïti. Pour le moment, c'est les vacances.

Lydia la regarda avec fierté.

– Je savais qu'un jour tu voudrais sauver le monde.

– C'est ta faute. Tu nous as élevés comme ça. Regarde Juliette.

– Je suis contente que tu sois là. J'aime ça, quand tous mes petits sont réunis.

– Oui, maman poule.

– Et Nelson ? Et les enfants ?

Charlotte était heureuse de voir que sa mère se souvenait du nom de son mari.

— Nelson va revenir dans deux semaines, quand les enfants auront fini l'école. Je vais préparer l'appartement.

— Ça doit être dur pour les enfants.

— Ils sont habitués à aller à l'école française, peu importe où ils sont dans le monde. Ça va se compliquer dans quelques années, pour l'université. Mais, là, ils seront capables de vivre en appartement par eux-mêmes. Et leurs tantes et leurs oncles seront là aussi.

Charlotte commença à énumérer tout ce que ses enfants apprenaient en vivant ainsi dans des pays étrangers. Lydia connaissait ce discours et n'écoutait plus. Elle regardait les yeux noirs de sa fille, ses cheveux lisses d'un noir profond où se détachaient des fils argentés. Elle était belle et Lydia était fière de l'avoir sauvée, elle aussi. Comme elle avait sauvé Albert de la disparition.

Les choses avaient été plus compliquées qu'elle ne l'avait d'abord pensé. Hélène était tentée de suivre les conseils de Tom. Elle voulait partir pour New York avec lui à l'automne suivant. Le bébé était prévu pour le mois de janvier. À l'automne, Hélène serait ronde comme une citrouille. Une chanteuse citrouille ne chantait pas dans un *lounge*. La radio serait alors son seul débouché et encore. Personne n'engagerait une fille-mère ni une veuve de guerre qui avait sauté la clôture. Le clergé y veillerait. Il n'y avait que dans une grande ville comme Montréal qu'elle pouvait passer inaperçue et cacher aux gens sa véritable situation.

Mais Lydia voulait cet enfant, pour Grégoire… et pour elle-même. Elle aimait regarder ses petits grandir, elle se sentait bien avec eux. Un de plus la rendrait encore plus heureuse. D'ailleurs, ce serait le dernier, elle le promettait à la Vierge tous les soirs. Elle joua sur les émotions de son amie. C'était un bébé de l'amour, la preuve que Tom et elle s'aimaient. Hélène ne pouvait pas se débarrasser de lui comme ça. Un bébé qui leur ressemblerait à tous les deux. La jeune veuve ne résista pas longtemps au chantage émotif de Lydia. Elle écouta son plan.

Il fallait d'abord garder cette grossesse secrète. Quand il ne serait plus possible de la cacher, Hélène devrait partir pour Montréal. Après l'accouchement, Lydia s'occuperait de l'enfant comme s'il était le sien. Hélène doutait qu'un tel stratagème puisse fonctionner. Lydia se garda bien de lui dire qu'il s'était révélé efficace à deux reprises. Elle avait peur qu'Hélène en parle à Tom dans un moment de faiblesse ou de passion. Un mot de trop et tout serait découvert. Grégoire pourrait faire le lien avec Paulette. Ce serait une catastrophe pour Lydia. Sans oublier le traumatisme pour les enfants. Elle en tremblait chaque fois qu'elle y pensait.

La première chose à faire était de retarder la date du départ pour New York. Il ne serait pas facile de faire accepter ça à Tom qui voyait enfin là une chance d'avancement. Il n'en pouvait plus de jouer une musique sirupeuse pour des soldats ivres et des filles trop maquillées.

Hélène essayait depuis plusieurs jours de trouver le bon moment pour lui en parler. Elle se montrait câline, lui cuisinait ses plats préférés. Il devenait simplement plus soupçonneux. Un soir qu'elle se maquillait avant d'entrer en scène, Tom la regarda attentivement dans le miroir de la loge.

— Tu es toujours aussi belle, mais pourquoi es-tu si gentille tout à coup?

— Parce que je t'aime, mon amour. Et je peux maintenant le dire tout haut. Je suis une honorable veuve.

Tom regarda sa taille.

— Tu prends du poids?

— Mais non, quelle question! Tu me trouves grosse?

— Non, plutôt épanouie. Tu l'as fait passer?

La question surprit tellement Hélène qu'elle faillit se mettre la brosse à mascara dans l'œil. Comme elle cherchait à donner la bonne réponse, pas nécessairement la vraie, on frappa à la porte de la loge. Le barman annonça à Tom qu'il avait un appel des États-Unis. Le jeune musicien sortit rapidement de la pièce. Hélène tourna plusieurs réponses dans sa tête. «Le bébé va passer. » «C'était une fausse alerte. » «C'est déjà fait, ne t'en fais pas. » Rien ne sonnait correctement.

Tom revint quelques minutes plus tard. Il était blême. Il s'écrasa dans le fauteuil sans un mot. Hélène attendait la suite, trop heureuse d'avoir échappé au questionnaire. Son amoureux se tourna vers elle. Elle s'immobilisa, un bâton de rouge à la main.

— Qu'est-ce qui se passe?

— New York, ça marche pas pour l'automne.

Hélène retint un sourire. Ses épaules s'affaissèrent doucement de soulagement. Le plan de Lydia pourrait peut-être fonctionner alors.

— Tu… On n'ira pas à New York?

— Juste en février. Il paraît que les gens ont encore le goût de danser du swing. Sam vient de faire signer un *big band* qui va se rendre jusqu'au jour de l'An… Fini le *lounge*.

— C'est pas fini. Quand les hommes vont revenir d'Europe, ils vont être bien contents de serrer leur femme ou leur blonde dans leurs bras sur une musique douce.

— Ouais, pis on va être là pour la Saint-Valentin.

Hélène respirait mieux. Elle s'avança et posa ses lèvres sur la bouche de Tom.

— Chéri, on va faire un malheur à New York. Des amoureux qui jouent et chantent pour des amoureux. Ils vont nous adorer.

Tom retrouva un semblant de sourire. Il avait mis la main sur le sein d'Hélène. Elle tressaillit, découvrant que ses seins étaient devenus encore plus sensibles.

— Il faut y aller. On ne peut pas faire attendre nos soldats et les petites entraîneuses.

— Si on attend trop, ils vont être soûls morts.

Elle se leva. Il la prit par la taille.

— Ce soir, je dors chez toi. Assez d'hypocrisie.

— Ça ressemble à une promesse de mariage.

Hélène était si heureuse qu'elle songea un instant à se débarrasser de l'intrus. Puis elle regarda les yeux de Tom. Elle ne pouvait pas détruire une vie qui leur ressemblerait à tous les deux. Et Lydia s'en occuperait tellement bien.

Lydia marchait lentement dans le corridor de la clinique. Une infirmière s'approcha d'elle.

— Qu'est-ce que vous faites là, madame Gagnon?

— Ben, vous voyez bien, je prends une marche. Assis, couché, assis, couché, c'est pas une vie. Même pas pour un chien.

— Voulez-vous que j'allume votre télé?

Lydia la regarda sévèrement.

— Je peux faire ça toute seule. Vous avez peur de quoi? Que je me sauve? C'est quand même pas illégal de bouger un peu.

L'infirmière sourit pour masquer son malaise.

— Ben non, tant mieux si ça vous fait du bien. Mais changez pas d'étage. Je voudrais pas vous perdre.

— Faites-vous-en pas. Je connais mon numéro de chambre.

L'infirmière s'éloigna en la suivant des yeux. Elle fut soulagée de la voir retourner vers sa chambre. Lydia leva la main et fit un signe à l'infirmière qui revint rapidement sur ses pas.

— Est-ce que je pourrais aller dans le parc? Il fait tellement beau.

— Vous pouvez pas y aller toute seule. Mais dès que votre fille sera là, vous pourrez y aller avec elle. Il faut nous avertir avant.

— Je vais m'habiller. Juliette devrait pas tarder.

Lydia regarda le peu de vêtements qu'elle avait dans la garde-robe. Le séjour devait être court. Des examens seulement. Mais les tests se poursuivaient et elle n'avait aucune idée des résultats. Le médecin se voulait rassurant, mais Lydia avait plutôt l'impression qu'elle l'avait confondu avec ses réponses parfois farfelues et qu'il cherchait encore des explications rationnelles. Elle referma la porte de la garde-robe. Après tout, le parc n'était qu'une envie de bouger. Comme l'envie qu'avait Hélène de se baigner tous les étés.

Elle adorait passer des heures sur la plage. Une activité que Lydia n'avait jamais pratiquée auparavant. Les lacs de son enfance étaient plutôt réservés à la pêche ou au canot. Elle s'était parfois baignée dans des ruisseaux, mais l'eau froide ne permettait pas de s'y prélasser longtemps. Et puis, à la campagne, l'été était une période de travail bien plus que de relâche. Mais l'été 1944 fut une saison de repos et de détente pour Lydia.

Grégoire travaillait toujours autant. Hélène, ayant ses journées libres, entraîna Lydia et les enfants à la plage de la pointe aux Pins. Henri, qui avait quatre ans, découvrit un univers enchanteur. L'eau, le sable fin, les vagues formées par les gros bateaux blancs qui passaient sur le fleuve. Une vraie magie ensoleillée. Juliette préférait de loin jouer dans le sable, ou plutôt taper sur des chaudières avec une pelle. Elle commençait à marcher et adorait le faire sur le sable. Quand elle tombait, elle riait très fort, comme si elle venait de faire la chose la plus drôle du monde. Tout ça pour le plus grand plaisir de Lydia qui se sentait, pour la première fois de sa vie, en vacances comme une riche oisive.

Hélène regardait les enfants et se laissait attendrir. Elle fixait parfois son ventre à peine rebondi. Elle était grande et mince, et sa silhouette n'avait pas encore vraiment changé. Elle n'avait qu'à passer une serviette autour de sa taille pour faire disparaître son petit bedon. Lydia avait commencé à porter un coussinet sous sa culotte. Et elle n'entrait jamais dans l'eau plus loin que les genoux.

Hélène avait trouvé la proposition de son amie aussi amusante que ridicule. Qu'elle garde l'apparence d'un ventre plat le plus longtemps possible grâce à des bandes élastiques était une bonne idée. Mais comment un homme comme Grégoire ne verrait-il pas le subterfuge de sa femme? Surtout en été. Quelles raisons Lydia pouvait-elle invoquer pour dormir avec une robe de nuit après tant d'années de mariage ? Et que ferait-elle dans les derniers mois de la fausse grossesse ? Quand Hélène l'interrogeait, Lydia faisait attention à ses réponses. Elle tenait à rester vague. Parfois la religion venait la sauver. Le péché de la chair, le respect des époux. Hélène n'y croyait pas, mais elle cessa de poser des questions. Après tout, c'était leur vie.

Grégoire avait été de nouveau fou de joie quand sa femme lui avait annoncé l'arrivée d'un autre bébé. Dès qu'il revenait du travail, les enfants devenaient le centre de son univers jusqu'à leur coucher. Il s'amusait avec eux, leur lisait des histoires, les aidait à faire des casse-tête, les chatouillait. Il lançait la petite dans les airs. Juliette criait de ravissement. Lydia avait toute la matinée pour remettre la maison en ordre et préparer les repas. Cela lui permettait de passer l'après-midi avec Hélène. Mais les nuits devenaient plus sages. Grégoire était costaud et il faisait particulièrement attention au corps menu de sa femme. Encore plus si elle était enceinte. Il avait peur de provoquer une fausse couche. Et Lydia ne faisait rien pour démentir cette idée de fragilité. Bien au contraire.

Quand l'automne arriva, Hélène eut de plus en plus de difficulté à entrer dans ses vêtements. Elle se déshabillait dans la salle de bain quand Tom était là. Elle éteignait aussi les lumières. Mais les mains de Tom ne s'y trompèrent pas. Sa maîtresse prenait du poids et seulement au niveau du ventre. Hélène avait l'impression qu'une boule de quille poussait lentement en elle. Tout le reste de son corps restait à peu près le même. Sauf les seins qui avaient grossi. Tom en était trop content pour s'en être inquiété tout de suite. Mais le ventre ne mentait pas.

— Tu m'as menti. Il n'est jamais passé. C'est ça ?

— Je t'aime, Tom, tu le sais. Je ne pouvais pas le tuer.

— Tu préfères ruiner ta vie et la mienne.

— Non. Quand l'impresario a remis à plus tard notre contrat à New York, j'ai su que je pouvais y arriver.

— Arriver à quoi ? À me tromper ?

— Non, je savais bien que tu le découvrirais un jour. Mais ça ne change rien pour New York.

— Ça change rien ? Mais ça change tout. On va aller là avec un bébé. Tu te rends compte des problèmes de logement, de travail, de gardienne ? Tu penses quoi, qu'on va le faire dormir dans le piano ?

Hélène avait les larmes aux yeux.

— Il ne sera pas avec nous.

Tom se tut et la regarda intensément. Hélène renifla.

— Notre bébé sera élevé par quelqu'un de fiable, dans une bonne famille.

— Tu vas le laisser adopter par des inconnus ?

— Pas des inconnus.

— Explique-toi. Tu commences à jouer avec mes nerfs.

Hélène lui expliqua la double grossesse, la vraie et la fausse. Leur enfant ne serait pas un bâtard adopté, mais un enfant tout à fait légitime, le troisième d'une famille normale, avec un frère et une sœur. Tom resta un long moment sans dire un mot, soufflé par un tel stratagème. Il se leva et se versa un verre de whisky.

— C'est pour ça aussi que tu ne prends plus d'alcool. Tu m'as bien fait marcher. Toi et la voisine. La petite madame correcte, bonne maman gentille. Et son gros ours de mari qui se vante de la venue d'un autre enfant comme s'il l'avait fabriqué lui-même. Des voleurs, des escrocs.

— Il ne le sait pas. Et si tu lui dis, tu tues notre enfant.

— Quoi ? Mais il va s'en rendre compte. Il doit bien connaître le corps de sa femme depuis le temps. Dis-moi pas qu'il est pas capable de faire la différence entre un gros ventre et un oreiller.

Hélène n'osa pas s'aventurer sur le sujet. Tom éclata de rire.

— Il la saute pas, il la ménage, pauvre petite madame. Il est encore plus idiot que je pensais.

— Ou il aime tellement les enfants qu'il est prêt à tous les sacrifices, lui.

— C'est ça, je suis un salaud parce que je veux une belle carrière.

– J'ai pas dit ça… Je t'aime, Tom. Je veux être avec toi, je veux qu'on s'installe à New York. Et pour ça je suis prête à laisser notre bébé à une autre famille. Il va avoir une belle vie avec eux. Et nous, on s'en mêlera pas. Mais si tu veux t'en débarrasser maintenant, alors vas-y, prends un couteau et ouvre-moi le ventre.

Tom avala une gorgée de whisky et reposa le verre. Il s'avança vers Hélène et lui enleva sa robe de chambre. Elle tremblait, mais elle resta debout. Il toucha son ventre qu'elle laissa aller naturellement. Il se pencha et embrassa ses seins.

– Je t'aime aussi. Vous avez manigancé une histoire bizarre. Si le voisin est un aveugle consentant, je suis prêt à l'être aussi.

La jeune femme l'entoura de ses bras, soulagée.

Ce fut une nuit mouvementée. Hélène était enchantée de cette nouvelle complicité. Ils seraient heureux ensemble et ils n'auraient pas à se préoccuper de l'avenir de leur bébé. Celui-ci serait un petit Gagnon.

Hélène chanta au *lounge* jusqu'à la mi-novembre. Le plus souvent, elle portait des robes drapées en velours pour cacher ses formes. Tom la couvait et veillait à ce que personne ne l'approche ou n'entre dans la loge sans permission. Mais il dut se résigner à trouver une autre chanteuse. Il fit passer des auditions et engagea la moins pire. Il réalisa que son amoureuse avait vraiment une voix merveilleuse. Son jugement n'avait pas été altéré par l'amour qu'il lui portait. Il était maintenant bien décidé à l'épouser à New York. Il fallait simplement tenir jusque-là.

Juliette passa la tête par la porte entrouverte.

– Tu veux aller te promener au parc?

Lydia regardait le parc par la fenêtre et haussa les épaules.

– Si tu veux.

Elle se tourna vers sa fille.

– Penses-tu que j'ai deux ans d'âge mental? Comment ça se fait que je peux rien faire toute seule? Je suppose que la première chose qu'a faite l'infirmière, c'est te faire un rapport comme si j'étais ton bébé.

Juliette s'approcha.

– Maman, tu peux pas nous reprocher de vouloir prendre soin de toi.

– T'es déjà allée à New York?

– Oui, quel rapport?

– Je me demandais si je pourrais y retrouver une amie. Ça fait longtemps, plus de quarante-cinq ans. Elle est aussi vieille que moi. Elle est peut-être morte.

– C'est une très grande ville.

– Et c'est pas facile de trouver quelqu'un dans une grande ville. Ça, je le sais. Les grandes villes, ça sert de grande cachette.

Juliette s'assit près de sa mère. Allait-elle lui raconter une autre histoire sans queue ni tête?

Il faisait froid, la neige fine était balayée par un vent glacial. Hélène et Lydia étaient au chaud dans l'autobus et elles n'avaient pas hâte d'en sortir. Le froid était arrivé trop tôt cette année-là. Hélène regardait l'eau grise du fleuve qui moutonnait sous l'effet du vent, lequel soufflait dans la direction contraire à celle du courant. Elle se sentait ballottée de la même façon. Elle se demandait si elle avait pris la bonne décision, même si elle savait qu'elle ne pouvait plus rien y changer. Tous ces mensonges, ce faux contrat pour chanter à la radio qui l'obligeait à s'installer à Montréal, la solitude à un moment de sa vie où elle aurait tant aimé être entourée, cajolée. Tom avait promis de venir la voir chaque semaine. C'était la seule chose qui la réconfortait. Il y avait bien Lydia, mais elle avait un mari, de jeunes enfants dont elle devait s'occuper. Hélène savait qu'elle passerait de longs moments toute seule.

Lydia fixait son manteau dont les boutons tiraient sur son ventre de guenilles. Elle avait été enthousiaste au début, mais elle commençait à douter de pouvoir garder le secret sur cette fausse grossesse bien longtemps. Henri l'avait vue mettre son coussin sous sa robe. Elle aurait dû mieux fermer la porte de la chambre. C'était trop tard maintenant. Henri l'avait fixée avec curiosité, mais il n'avait rien dit. Il n'avait que quatre ans. Elle n'avait pas osé le questionner ni lui donner des explications qu'il ne demandait pas de toute façon. Elle espérait qu'il oublierait vite ce qu'il avait vu.

L'autobus traversa le pont Jacques-Cartier pour entrer dans Montréal. Les deux femmes se regardèrent, inquiètes. L'autobus se gara au terminus. Lydia et Hélène sortirent parmi les derniers passagers. Hélène récupéra sa valise et prit la direction, avec Lydia, du boulevard Dorchester. Les gens marchaient rapidement à cause du froid. Elles semblaient être les seules à ne pas se presser pour se mettre à l'abri. Elles arrivèrent devant un grand édifice. Il y avait une entrée pour l'hôpital de la Miséricorde. Hélène s'arrêta.

— Je peux pas passer trois mois là. Je vais devenir folle.

— On fait juste s'informer aujourd'hui. Après, on va te trouver une bonne pension.

— Je suis pas obligée d'accoucher à l'hôpital.

Lydia se souvenait de Simone. Elle restait persuadée que sa mort aurait pu être évitée si elle avait eu un médecin à ses côtés. Mais Simone avait accouché dans des draps sales. Lydia craignait d'avoir peut-être mal coupé le cordon, ou de n'avoir pas retiré tout le placenta. Elle était tellement nerveuse. Elle n'avait jamais fait ça avant. Son petit Henri n'en gardait aucune séquelle, mais la conscience de Lydia était lourde. Pas question qu'Hélène accouche toute seule dans une chambre à Montréal.

— Je te l'ai déjà dit. C'est trop risqué. J'ai perdu une amie comme ça. Je te laisserai pas toute seule. Les sœurs de la Miséricorde sont là pour ça depuis presque cent ans… Je vais aller m'informer toute seule. Va prendre un café chez Dupuis Frères. Je vais te rejoindre.

Hélène, soulagée, traversa le boulevard et remonta la rue Saint-André. Lydia serra ses mains sur son ventre avant de pousser la porte de l'hôpital. Elle allait devoir être une aussi bonne actrice que Rita Hayworth. Elle n'eut pas le temps de découvrir les lieux. Une religieuse l'accueillit avec un « bonjour, ma fille » sonore. Lydia lui sourit poliment.

— Bonjour, ma sœur. J'aimerais savoir, pour accoucher ici, comment on fait ?

La religieuse la fit entrer dans un petit bureau rempli de meubles sombres et de classeurs métalliques. Lydia s'assit sur la petite chaise droite que la sœur lui désigna de la main. Elle se rappela qu'elle devait avoir un surplus de poids dans le corps et elle s'assit lentement, tenant légèrement son ventre pour que le coussin ne se déplace pas. Sa fausse grossesse n'était pas assez avancée pour qu'elle porte le harnais qu'elle avait fabriqué pour loger un bébé.

La nonne s'assit derrière son bureau dans un fauteuil grinçant au moindre mouvement. Elle commença par lui donner les tarifs. Cinq dollars par jour pour une chambre privée, deux dollars cinquante pour une chambre double ou quinze dollars par semaine pour la salle publique sans service. Il fallait ajouter cinq dollars pour la location de l'uniforme avant la maladie.

— La maladie?

— Oui, ma fille, la maladie. La salle d'opération avec le médecin coûte trente-cinq dollars.

— C'est cher!

— Nous vivons de charité et, même en temps de guerre, où l'argent est moins rare, la charité n'a pas beaucoup augmenté. Beaucoup de chrétiens, hélas, refusent de donner de l'argent pour des filles qui ont péché. Notre hôpital a été fondé spécialement pour les pauvres filles affolées et déchues qui n'avaient pas d'autre solution que d'aller jeter leur petit dans le fleuve.

Lydia commençait à avoir chaud. Elle avait envie de déboutonner son manteau, mais elle avait peur que le coussin soit remonté trop haut quand elle s'était assise. Elle se contenta de retirer ses gants de laine. La religieuse regarda sa main où brillait son alliance.

— Vous êtes mariée!

— Oui, ma sœur, et j'ai deux autres enfants.

— Alors, vous vous êtes trompée de porte. Ici, c'est la maternité catholique pour filles-mères. L'hôpital général pour femmes mariées a son entrée sur la rue Saint-Hubert.

– Je pensais que c'était ici, la porte principale. Je m'excuse. Une simple curiosité, ma sœur. Est-ce que les filles-mères sont obligées de laisser leur bébé à la crèche?

– Elles signent un contrat en entrant ici. Il y a des frais de cinquante dollars que ces filles doivent payer pour la crèche. Si elles n'ont pas l'argent, elles s'engagent à travailler ici pendant six mois après la convalescence de leur maladie. Nous tenons à ce que tout demeure confidentiel. Les filles reçoivent un pseudonyme en arrivant et seuls les parents proches peuvent les visiter.

– Et si l'enfant est adopté, elles doivent payer quand même?

– Bien sûr. Même si le bébé décède. Elles peuvent aussi adopter leur propre enfant. C'est plus cher.

La religieuse semblait avoir hâte de voir cette femme mariée quitter son bureau. C'était beaucoup de curiosité à l'endroit des filles-mères. Était-ce une de ces filles qui portaient une alliance sans être vraiment mariées?

– Votre mari est au front?

La question déstabilisa Lydia.

– Non, il travaille dans une usine de guerre.

Elle se mordit les lèvres. Elle ne devait pas donner de détails sur elle.

– On vient de déménager à Montréal. J'ai eu les deux premiers à la maison et je me disais que ce serait peut-être mieux avec un docteur.

Elle se leva, imitée par la religieuse.

– Vous aurez tous les soins requis au pavillon de la rue Saint-Hubert. Vous aurez besoin d'une preuve de mariage, bien sûr.

– Bien sûr. Merci, ma sœur.

Lydia retrouva l'air froid avec bonheur. C'était plus compliqué qu'elle ne l'avait prévu. Elle ne savait pas où était la salle d'accouchement ni si les bâtiments avec des entrées différentes communiquaient entre eux. Elle faillit se faire renverser par un tramway en traversant la rue, tellement elle était distraite. Une passante l'avait tirée par le bras alors que la clochette du tramway sonnait à toute volée.

– Faites attention, ma petite madame, dans votre état…

Lydia la remercia et s'efforça de ne pas éclater de rire. Elle imaginait le visage ahuri des ambulanciers découvrant une femme enceinte d'un coussin.

Juliette observait sa mère qui riait, sans oser poser de questions. Lydia la regarda du coin de l'œil.

– Je me rappelle d'une chose drôle. La fois où j'ai failli me faire écraser par un tramway. T'as travaillé à l'urgence un temps. As-tu vu des cas bizarres?

– Comment ça, « bizarres » ?

– Je sais pas, moi, des gens qui s'étaient planté un clou dans le front ou une femme qui voulait accoucher mais qui était pas enceinte.

– C'est confidentiel, tu le sais.

– Allons donc, t'as juste à pas donner de noms.

– J'ai pas travaillé longtemps aux urgences. Le seul cas que je me rappelle, c'est celui d'une femme qui se plaignait qu'elle avait mal au ventre. Des crampes à mourir. Elle a accouché pas longtemps après. Elle savait même pas qu'elle était enceinte. T'as beau avoir de l'embonpoint, il me semble que tu t'en rends compte avant l'accouchement.

Lydia souriait en secouant la tête. Cette femme devait avoir tellement de coussins de graisse qu'elle n'avait pas pensé à une grossesse. Les coussins de coton de Lydia avaient été plus efficaces.

– Il y a toute sorte de monde, hein !

Juliette regarda sa mère en se demandant dans quel monde elle se trouvait.

La cafétéria était bruyante. Lydia avait l'impression que toutes les femmes de Montréal s'étaient donné rendez-vous pour manger là. Il y avait aussi des employés qui bavardaient entre eux, riaient ou se plaignaient. Lydia scrutait la salle pour trouver son amie. Elle finit par la découvrir le long du mur, une tasse de thé vide devant elle. Quand Hélène la vit, son visage s'illumina. Elle avait l'impression d'avoir passé des heures dans une gare.

Lydia lui résuma sa visite à la Miséricorde. Tout semblait si surveillé, les visites limitées aux parents proches, les pseudonymes pour conserver l'anonymat. Et puis, les frais pour la maladie et la crèche.

— La maladie ? Mais j'ai pas la peste.

— Je sais. J'ai pas vu la crèche. Je pense que les enfants sont bien traités, mais les sortir de là… ça va prendre tout un plan.

— On n'y arrivera jamais. Oublions ça.

— Comment veux-tu oublier ça ? Tu peux pas partir à New York comme ça. Pas maintenant… J'ai mis un peu de sous de côté, je vais faire ma part. Après tout, ce sera un petit Gagnon.

— Alors, il faut que je rentre là sous ton nom.

— Il faut des papiers, des preuves de mariage. Ça marchera pas.

Les deux femmes se turent en regardant leurs mains posées sur la table. Hélène toucha la bague que lui avait offerte Tom la semaine précédente. Elle tourna la pierre vers l'intérieur de sa main. Elle semblait porter une alliance.

Lydia était en train de penser à un stratagème pour s'introduire dans la salle de maternité et prendre le bébé. Mais, pour y arriver, elle devait bien connaître le bâtiment de l'hôpital avec ses différentes entrées, comme les maisons de riches qui avaient une porte réservée aux domestiques et aux fournisseurs. Il lui faudrait trouver la petite porte de côté, qui existait certainement.

Les deux amies passèrent l'après-midi à chercher une pension. La plupart des maisons de chambres du quartier ne recevaient que des hommes. À voir le regard vitreux de certains, Lydia se disait qu'elle n'en aurait pas voulu comme voisins. Elles marchèrent plus vers l'ouest. Il y avait plus de soldats près du boulevard Saint-Laurent, et les maisons semblaient recevoir en effet des filles, mais certainement pas des femmes enceintes.

Une fille au rouge à lèvres écarlate leur sourit et s'approcha d'elles.

— C'est pas ici que vous allez vous loger. Vous venez de débarquer, on dirait.

Lydia n'osa même pas répondre: c'était l'évidence même. Mais il n'était pas question de prendre une pension dans l'est de la ville, comme elle l'avait fait avec Simone, quelques années plus tôt. Elle ne voulait pas s'éloigner de la Miséricorde

— Il doit bien y avoir une place pour dormir dans le coin sans avoir à payer le gros prix d'un hôtel.

— Vous voulez rester longtemps?

Hélène se massa le bas du dos.

— Au moins trois mois.

— Si vous voulez accoucher ici, allez voir les sœurs de la Miséricorde.

— Ça ressemble à une prison.

— Ouais, je sais. Elles te font laver les planchers pour expier tes péchés. Il faut que t'aies de l'argent pour te faire servir là-dedans. Le côté des femmes mariées est moins pire. Les pauvres leur servent de servantes.

Lydia commença à s'intéresser à la conversation.

— On dirait que tu sais de quoi tu parles.

La fille baissa les yeux.

— Vous allez m'excuser mais, là, il faut que je retourne travailler.

Lydia n'osa pas lui demander en quoi consistait son travail. La fille leur tourna le dos et arpenta le trottoir en souriant à tous les soldats qu'elle croisait. Hélène regardait les mouvements dans la rue. Un homme chuchota à l'oreille d'une fille très maquillée. Il la suivit dans une petite maison anonyme. Le même manège se répéta dans une autre maison. Hélène se mit à rire.

— Tu te rends compte, Lydia, on a réussi à trouver la rue des bordels.

— Et si ça continue, c'est là qu'on va coucher à soir.

La fille au rouge à lèvres écarlate revint vers elles.

— Il y a des grosses maisons sur la rue Saint-Hubert, ils louent des chambres des fois. Il faut aller en haut de la rue Sherbrooke. Vous aurez peut-être plus de chances là. Il faut pas rester autour de Sainte-Catherine.

Elles étaient fatiguées, elles avaient froid et mal aux pieds, mais elles repartirent avec un peu d'espoir. La lumière commençait à décliner. Les jours étaient de plus en plus courts. Elles grimpèrent une longue côte abrupte pour atteindre la rue Sherbrooke et allèrent vers l'est. Elles empruntèrent ensuite la rue Saint-Hubert bordée de maisons cossues en pierre. Elles regardèrent attentivement les fenêtres et ne virent aucune pancarte annonçant des chambres à louer.

Fatiguées, elles décidèrent de redescendre vers la rue Sainte-Catherine et d'aller manger dans un restaurant italien. La chaleur des lieux les réconforta. Hélène dévora tout, alors que Lydia picora dans son assiette.

— Je dois reprendre l'autobus ce soir. Le dernier est à onze heures.

— C'est tard. Tu seras pas chez vous avant minuit et demi et encore. Tu devrais prendre l'autobus plus tôt.

— Pas avant que t'aies trouvé une place où loger. Je peux pas te laisser dans la rue. Grégoire va comprendre ça.

La serveuse apportait les desserts. Elle déposa les assiettes devant ses clientes. Elle se tourna vers Hélène.

– Je connais un petit hôtel pas loin. C'est pas luxueux, mais c'est propre.

– J'ai pas beaucoup d'argent. J'ai cherché une maison de chambres mais…

– Allez pas là, c'est juste pour les robineux. Vous voulez rester longtemps?

– Trois mois. Je peux pas passer tout ce temps dans un hôtel.

La serveuse sortit son carnet de commandes. Elle écrivit un nom et une adresse, et tendit le papier à Hélène.

– Le gérant de soir est mon cousin. Il va vous faire un prix à la semaine. Ça vous reviendra pas plus cher qu'une maison de chambres et c'est plus sécure. Mon nom, c'est Madeleine. Bonne chance.

La serveuse repartit vers d'autres clients. Lydia et Hélène se souriaient sans trop savoir quoi dire. La chance était revenue les visiter. Quand elles sortirent du restaurant, le froid de novembre ne les dérangea plus vraiment. Elles marchèrent d'un bon pas vers la rue Saint-Hubert, qu'elles avaient maintenant l'impression de connaître. Le petit hôtel était situé près du boulevard Dorchester. Coincé entre deux édifices plus imposants, il ressemblait à une maison privée. Une enseigne mentionnait le mot «hôtel» avec discrétion.

Hélène entra, suivie de Lydia. Un homme corpulent, affublé d'une grosse moustache, lisait un journal derrière un comptoir de bois sombre. Il leva la tête et sourit.

– Bonsoir, mesdames. Je peux vous aider?

– C'est Madeleine qui nous envoie.

Le gérant de l'hôtel regarda le ventre arrondi des deux femmes.

– C'est pour un long séjour? Et pour deux?

– Non… enfin, oui, un long séjour… mais je vais rester toute seule.

La voix d'Hélène se brisa. Lydia eut envie de la prendre dans ses bras et de la consoler. L'homme sortit de derrière son comptoir et prit une clé.

– Je vais vous faire visiter une chambre. Elle donne en arrière. Ce sera plus tranquille. Elle est pas bien grande, mais elle vous coûtera pas cher. C'est au premier. Vous aurez pas trop d'escaliers à monter.

Lydia était soulagée d'autant de sollicitude. Quand elle vit la chambre toute propre avec ses rideaux blancs, son couvre-lit à fleurs et son coin lavabo, elle se dit qu'Hélène serait bien là. Cette dernière semblait penser la même chose.

L'homme restait dans l'embrasure de la porte. Ce n'était pas la première fois qu'il recevait des femmes enceintes venues de loin pour trouver l'anonymat à Montréal. L'hôpital de la Miséricorde n'était qu'à une rue. Et sa cousine jouait souvent les sauveuses. Ces femmes, obligées de cacher leur gros ventre dans leur village, étaient de bonnes clientes. Il devait simplement s'assurer qu'elles n'accouchent pas dans leur chambre. Il suivait donc leur grossesse avec soin, prêt à les conduire à la Miséricorde au premier signe de douleur.

Hélène demanda s'il y avait un téléphone.

– Il y en a un à la réception, mais c'est pas pour parler pendant des heures.

Hélène posa sa valise à côté du lit et descendit payer la chambre pour une semaine. Lydia prit une facture de l'hôtel, nota le numéro de la chambre et celui du téléphone de Tom. Hélène sortit reconduire son amie au terminus.

La ville avait de nouveau changé. Un va-et-vient constant, des appels dans les haut-parleurs, des gens qui s'accueillaient en s'embrassant, qui se quittaient en essuyant une larme. Et dire que le matin même Hélène était dans son petit logement avec Tom qui avait emménagé quelques jours plus tôt avec ses affaires. Ils s'embrassaient et se serraient l'un contre l'autre. Tout était en douceur. Et maintenant, c'était le vacarme.

Lydia avait hâte de retrouver Grégoire et les enfants, mais elle avait peur de laisser Hélène seule.

— Tu m'appelles si ça va pas. Promis?

— T'en fais pas, ça va aller. Tom va venir lundi.

— Tom était quelqu'un de bien. Les hommes bien sont pas si nombreux.

Juliette sursauta. De qui sa mère parlait-elle?

— Tu veux dire Grégoire?

Lydia sourit à sa fille.

— Bien sûr que ton père était un homme bien. Ton Michel l'est aussi.

Juliette s'abstint de répondre. Ce n'était pas le moment de parler de Michel.

Tom empruntait l'auto du propriétaire du *lounge* pour aller plus rapidement à Montréal. Il partait le lundi matin, fatigué, mais heureux de retrouver Hélène. Elle lui manquait terriblement, à son grand étonnement. Il n'aurait jamais cru pouvoir s'attacher si fort à une femme. Il entrait en souriant dans le petit hôtel et montait directement à la chambre du premier, après avoir salué le garçon de la réception. Il était devenu un habitué. Il venait toutes les semaines.

Hélène l'attendait, assise dans le fauteuil près de la fenêtre qui donnait sur un arbre, seul occupant de la cour. Tom fermait la porte à clé et embrassait sa femme. Il avait apporté, à sa première visite, des alliances. Il était fier de la porter et de voir celle d'Hélène à son doigt. Le curé n'avait pas béni leur union au grand jour, mais le jeune homme considérait qu'ils étaient unis pour le meilleur et pour le pire. Quand ils se retrouvaient, ils passaient la première heure au lit. Tom découvrait chaque semaine une transformation du corps de la femme qu'il aimait. Il posait son oreille sur son gros ventre et écoutait le cœur du bébé. Il remarqua un mouvement sous la peau.

— Il te donne des coups de pied?

— Je pense que ce sera un danseur… à claquettes.

Elle sourit et grimaça en même temps.

— J'ai hâte de le voir. J'ai l'impression d'être une baleine.

— Et si on se mariait tout de suite… on pourrait le garder.

Hélène sursauta.

– Tu renoncerais à New York ? Tom, je suis pas sûre d'être une bonne mère. Et je vais devenir folle si je dois rester entre quatre murs pendant des années. J'ai besoin de chanter. Je suis rendue que je chante des chansons de Noël avec l'Armée du Salut au coin des rues. Ils aiment ça, il paraît que je leur fais gagner plus d'argent.

– On pourra jamais le voir ?

– Je pense que ça serait plus dur si on le voyait. Pour l'enfant aussi. Il va être bien avec Lydia et Grégoire.

– Je sais. Quand je pars pour le *lounge*, je vois parfois Grégoire arriver du travail. Les enfants sont fous de joie. Ça rit, ça crie. Il va être heureux avec eux autres.

Tom avait dit ces derniers mots avec un peu de tristesse. Il savait aussi que la vie trépidante de New York lui ferait oublier tout ça.

– Tu sais que je dois faire un rapport détaillé de ta santé à Lydia ? Une vraie mère poule. Elle va venir la semaine prochaine.

– Avec toi en auto ?

– J'avais pas le choix de dire oui. On va retourner le soir même.

– Alors, tu passeras pas la nuit ici.

– Ce soir, oui.

Elle l'embrassa. Elle se sentait tellement bien quand il était à ses côtés, elle n'avait plus peur de rien. Le reste de la semaine se passait entre les promenades dans les rues de la ville devenues plus difficiles avec la neige et ses visites chez Dupuis Frères et au terminus pour voir du monde. Elle ne se sentait pas le courage de s'approcher de la Miséricorde.

Lydia avait imaginé un plan pour s'introduire à l'hôpital, mais il lui manquait encore quelques éléments pour qu'il soit au point. Elle devait étudier les lieux, les entrées, les horaires. L'idéal aurait été de se déguiser en sœur, mais les religieuses de la Miséricorde n'étaient pas si nombreuses et elles auraient rapidement vu l'intruse parmi elles. Elle continuait de faire sa liste des choses à faire et celles à éviter en regardant la route défiler. Tom conduisait en silence et Lydia n'avait pas envie de lui parler de son plan alors qu'elle devrait le répéter à Hélène en arrivant. Elle nota dans son petit calepin de ne pas oublier le lait maternisé. Tom la regardait du coin de l'œil.

— Tu penses vraiment que ça va marcher?

— Il le faut... pour le bonheur de tout le monde.

— Et si ça marchait pas?

— J'irai en prison. Hélène pourra toujours dire qu'elle savait rien de mes plans et elle reprendra son bébé. Vous l'élèverez à New York.

— Pourquoi prendre tant de risques?

Lydia hésitait à parler de Grégoire. Elle savait bien qu'avec deux enfants, son besoin de paternité était déjà satisfait. Le troisième n'était qu'un surplus de bonheur, s'il était possible d'avoir du bonheur en trop.

— J'aime les enfants. Je peux passer des heures à les regarder grandir, découvrir de nouvelles choses. J'aurais peut-être fait une bonne maîtresse d'école.

Il neigeait quand ils arrivèrent rue Saint-Hubert. Des lumières multicolores ornaient les devantures des magasins. Dupuis Frères s'était surpassé avec ses vitrines colorées d'une multitude de jouets. Lydia se sentait comme une enfant. Elle avait envie de coller son nez à la vitre, d'entrer en courant dans le magasin. Mais elle suivit sagement Tom jusqu'au petit hôtel.

Hélène les attendait assise sur le lit. Elle voulait laisser le fauteuil à Lydia. Tom s'avança et l'embrassa sagement. Lydia était tout excitée. Elle examina Hélène.

— T''as l'air en pleine forme. Avant que j'oublie... Il faudrait que tu voies un médecin pour qu'il te donne une date plus précise pour l'accouchement. Il faut que je sois là.

— C'est nécessaire, que tu sois là?

— Si je suis pas là, elles vont mettre ton petit à la crèche et tu vas devoir payer pour le sortir. Tu feras quand même pas six mois de lavage de plancher.

Tom n'en revenait pas.

— Hélène devrait faire quoi?

Sa compagne lui prit la main.

— Tu sais, la fille dont je t'ai parlé, celle qui fait le trottoir. Je l'ai revue, il y a pas longtemps. Elle m'a reconnue avec ma bedaine. Elle a eu un enfant à la Miséricorde. Pour payer la pension de sa fille, elle a lavé des planchers et fait le ménage pendant des mois.

— Y est pas question que tu fasses ça.

— Je suis d'accord, Tom, c'est pour ça qu'il faut que mon plan marche.

Lydia se garda bien de dire ce qu'elle ferait. Moins ils en savaient, moins ils risquaient de tout raconter à la police si ça tournait mal.

Avant de quitter la chambre, elle retira son gros ventre coussin et serra son manteau avec une ceinture. Elle était redevenue mince. Hélène palpa le faux ventre. Il y avait à l'intérieur un espace pour loger un nouveau-né. Tom éclata de rire.

— Lydia, c'est pas maîtresse d'école que t'aurais dû faire, c'est espionne.

Juliette regardait sa mère sourire dans le vide. Lydia se tourna vers elle.

— Tu sais, Juliette, j'aurais peut-être été une bonne espionne. Quand je me déguisais, personne ne me reconnaissait.

Juliette soupira. Pourquoi restait-elle à ses côtés à écouter ces inventions ? Pour ne pas demeurer avec Michel ? Pour ne pas lui crier qu'elle savait tout ? Non, elle ne savait pas tout, mais le peu qu'elle devinait lui donnait envie de hurler. Il n'était pas si difficile d'imaginer le reste.

Depuis que les enfants avaient quitté la maison pour faire leurs études, Juliette avait l'impression que son monde s'effritait. Il n'y avait plus que le dimanche de vivant, quand Sylvie revenait avec son lavage le matin, encore fatiguée de sa sortie du samedi soir, et que Vincent venait manger le midi. Il dévorait tout comme si c'était son seul repas de la semaine. Il devenait de plus en plus costaud, comme son père. Michel coupait le rôti de bœuf comme si de rien n'était. Mais Juliette savait qu'il s'ennuyait à mourir le dimanche. Il aurait voulu être ailleurs et elle refusait de penser avec qui.

Une main se posa sur l'épaule de Juliette et la fit sursauter. Charlotte lui sourit.

— Vous avez l'air de statues, toutes les deux. Va donc te reposer, Juliette. Nelson pis les enfants seront pas là avant deux semaines. J'ai du temps à moi.

Juliette ne se sentait pas fatiguée, elle se sentait démolie. Ce n'était pas pareil. Mais elle n'avait pas envie de raconter sa vie à sa sœur, pas ce soir-là en tout cas. Elle sourit, embrassa sa mère et sortit de la chambre en essayant de ne pas trop traîner les pieds. Elle s'était aperçue qu'elle avait pris cette manie de vieille depuis peu.

Lydia caressa la main de Charlotte.

— Es-tu heureuse, ma petite fille?

— Mais oui, maman, pourquoi tu poses la question? J'ai l'air malheureuse?

— Non, c'est pas ça. Mais à travailler avec la misère, ça doit faire mal à quelque part.

— C'est vrai que c'est pas toujours facile. Mais tu sais quoi? Le moindre petit progrès et on se sent tout à coup si heureux. On a l'impression de servir à quelque chose.

— On oublie trop vite comme c'est important de se sentir utile. Quand on aide quelqu'un, on se sent bien. C'est tellement excitant aussi.

Charlotte était étonnée de la fébrilité de sa mère. Celle-ci répétait «excitant» en souriant à la fenêtre. Ses doigts pianotaient sur le bras du fauteuil. Elle était repartie dans son monde.

Lydia avait passé la porte de la maternité pour filles-mères. La même religieuse l'avait accueillie. Elle scrutait son visage qu'il lui semblait reconnaître, se demandant où elle l'avait vue. Mais Lydia n'avait pas l'intention de lui laisser le temps de se souvenir d'elle.

— Bonjour, ma sœur. C'est une période de l'année si belle pour nous, la naissance du petit Jésus. J'ai une vie heureuse et je me demandais si je ne pourrais pas donner de mon temps pour vous aider, vous qui aidez à faire naître de petits enfants innocents.

La religieuse, surprise de cette demande, regardait Lydia avec encore plus de curiosité.

— Nous acceptons avec reconnaissance les offres des bénévoles. Ce n'est pas moi qui s'en occupe. Venez, je vais vous présenter à la responsable. En ce moment, je sais qu'il manque de monde aux cuisines.

– J'aimerais tellement travailler auprès des bébés. Le bon Dieu a voulu que je puisse pas en avoir. C'est une croix que, mon mari et moi, on doit porter.

La religieuse l'examina de nouveau. Son visage lui rappelait celui d'une femme qui était venue quelque temps auparavant, mais celle-ci était enceinte de plusieurs mois. Une parente peut-être.

– Vous n'avez pas pensé à adopter?

– On y pense, ma sœur, on y pense.

Lydia regardait partout autour d'elle pour se faire un plan des bâtiments et des différents niveaux. La religieuse et elle croisaient parfois des jeunes femmes enceintes qui nettoyaient les parquets à la brosse. Ces dernières gardaient les yeux baissés à leur passage.

– Il faudrait que votre mari et vous alliez voir la crèche. L'entrée est sur la rue de La Gauchetière. Les visites sont sur rendez-vous.

– Pour visiter les filles enceintes aussi?

– Il vaut mieux ne pas les voir. Seuls leurs parents proches peuvent les visiter aux heures de parloir. Est-ce que vous avez peur du sang?

– Non, je suis née sur une ferme.

– En ce moment, il manque de monde pour nettoyer après les accouchements. Durant la période des fêtes, les bénévoles se font plus rares. Je vais vous montrer la salle.

Lydia eut envie de sauter de joie. C'était justement la salle qu'elle voulait voir. Elles montèrent un escalier, puis un autre jusqu'au troisième étage. Lydia examinait les sorties possibles. Il fallait descendre trois étages et longer deux corridors pour atteindre la sortie du boulevard Dorchester. Est-ce qu'il serait plus facile de sortir par la crèche, rue de La Gauchetière? Les sœurs ne devaient pas traverser tout le bâtiment pour aller porter chaque bébé à la pouponnière.

– Ma sœur, est-ce que les mères gardent leur bébé quelques heures après l'accouchement?

– Il est préférable qu'elles ne le voient pas. La séparation est moins difficile ainsi. Elles remontent à leur chambre, au quatrième étage, tout de suite après l'accouchement.

C'était un dur coup pour Lydia. Hélène ne pourrait pas lui confier l'enfant. Lydia devrait donc le prendre entre la salle d'accouchement et la pouponnière.

Comme les deux femmes arrivaient devant une lourde porte en bois, des cris perçants retentirent.

– J'ai bien peur, ma fille, qu'on ne puisse pas entrer en ce moment.

Lydia ne savait plus quoi faire. Ces hurlements la transperçaient.

– Je peux voir la pouponnière, ma sœur ?

– Si vous voulez adopter… ce n'est pas moi.

– Non, non, je veux pas choisir un bébé. Je voudrais juste voir la salle, voir comment sont ces petits anges.

La religieuse pinça les lèvres et tourna les talons. Lydia la suivit. La pouponnière était dans une autre aile, sur le même étage. Il n'y avait que des nouveau-nés. Les autres enfants étaient à la crèche. Lydia observa bien les lieux. La fuite était possible si elle trouvait une autre sortie plus proche.

– Je vous conduis aux cuisines. L'heure du repas approche, vous serez la bienvenue.

– Merci, ma sœur.

Quand Lydia entra aux cuisines du rez-de-chaussée, le repas était presque prêt. La religieuse s'en alla après l'avoir confiée à la responsable des cuisines. Lydia ôta son manteau pour prêter main-forte. Il ne restait qu'à remplir les assiettes. Il y avait beaucoup de monde, des sœurs et des filles-mères trimbalant leur gros ventre. Lydia examinait chaque recoin. Elle trouva une porte pour les fournisseurs. Dehors, il neigeait encore un peu. La porte ne semblait pas verrouillée, du moins dans la journée. Il n'y avait pas de cadenas, et un gros verrou fermait la porte de l'intérieur. Mais il y avait trois étages et trois corridors qui la séparaient de la pouponnière.

Lydia avait remarqué que toutes les filles-mères portaient le même uniforme, une grande robe informe et grise avec un collet blanc. Pendant que les pensionnaires s'installaient au réfectoire, elle en profita pour se promener un peu. Personne ne semblait prêter attention à cette petite femme vive, vêtue d'une robe sombre.

Elle trouva la buanderie au bout d'un corridor. La salle était vide. Les femmes qui y travaillaient étaient sans doute au réfectoire. Il y avait des tas d'uniformes prêts à être mis dans les laveuses. Lydia en chercha des propres, mais n'en trouva pas. Elle en prit un près d'une machine. Il était sale, mais cela n'avait pas d'importance. Elle le glissa sous son bras. Il était trop visible. Comment pourrait-elle justifier le fait d'avoir cet habit en sa possession ? Elle souleva sa robe et glissa l'uniforme sur son ventre en espérant que personne ne remarquerait qu'elle était soudain devenue enceinte. Elle marcha rapidement et retrouva son manteau pendu aux cuisines. Personne ne lui avait posé de questions. Elle se dirigea vers la porte des fournisseurs. Elle n'eut qu'à tirer le verrou et elle se retrouva rue Saint-Hubert. Elle courut jusque chez Dupuis Frères, la joie sur le visage. Le plan commençait à se mettre en place.

— Ça doit te faire plaisir de sauver des enfants.

Charlotte sortit de sa torpeur. Elle ressentait soudain un coup de fatigue. Ce silence, cette pièce surchauffée, sa mère immobile qui la regardait avec un sourire dans les yeux.

— Ça fait plaisir et ça fait peur aussi. On ne sait jamais ce qu'ils vont devenir, des saints ou des bandits. La famine et la malnutrition les laissent parfois démunis physiquement et mentalement. Ils ont de gros problèmes d'apprentissage. Mais ils vivent.

— Quand on les sauve, il faut ensuite s'en occuper. On n'a pas le choix.

Les bourrasques de neige fouettaient les vitres de l'appartement. Lydia frissonna en regardant dehors. Le mois de janvier se montrait encore une fois effrayant de froidure. Tom frappa à la porte et entra doucement. Il visitait Lydia tous les jours après avoir téléphoné à Hélène. La date de la naissance approchait.

— Elle va aller à l'hôpital cet après-midi. Elle peut plus attendre. Et elle pourra pas me téléphoner. C'est interdit là-bas. Si seulement j'avais pu avoir de faux papiers.

Tom s'en voulait de ne pas être officiellement marié. Les sœurs avaient été catégoriques. L'hôpital général pour femmes mariées était strictement réservé aux femmes qui pouvaient prouver leur mariage. Les autres, célibataires ou mariées sans papiers, devaient aller à la maternité pour filles-mères. Lydia s'approcha de lui. Henri en fit autant.

— Tu joues avec moi, mon oncle Thomas?

Tom trouvait amusant d'entendre ce prénom; il n'y avait eu que sa mère pour l'appeler Thomas. Il caressa la tête d'Henri.

— Pas aujourd'hui, mon petit homme. Je dois partir bientôt.

Lydia suggéra à son fils de faire un beau château pour sa petite sœur avec son jeu de mécano. Henri haussa les épaules.

— On construit pas de château avec ça. Je fais des machines volantes pour battre les Allemands.

Il s'éloigna, mécontent du manque de collaboration des adultes. Lydia versa une tasse de café à Tom et ils s'assirent tous les deux à la table de la cuisine.

— J'espère que ça se passera pas cette nuit. Je vais partir demain matin par le premier autobus. Madame Guévremont m'a dit qu'elle viendrait garder les enfants n'importe quand. Une chance qu'elle se lève de bonne heure. Elle va pouvoir être ici après le départ de Grégoire.

— T'auras pas le temps de te rendre au terminus pour le départ du premier autobus.

— J'appellerai un taxi.

— Je vais emprunter l'auto en finissant de travailler cette nuit.

— Alors, tu pourras me reconduire au terminus. Avec le temps qui fait, vaut mieux être dans un gros autobus sur les routes enneigées.

— Grégoire va trouver ça drôle, que tu partes à Montréal.

— Je lui dirai pas. Et toi non plus. Il faut pas en parler devant les enfants non plus. Ils ont l'oreille fine.

Lydia tambourinait sur sa tasse de café. Tom la regardait.

— Nerveuse?

— Oui, après tout, c'est moi qui vais avoir un bébé. J'espère juste pas me faire prendre. Me retrouver en prison… ce serait épouvantable pour les enfants. Vous partez quand, pour New York?

— On donne notre premier concert le 9 février. L'impresario nous a trouvé un hôtel pour quelques semaines. Il faudra ensuite louer un appartement.

— C'est correct. Hélène aura le temps de se remettre.

— J'aimerais ça, aller la chercher après. Vous allez m'appeler quand elle sera de retour à l'hôtel?

— Bien sûr, Tom. Vous devez avoir hâte d'être enfin ensemble.

Lydia prépara ses affaires dès le départ de Tom. L'uniforme de fille-mère qu'elle avait passé à l'eau de Javel, les biberons de lait maternisé qu'elle emplirait à l'aube, des vêtements chauds pour le bébé. Elle était maintenant prête à partir et la journée s'étirait lamentablement.

Grégoire arriva de l'usine. Lydia s'appliqua à sourire naturel-lement. Mais son mari lui trouvait un drôle d'air. Il lui demanda à plusieurs reprises si tout allait bien. Elle s'efforça de sourire davantage. Tout allait pour le mieux.

Heureusement que Grégoire était fatigué par son travail. Il se mit à ronfler dès que sa tête toucha l'oreiller. Lydia garda les yeux ouverts sur le plafond. Elle récapitula ce qu'elle avait à faire et pria un peu. Quand son mari se leva pour aller travailler, elle était déjà dans la cuisine à préparer son déjeuner. La journée s'annonçait normale. Grégoire partit à l'usine après avoir embrassé sa femme et ses enfants.

Lydia sauta sur le téléphone et appela madame Guévremont. Elle prit son sac de voyage sous le lit et alla cogner à la porte de Tom. Il n'avait pas dormi non plus et il l'attendait. Il prit le sac et sortit démarrer l'auto. Madame Guévremont traversait la rue, enjambant les bancs de neige. Elle rejoignit Lydia, tout essoufflée.

– C'est déjà le temps? Je pensais que c'était plus tard.

– La porte est débarrée, les enfants vous attendent. Merci ben.

– Y a pas de quoi. C'est gentil au pianiste d'aller te reconduire au nouvel l'hôpital. T'es chanceuse, ils viennent juste de l'ouvrir.

Lydia la salua de la main après s'être assise dans l'auto. Elle n'avait pas encore pensé à ce qu'elle dirait à Grégoire pour justifier sa décision d'accoucher à Montréal, alors qu'un hôpital tout neuf venait d'ouvrir ses portes à Sorel. Elle espérait trouver une réponse plausible avant son retour.

Tom avait beau rouler le plus rapidement possible sur la chaussée enneigée, quand il arriva au terminus, l'autobus commençait à reculer. Il s'arrêta juste derrière. Le chauffeur klaxonna, furieux. Lydia descendit vivement avec son sac à la main et courut vers la porte d'autobus. Le chauffeur fut surpris par son agilité et ouvrit la porte.

– Vous savez que j'ai pas le droit de vous prendre. Je suis officiellement parti.

– Je vous remercie ben gros, mon bon monsieur. Avec un temps pareil, j'ai pas pu faire mieux.

Elle alla s'asseoir au fond de l'autobus, espérant ne pas être dérangée pour pouvoir dormir un peu. Des passagers l'avaient vue courir avec son gros ventre qui allait dans tous les sens, mais personne n'osa lui demander comment elle avait fait. La jeune femme put donc récupérer un peu du sommeil perdu. Elle ouvrit les yeux quand l'autobus s'arrêta au terminus de Montréal.

Lydia alla directement à l'hôtel d'Hélène. Le garçon de la réception lui sourit. Il était habitué à voir des visiteurs pour madame Hélène qui chantait si bien. Elle lui donnait parfois des concerts privés en répétant ses chansons. Il s'assoyait alors dans l'escalier pour mieux l'écouter.

Lydia revêtit l'uniforme de fille-mère, mit un biberon dans son ventre coussin avec une couverture chaude et un lainage. Son ventre devint énorme. On aurait pu jurer qu'elle attendait des jumeaux. Elle laissa son sac à main sur le lit et partit pour la maternité vêtue d'un simple manteau. Ne voulant pas entrer de nouveau par le boulevard Dorchester, elle chercha l'entrée des cuisines. Des fournisseurs étaient venus plus tôt et elle put suivre leurs traces dans la neige. La porte n'était pas verrouillée, heureusement.

Elle se faufila dans les cuisines et laissa son manteau près de la porte. Elle prit un plateau pour se rendre au réfectoire, l'abandonna sur une table et monta au troisième étage. La salle d'accouchement était occupée, mais Lydia ne pouvait pas voir qui était là. Elle monta à l'étage supérieur et essaya de trouver Hélène dans les salles communes, certaine que celle-ci n'avait pas payé pour une chambre privée. Elle regardait partout et les autres filles-mères commençaient à se demander qui elle était. Elle leur avoua qu'elle cherchait une amie dont elle ne connaissait pas le pseudonyme. Les filles jetèrent des regards autour d'elles avant de lui dire qu'elles l'avaient vue ce matin. Elle semblait avoir ses contractions. Elles n'en savaient pas plus.

Lydia repartit vers la salle d'accouchement. Elle découvrit qu'il y en avait deux. Elle attrapa un balai dans un placard et se glissa dans la première salle. Une jeune fille hurlait et pleurait, alternant les prières à la bonne Sainte Vierge et les cris. Une sœur se retourna vers Lydia qui baissa les yeux et sortit en s'excusant.

Dans l'autre salle, le silence régnait et Lydia crut qu'il n'y avait personne. Comme elle allait pousser la porte, elle entendit les vagissements d'un nouveau-né. Puis des pleurs.

– Laissez-moi le prendre.

Lydia reconnut la voix d'Hélène. Elle ouvrit la porte d'un coup. Le médecin et la sœur sage-femme s'immobilisèrent. La religieuse avait le bébé dans les mains. Le cordon était coupé et l'enfant était posé sur un petit drap. Hélène se mit à rire, soulagée par l'apparition de Lydia et amusée de la voir dans sa grande robe grise. Le médecin dit à la sœur que l'accouchée avait besoin d'un calmant. La religieuse allait sortir avec le poupon quand Lydia l'arrêta.

– Laissez, ma sœur. Je vais aller le porter à la pouponnière.

– Mais ce n'est pas à vous de faire ça. Qui êtes-vous? C'est trop tôt pour le ménage.

Hélène se mit à hurler et à frapper le médecin. Lydia prit le bébé, et la sœur se précipita sur Hélène pour lui retenir les bras. Quand la religieuse se retourna, Lydia avait disparu. Hélène s'allongea et ferma les yeux. Pourvu que son amie puisse sortir sans encombre maintenant.

Lydia retourna au placard à balais. Elle y entra rapidement et souleva sa robe. Elle enveloppa le nouveau-né qui vagissait. C'était un garçon. Il n'avait pas encore été lavé. Elle l'essuya avec une serviette. Il grimaça en secouant les poings. Elle lui présenta le biberon, mais il ne téta pas. Elle commençait à s'inquiéter. Elle entendit la voix de la religieuse demander si quelqu'un avait vu une fille-mère avec un nouveau-né dans les bras. Personne ne lui répondit. Lydia attendit un moment, berçant l'enfant. Elle avait l'oreille collée à la porte. Elle entendit Hélène chanter. On la ramenait dans une des salles communes. Lydia espérait qu'on ne déciderait pas de l'interner pour folie. Le bébé accepta finalement le biberon. Quand il s'endormit, la jeune femme le déposa dans le coussin et abaissa sa robe.

Elle sortit en tenant son ventre. Elle descendit le plus rapidement possible les trois étages. Elle faisait attention à ne pas courir pour ne pas éveiller la curiosité. L'heure du repas était passée et il n'y avait personne dans les cuisines. Lydia fut soulagée de découvrir que son manteau était toujours là. Elle l'enfila et ouvrit la porte. Elle courut jusqu'à l'hôtel sans se retourner, tenant à deux mains son précieux cadeau.

Lydia se tourna vers Charlotte qui prenait des notes dans un petit calepin.

— Je pense que j'ai réussi à bien m'occuper de vous autres.

— Mais oui, maman. On n'était pas des enfants laissés sur le bord de la route ou dans des dépotoirs à ciel ouvert.

— C'est là que tu les ramasses?

Charlotte soupira. Elle ne voulait pas mettre ces images dans la tête de sa mère. Pourquoi avait-elle parlé de dépotoir? C'était trop facile de juger et de se dire que ces mères qui les abandonnaient étaient des sans-cœur. C'était souvent des gamines qui n'avaient découvert leur grossesse qu'après plusieurs mois et qui n'avaient pas de quoi se nourrir elles-mêmes. Elles ignoraient la plupart du temps qui était responsable de leur état. Quand le samedi soir les hommes revenaient du bar où ils avaient bu leur maigre salaire, ils étaient tellement ivres qu'ils prenaient la première fille venue. Les gamines se cachaient dans les bois ou derrière les taudis mais, parfois, ce n'était pas suffisant. Et si le bébé naissait mal formé, il était condamné immédiatement à être abandonné sur le bord de la route ou noyé dans le ruisseau.

— Je l'ai fait pendant quelques semaines. On partait à l'aube avant que le soleil tape si fort qu'il ne nous reste que des cadavres à ramasser. Les femmes savaient qu'on passait. On les voyait parfois se cacher entre les arbres. C'est très dur. Pour elles et pour nous. Ce sont les religieuses qui le font normalement. La cueillette des abandonnés. Je ne sais pas où elles prennent le courage d'affronter…

— Les femmes ont pas d'autre choix que d'être courageuses.

Hélène était étendue dans un lit étroit, prêtant l'oreille au moindre bruit, à la plus petite conversation. Elle se sentait épuisée, elle aurait voulu dormir, mais elle voulait savoir si Lydia avait réussi à sortir de l'hôpital. Une fille entra dans le dortoir avec un sourire de conspiratrice.

– Vous savez quoi? Il paraît que les sœurs ont perdu un bébé.

Hélène se souleva sur un bras.

– Elles l'ont trouvé?

– C'est le tien? Elles le cherchent encore. Il paraît qu'il a été enlevé par une fille sur le point d'accoucher. Il faut être folle pour en prendre deux en même temps.

– Elle l'a peut-être amené à la pouponnière.

– En tout cas, les sœurs l'ont pas encore retrouvé. Je les avais jamais vues si fâchées.

Hélène s'allongea. Si son bébé n'avait pas été retrouvé, c'était que Lydia avait réussi à sortir. Ou qu'elle attendait la nuit, cachée quelque part avec l'enfant. Pour le moment, Hélène devait dormir un peu et reprendre des forces. Elle avait encore quelques heures devant elle.

Lydia était arrivée à l'hôtel sans problème. Par cette journée froide, les rares passants pensaient plus à se mettre à l'abri qu'à suivre une grosse femme qui courait en se tenant le ventre à deux mains. Rendue à la chambre, elle avait lavé son nouveau fils et l'avait habillé chaudement. Le bébé s'était rendormi paisiblement. Elle l'avait laissé dans son coussin sur le lit et était descendue téléphoner à Tom. Tout excité, celui-ci avait promis d'être là en fin de soirée. Lydia n'avait plus qu'à se reposer et à attendre. Pourvu que l'évasion d'Hélène fonctionne.

Hélène se réveilla en sursaut. Il faisait nuit. Toutes les lumières étaient éteintes, sauf dans les corridors. Elle se leva et prit ses vêtements qu'elle avait cachés sous le matelas. Elle s'habilla sans bruit. Ses compagnes de chambre dormaient. Elle allait prendre son manteau dans le placard quand elle vit une fille la regarder. Hélène hésita et lui fit signe de se taire. La fille lui sourit. Elle semblait souffrante.

– Bonne chance.

Hélène ouvrit la porte et regarda le corridor. Il était vide. Elle se dirigea à pas de loup vers l'escalier. Les religieuses avaient l'habitude de marcher doucement, de faire glisser leurs pieds sur le sol en ne faisant aucun bruit. La jeune femme se méfiait à chaque détour. Elle avait repéré les cuisines. Elle s'y faufila. Elle trouva la porte des fournisseurs. Elle essaya de l'ouvrir sans succès. Le verrou était mis. Hélène le souleva, mais la porte ne cédait pas. Elle commençait à s'énerver. Elle découvrit qu'il y avait un deuxième verrou dans le bas de la porte. Après l'avoir poussé, elle réussit à sortir. Elle aurait aimé courir jusqu'à l'hôtel, mais elle n'en avait pas la force. Chaque pas était douloureux.

Tom était assis dans le fauteuil près de la fenêtre, avec le bébé dans ses bras. Il n'en revenait pas de la force des émotions provoquées par ce petit corps chaud contre lui. La grossesse d'Hélène avait été longtemps pour lui une chose abstraite, un problème à résoudre. Puis il avait vu le corps de sa femme changer. Mais cela demeurait quelque chose qui était en dehors de lui. Maintenant qu'il tenait son enfant, il sentait que cet être était en lui, qu'il faisait plus partie de lui qu'avant. Une étrange sensation.

Lydia était assise sur le bord du lit. Elle était fatiguée, mais elle se sentait incapable de s'étendre et de dormir un peu. Elle regardait l'heure toutes les dix minutes. Minuit était passé depuis un moment et Hélène n'était pas encore là. Elle attendrait jusqu'au matin. Si Hélène n'arrivait pas d'ici là, Lydia serait bien obligée d'aller poser des questions à la maternité. Et les sœurs la reconnaîtraient. Elle se ferait prendre par la police et amener en prison.

Elle pensait à Grégoire qui devait s'inquiéter grandement, aux enfants qui lui demandaient sûrement où était passée maman. Elle n'avait pas osé lui téléphoner. C'était le côté le plus faible du plan, trouver une explication valable à sa disparition soudaine et prolongée. Elle retournait toutes sortes d'histoires dans sa tête, mais tout sonnait faux. Avec raison : c'était faux.

La porte de la chambre s'ouvrit soudain. Hélène entra, tremblante, fatiguée. Tom se leva et confia le bébé à Lydia. Il prit sa femme dans ses bras et la serra contre lui. Elle avait les jambes tellement molles qu'il dut l'aider à se rendre jusqu'au lit et à s'asseoir. Elle était épuisée et souriante. Lydia lui tendit le nouveau-né. Hélène le prit dans ses bras, les larmes aux yeux. Le bébé dormait. Il ouvrit soudain les yeux, se frotta le visage avec un poing, puis fixa sa mère un moment avant de se rendormir. Les mains d'Hélène tremblaient.

Lydia se retira près de la fenêtre. Ça lui faisait mal et surtout très peur. Hélène pouvait très bien changer d'idée et vouloir garder l'enfant. Lydia avait bien vu le regard attendri de Tom quand il tenait le bébé dans ses bras. Elle aurait donc fait tout ça pour rien, pris autant de risques pour annoncer un bébé mort-né à Grégoire. Elle ne pouvait rien exiger des nouveaux parents. Elle les avait aidés, mais ils ne lui devaient rien. Elle n'était qu'une voleuse d'enfant.

Le ciel commençait à s'éclaircir. La courte journée d'hiver était déjà bien commencée. Grégoire devait être en route pour son travail, à moins qu'il ne soit au poste de police pour rapporter sa disparition. Elle ne pouvait courir le risque d'être dénoncée et de faire de la prison.

Elle sortit de la chambre et alla téléphoner à la réception. Madame Guévremont lui répondit. Elle eut à peine le temps de lui dire bonjour que Grégoire avait pris l'appareil.

– Où est-ce que t'es ? Je suis allé à l'hôpital, hier soir.

— Grégoire, j'ai pas beaucoup de temps, alors écoute. Tout va bien, je serai de retour dans quelques heures. Je peux pas t'en dire plus. Va travailler comme d'habitude. Inquiète-toi pas. Je vais tout t'expliquer plus tard. Je t'embrasse. Embrasse les enfants aussi.

Et elle raccrocha. Les interurbains coûtaient cher. Et elle ne voulait surtout pas que son mari lui demande des explications. Elle remonta à la chambre. Elle entendit murmurer. Elle hésitait à ouvrir la porte. Après un moment, elle se dit qu'elle devrait les affronter tôt ou tard. Alors, autant le faire maintenant. Elle trouva Hélène et Tom assis sur le bord du lit, épaule contre épaule. Un portrait idyllique de petite famille. Une carte de Noël. Tom regardait le profil de sa femme, les yeux amoureux. Hélène observait le poupon qui dormait. Elle leva la tête vers Lydia.

— Merci.

Lydia faillit défaillir. Hélène était retournée à la contemplation de son bébé.

— Au moins, j'ai pu le tenir dans mes bras.

Le voyage de retour se fit lentement. Tom n'était pas pressé, Hélène non plus. Ils vivaient les derniers moments d'intimité avec leur fils. Après, ils redeviendraient des voisins attentionnés jusqu'à leur départ. Lydia aimait cette lenteur. Elle n'avait pas hâte d'affronter son mari. Et encore moins de raconter son histoire à madame Guévremont qui devait l'attendre avec une montagne de questions, curieuse comme elle l'était.

Tom arrêta la voiture devant leur immeuble. Hélène passa le bébé à Lydia quand celle-ci sortit de l'auto. Elles entrèrent dans la bâtisse, suivies de Tom. Chacun gardait ses distances, presque comme s'ils étaient des inconnus.

Madame Guévremont faisait manger les enfants quand Lydia entra dans l'appartement avec leur petit frère. Henri et Juliette se précipitèrent pour voir le nouveau venu. Ils étaient impatients de connaître le responsable du grand bouleversement qu'ils avaient vécu. Plus de maman pendant des heures. Henri grimaça du haut de ses quatre ans.

— Y est tout fripé.

Lydia et madame Guévremont étouffèrent un rire. Juliette n'avait que dix-huit mois. Elle le prit pour une poupée et tendit les bras.

— Pas tout de suite, mon trésor. Quand tu seras plus grande.

Le nouveau-né se mit à pleurer. Juliette lui tourna le dos et retourna finir son assiette. Henri regarda sa mère.

— Il va faire ça tout le temps?

— Non, seulement quand il a faim.

Madame Guévremont prit le bébé pendant que Lydia lui préparait son biberon. Le nouveau-né criait encore plus fort.

— Il a de la voix. Un vrai chanteur d'opéra.

Lydia se raidit en entendant le mot « chanteur ».

— Il va peut-être avoir une grosse voix comme son père.

— C'est vrai que, votre mari, quand il sort sa grosse voix, tout le monde se tient tranquille. Pis vous. Vous avez l'air en forme. Vous récupérez vite. Moi, à chaque enfant, je me traînais pendant des semaines, comme si j'avais été vidée.

— J'ai la chance d'avoir une bonne santé.

— C'est pour ça que vous êtes pas restée à l'hôpital ?

Lydia savait qu'elle n'y échapperait pas. Test de l'histoire numéro un.

— J'ai toujours accouché à la maison. Là, je me suis fait surprendre.

— Avec le fiancé de mademoiselle Hélène ?

— Les contractions ont arrêté. Je me suis dit que c'était une fausse alerte. Je me sentais tellement bien. Il me ramenait à la maison en racontant qu'il allait chercher sa fiancée à Montréal. Elle avait fini son contrat. Vous savez qu'ils partent bientôt pour New York ?

— Oui, il m'a dit ça.

— J'aime beaucoup Hélène. Je me suis dit que comme vous étiez là pour garder les enfants, je pourrais bien aller faire un tour à Montréal. Pis rendue là… j'ai accouché dans la chambre d'Hélène. C'est allé ben vite.

Madame Guévremont la regardait avec de plus en plus de curiosité. Lydia se disait que si elle n'avalait pas cette histoire, Grégoire n'y croirait pas non plus. On frappa à la porte. Hélène entra avec le sac de voyage que Lydia avait oublié dans l'auto. Sa petite valise de maternité, comme elle l'appelait. Lydia faillit l'embrasser, tellement elle était contente.

— Je viens de raconter à madame Guévremont comment j'ai accouché dans ta chambre à Montréal. Une chance que t'étais là pour m'aider. Pis que c'est allé vite.

Hélène enregistrait l'information et acquiesçait. Elle faisait confiance à Lydia pour concocter une bonne excuse à sa disparition. Elle regarda son fils boire son biberon. Comme il était beau !

— Pis une chance que c'est un bon bébé. Il est tranquille.

L'envie de le prendre était trop forte. Elle serra les doigts et pinça les lèvres.

— Il faut que j'y aille. Je reviendrai plus tard.

Hélène rentra dans son appartement. Elle se demandait si c'était une bonne idée d'aller voir son enfant tous les jours jusqu'à son départ ou si elle ne devait pas couper les ponts tout de suite. Elle était heureuse de le voir et elle avait peur de ne plus pouvoir le quitter. Ses seins lui faisaient mal, elle avait de la difficulté à marcher et à s'asseoir. Elle décida qu'elle avait surtout besoin de repos, beaucoup de repos. Elle s'allongea sur le lit et s'endormit tout de suite d'un sommeil profond.

L'arrivée d'Hélène avait convaincu madame Guévremont. Si Grégoire avait du mal à croire son récit, Lydia se disait que la marraine de Juliette le convaincrait de sa véracité. Après tout, c'était une histoire de femme.

Grégoire ne posa aucune question quand il rentra du travail. Il était trop heureux de retrouver sa femme et de voir son nouveau fils. Après avoir couché les enfants, Lydia lui raconta l'histoire qu'elle avait servie à madame Guévremont. Grégoire écoutait, analysant chaque parole.

— Pis tu pouvais pas appeler pour me le dire ? J'ai eu l'air d'un vrai fou à l'hôpital, à te chercher partout. J'ai même failli aller à la morgue.

Sa colère était encore palpable. Lydia essayait de calmer sa voix pour ne pas montrer son appréhension.

— Il y avait pas de téléphone dans la chambre, pis j'avoue que j'étais pas mal occupée avec le bébé. Je pouvais pas sortir du lit comme ça.

— Oui, mais lui, Tom, il est pas manchot, il aurait pu appeler.

— Il était trop énervé. On l'a mis à la porte assez vite. Il ne tenait pas à rester non plus. Il était ben content d'aller rejoindre des amis musiciens. On l'a pas revu avant tard dans la nuit.

Lydia triturait sa manche. Elle sentait que Grégoire ne la croyait pas totalement.

— Je voulais pas qu'il réveille les enfants en t'appelant. Je l'ai fait au petit matin, dès que je me suis sentie mieux. Et puis, c'était à moi à t'appeler. Pas un étranger. C'est notre bébé, après tout.

Lydia racontait son histoire et se disait qu'elle devrait donner cette version à Tom au cas où Grégoire lui ferait des reproches. Mais ce dernier se sentit coupable encore une fois de se plaindre à sa femme alors qu'elle venait tout juste de lui donner un garçon. Il se trouvait ingrat.

— Je sais ben. J'aurais tellement aimé ça, être là ! C'était épouvantable sans toi. Les enfants avaient même pas envie de jouer. Je veux plus que tu me laisses comme ça sans nouvelles. Qu'est-ce qu'on ferait, nous autres, sans toi ?

Lydia sentit son cœur se gonfler de bonheur. Elle s'était aussi demandé ce qu'elle ferait sans eux quand elle avait eu peur d'aller en prison. Ils étaient toute sa vie. Elle se colla contre son homme. Elle s'était libérée du coussin. Elle avait envie d'enlever sa robe de nuit et de caresser le grand corps étendu à ses côtés. Mais il ne fallait pas tout gâcher. Elle attendrait. Et ce serait à elle de lui demander de se démener pour faire un autre enfant. Elle entrevoyait les années de bonheur à venir.

Hélène vint le lendemain, dès le départ de Grégoire. Les enfants n'avaient pas terminé leur déjeuner. Le bébé dormait dans son ber, dans la chambre principale. Lydia alla le chercher et le mit dans les bras d'Hélène.

— Je voudrais pas avoir à le perdre.

— Je te remercie… pour tout.

Hélène observait Henri et Juliette qui mangeaient leur bol de céréales. Elle s'éloigna dans le salon. Lydia la suivit, la mort dans l'âme. Qu'allait-elle lui confier ? Hélène regardait son fils avec attention.

– Je me sens pas la force de rester si près. Je pourrai pas jouer la gentille voisine gardienne. Tom et moi, on a décidé d'avancer notre déménagement à New York. On part dans quelques jours.

Lydia poussa un soupir de soulagement. Hélène lui sourit.

– Je suis heureuse qu'il grandisse avec toi, avec vous autres. Mais il y a une chose que je voudrais te demander.

Lydia attendait, se préparant au pire. Une visite annuelle? Des échanges de cartes de vœux? La matante des États qui se mêle de sa vie de temps en temps?

– J'aimerais qu'il s'appelle Albert, comme mon père.

– C'est comme ça que le grand Albert est entré en scène.

Charlotte cherchait à comprendre. Que venait faire Albert dans cette histoire d'enfants abandonnés sur le bord des routes au tiers-monde?

– Tu as des nouvelles d'Albert? Juliette m'a dit que Guillaume était très malade.

– C'est dur pour un parent d'avoir un enfant malade. Surtout que son premier est mort à deux ans. Je comprends qu'il en voulait pas d'autres. Ça lui a fait trop mal.

– Mais l'arrivée d'Émilie a changé tout ça quinze ans plus tard. Les hommes ont la chance d'avoir des enfants à tout âge.

– Pis là, le petit Guillaume a deux ans. Pauvre Albert. Après la vie de célébrité qu'il a connue.

Lydia avait suivi la vie de ses enfants avec intérêt. Celle d'Albert avait été particulièrement brillante. Il avait hérité des doigts magiques de Tom. Comme Charlotte avait hérité des yeux d'un ancêtre amérindien de Grégoire. C'était du moins la version officielle de Lydia. Après les yeux bleus d'une Irlandaise, les yeux noirs d'une Amérindienne. La famille devenait un bel assemblage de petits êtres extraordinaires.

Lydia pensait que le départ d'Hélène la soulagerait de la peur de perdre Albert. Mais elle avait rapidement réalisé qu'elle venait plutôt de perdre une amie. Hélène avait promis de lui envoyer son adresse dès qu'elle aurait trouvé un appartement. Lydia ne reçut qu'une courte lettre en mai. Hélène annonçait qu'ils vivaient encore à l'hôtel. Ils se produisaient dans des clubs de nuit. Le travail lui plaisait, mais elle se sentait seule parfois. Comment allaient les enfants?

Lydia savait de qui elle parlait, mais elle lui écrivit en faisant attention de ne pas se compromettre. Elle donna des nouvelles des trois enfants. Henri avait eu le temps de s'attacher à Tom avec ses visites quotidiennes. Il dessina un avion et demanda à sa mère d'écrire « pour Thomas ». Juliette avait appris à dire « Lène » pour Hélène. Elle barbouilla un gros cœur avec de la peinture à l'eau. Lydia prit la main du petit Albert et dessina le contour de ses doigts au crayon. Hélène reçut cette lettre en pleurant. Elle ne donna plus jamais de nouvelles.

Le nouveau-né avait été baptisé Albert. Grégoire n'aimait pas trop ce nom qui lui rappelait un vieil oncle grincheux, mais Lydia avait été catégorique : l'enfant allait s'appeler Albert, point final. Jacques Gagnon avait servi de parrain avec sa nouvelle épouse Solange. Madame Guévremont avait insisté pour être porteuse. La famille de Lydia était devenue sa famille, ses propres enfants ayant déménagé aux États-Unis dans les années trente.

Elle n'avait jamais voulu les suivre, préférant louer des chambres de sa grande maison.

La guerre était bel et bien terminée. Hitler était mort. L'ONU était née. Le monde semblait pouvoir souffler enfin. Les soldats revenaient au pays. Les familles se retrouvaient. L'Europe se reconstruisait et le monde entier découvrait les horreurs des camps de concentration. Les femmes quittaient les usines pour redevenir des femmes au foyer. On annonçait le retour de la prospérité avec des autos, des réfrigérateurs, des cuisinières électriques.

Le monde avait changé, mais Lydia pensait que le sien demeurerait immuable. Les enfants grandissaient entourés d'amour et d'attention. Elle n'avait plus peur de voir surgir Paulette. Elle avait compris qu'Hélène avait préféré couper les ponts pour ne pas souffrir. Elle était une maman comblée et son homme essayait encore de lui faire un autre enfant. Elle ne voyait pas ce qu'elle aurait pu demander de plus. Mais tout cocon devait se briser un jour. Grégoire revint du travail avec la mine basse. Lydia avait hâte de coucher les enfants pour parler avec lui. Ce visage préoccupé ne lui disait rien de bon. Grégoire essaya de passer une soirée normale en jouant avec les enfants. Puis il retrouva sa femme dans leur chambre.

– Qu'est-ce que tu dirais si on déménageait?

– Et pourquoi on ferait ça?

Grégoire essaya de résumer la situation. La construction des navires de guerre avait pris fin. Il restait bien quelques contrats, des cargos, des traversiers, des brise-glace, mais le chantier maritime avait congédié beaucoup de travailleurs. Le temps des équipes de travail se relayant jour et nuit était terminé. Sorel Industries cherchait de nouveaux contrats pour remplacer la fabrication des canons qui avaient fait la fierté de la campagne alliée en Afrique du Nord. Grégoire était un bon soudeur, mais son nom allait un jour ou l'autre se retrouver sur la liste des chômeurs.

– Alors, ou bien on part maintenant ou on attend six mois, un an. Ça ne me tente pas vraiment d'attendre à l'hiver pour déménager.

— Et où tu voudrais aller? La guerre est finie pour tout le monde depuis plus d'un an. Tu vas être soudeur à quelle place?

— Justement, j'aimerais faire autre chose.

Lydia le fixait de ses yeux perçants.

— Tu veux pas retourner dans le bois, toujours? La drave, c'est plus pour toi.

— Non, non. Pas le bois. Mais qu'est-ce que tu dirais d'une grande ville?

— Grégoire, tu m'inquiètes. Qu'est-ce que t'as derrière la tête?

— Montréal.

Lydia sentit son cœur s'accélérer. Tout ce qu'elle avait connu de cette ville était deux mascarades d'accouchement. Elle s'y était cachée et maintenant son homme lui proposait d'y habiter.

— Et pourquoi tu veux aller là? Tu vas faire quoi?

Grégoire se pencha vers le visage de sa femme.

— Chauffeur d'autobus.

Lydia prit quelques secondes pour digérer l'information.

— Pourquoi tu veux faire ça?

— J'en peux plus d'être enfermé dans une usine. La saleté, la chaleur, le froid. Le masque dans la face, les grosses bottes aux pieds. Chauffeur, tu te promènes dehors, tu vois du monde. Il me semble que j'aimerais ça.

Lydia sourit. Elle n'avait jamais réalisé que son mari pouvait souffrir dans une usine. C'était pourtant prévisible. Lui, l'homme des champs et des forêts, habitué au grand air et aux changements de saison, il avait passé des années enfermé sans jamais se plaindre. Elle caressa son visage.

— On va te suivre, mon homme.

— Pis les enfants pourront aller dans de grandes écoles.

Lydia savait que Grégoire avait souffert de n'avoir pas pu aller très longtemps à l'école. Il aurait fallu qu'il entre au séminaire pour continuer son éducation. Mais il avait refusé de jouer au petit curé.

— Ça change rien pour essayer de faire un autre petit Gagnon?

Lydia fit glisser sa robe de nuit. Elle était prête à essayer aussi souvent qu'il le voudrait.

Grégoire passa le mois suivant à conduire la nouvelle auto de son cousin. Il avait l'air d'un enfant attendant Noël dès qu'il s'assoyait derrière le volant. Ce fut une grande fête quand il passa son permis de conduire. Il rencontra ensuite un chauffeur d'autobus qui faisait la liaison Sorel-Montréal. Celui-ci lui donna de précieux conseils et l'encouragea à devenir chauffeur. C'était un bon travail honnête. Il fallait simplement composer avec des gens parfois difficiles ou perdus, mais en général les clients étaient corrects.

Grégoire demanda une journée de congé à son contremaître. Ce dernier fut surpris.

– Un congé ? Tu risques d'en avoir un ben long si ça continue comme ça. C'est quoi, là ? Ta femme va avoir un autre enfant ? T'es malade ? C'est quoi ?

Grégoire était un homme droit. Il ne se souvenait pas d'avoir menti pour tourner une situation à son avantage. Mais il ne voulait pas être congédié tout de suite. Si ça ne marchait pas à Montréal, comment ferait-il pour nourrir sa famille ?

– Il faut que j'aille voir un spécialiste… le cœur.

Le visage du contremaître se radoucit. Un grand costaud comme lui et un cœur malade. C'était pas de chance.

– Bon, écoute, je te couvre pour cette fois. Mais juste pour cette fois-là.

Grégoire fut soulagé. Il partit le cœur léger. Il rencontra les responsables de l'embauche des chauffeurs à Montréal. Ils aimèrent sa voix posée, son physique rassurant, sa gentillesse de géant, sa courtoisie. Il n'avait pas d'expérience et ne connaissait pas la ville, mais il était décidé à apprendre. Les tramways avaient atteint leur apogée à Montréal et on parlait de plus en plus de les remplacer par des autobus. Les gens se plaignaient que les tramways bloquaient souvent la circulation au centre-ville et qu'ils n'avaient pas la flexibilité des circuits d'autobus. Grégoire reçut une bonne poignée de main et on lui proposa de travailler à l'essai quelques semaines, le temps de lui donner une bonne formation.

Lydia refusa de déménager sans avoir la certitude qu'il travaillerait. Grégoire quitta les chantiers maritimes. Le contremaître ne fut pas vraiment surpris de le voir partir pour Montréal. Il savait bien que l'homme des bois n'avait jamais été à sa place dans l'usine.

En dehors des heures de travail, Grégoire cherchait un logement pour sa famille et apprenait à se retrouver dans la ville divisée en Est et en Ouest par le boulevard Saint-Laurent. Il était surpris de voir comment les quartiers changeaient en seulement quelques pâtés de maisons. Il revenait à Sorel tous les samedis. Il s'ennuyait et les enfants faisaient la vie dure à Lydia, se plaignant de l'absence de leur père. Après seulement un mois, Grégoire obtint un poste de chauffeur.

Ce fut la fête quand il rentra le samedi suivant. Les enfants portaient un petit chapeau de papier, et Lydia avait fait un gâteau avec trois couleurs de glaçage. Henri sauta dans les bras de son père pour le féliciter. Juliette le serra par le cou jusqu'à presque l'étouffer. Et Albert avait gardé une surprise pour lui. Il quitta la chaise qu'il poussait souvent et fit ses premiers pas seul, avant de se jeter dans les bras de Grégoire en criant : « Papa, papa. » Ce fut le plus beau cadeau de la journée.

Lydia regardait une petite fille marcher dans le parc. Celle-ci se maintenait à peine debout en tenant la main de sa mère. Mais elle était si fière de son exploit qu'elle poussait des cris de joie.

Charlotte suivait le regard de sa mère, se demandant comment était le monde dans sa tête. Elle n'osait pas poser la question. Elle se disait qu'elle en parlerait à sa sœur Béatrice. Après tout, cette dernière était pédopsychiatre. Et on disait qu'en vieillissant, on retombait en enfance. Béatrice aurait peut-être une réponse.

Le déménagement bouscula la vie de tout le monde. Madame Guévremont pleura en regardant partir le camion emportant les meubles des Gagnon. Elle avait l'impression de perdre ses petits-enfants. Henri l'avait serrée très fort. Juliette aussi. Seul Albert avait souri, ne sachant pas trop ce qui se passait. Lydia avait fait promettre à madame Guévremont de venir les visiter dans leur nouveau logement. La dame avait dit oui, mais elle savait qu'elle se faisait vieille. Aller à Montréal serait une expédition qu'elle ne pourrait pas faire souvent.

Tous les membres de la famille s'étaient engouffrés dans l'auto de l'oncle Jacques. Ils suivirent le camion sur la route longeant le fleuve. Les enfants avaient le nez collé à la vitre. C'était leur premier grand voyage, sauf pour Henri qui avait quitté la Mauricie à l'âge de deux ans. Il regardait les bateaux qu'il avait vus à la plage avec tante Hélène. Ils lui semblaient différents, plus gros, plus sales. Peut-être à cause de l'eau grise, du ciel nuageux, des arbres qui perdaient leurs feuilles. Juliette demandait souvent à sa mère quand ils allaient arriver. Comme c'était loin! Albert ne posa pas de questions. Il se colla contre sa mère et s'endormit en suçant son pouce.

Lydia se sentait tellement bien, entourée de ses petits, écoutant Grégoire parler à son cousin des rues de Montréal, des ruelles qui n'en finissaient plus, comme une cour arrière géante, des gens pressés qui couraient derrière l'autobus. Lydia avait envie de découvrir cette ville-là, loin de celle qu'elle avait connue durant ses séjours forcés. Elle se promettait de ne pas aller rue Sainte-Catherine ni boulevard Dorchester. Elle était contente d'habiter plus au nord, pas très loin du mont Royal. Elle n'aurait qu'à suivre la rue Rachel pour arriver devant la grande croix illuminée le soir. Elle pouvait d'ailleurs la voir du balcon arrière de l'appartement.

Les enfants s'adaptèrent très vite à leur nouvel environnement. Ils étaient habitués à vivre dans un petit appartement et ils découvraient avec joie toutes les pièces du grand logement. Henri avait une chambre pour lui tout seul. Juliette aussi. Albert partagerait la chambre de ses parents quelques mois, avant de dormir dans la petite chambre du fond, à peine plus grande qu'un placard.

Grégoire avait des horaires de travail parfois étranges. Il se levait avant le soleil, il dormait l'après-midi, il devait quelquefois travailler tard le soir. Cela changeait d'une semaine à l'autre. Le pire était quand il faisait des remplacements. Il ne connaissait pas toutes les routes et il avait peur de se tromper. Plus d'une fois, une vieille dame lui était venue en aide pour lui dire où tourner. Il avait hâte d'avoir sa route et ses habitués. Les gens engageaient facilement la conversation, racontant des bouts de leur vie. Grégoire les écoutait, mais il ne parlait pas beaucoup de sa famille. Elle était juste pour lui et il avait toujours hâte de la retrouver.

Lydia explorait son quartier. Elle y croisait des juifs orthodoxes avec leurs drôles de boudins frisés, des Polonais à la voix grave et à l'imposante stature, des Grecs qui lui souriaient sans la connaître, des Portugais qui préparaient leurs jardins pour l'hiver comme s'ils étaient fermiers, quelques Italiens qui rivalisaient pour les potagers les mieux garnis du quartier. Lydia s'arrêtait parfois, curieuse d'observer des plantes qu'elle ne connaissait pas toujours. C'était un monde nouveau chaque jour. Elle commençait à aimer beaucoup ce Montréal-là. Il était si différent de celui qu'elle avait connu. Que de chemin parcouru depuis la petite maison au bout du rang !

Elle amenait ses enfants jouer au parc Jeanne-Mance dans la semaine et sur le mont Royal le dimanche avec Grégoire. Après la messe à l'église Saint-Jean-Baptiste, la famille allait manger dans un restaurant grec, italien ou portugais. Puis tout le monde marchait jusqu'à la montagne pour y passer l'après-midi. Depuis que la neige avait tout recouvert, les enfants adoraient glisser ou patiner sur le lac des Castors. Ils n'avaient jamais eu les joues aussi roses, les yeux aussi brillants.

Noël arriva rapidement. Madame Guévremont ne se sentait pas la force de faire le voyage, mais elle envoya à tous des cadeaux de Noël. Les enfants lui firent des cartes et des dessins qu'ils postèrent eux-mêmes. Albert fêta ses deux ans et changea de chambre. Il refusa de dormir dans la petite pièce près de la cuisine. Il se sentait trop loin de tout le monde. Il partagea donc un lit superposé tout neuf avec son frère. Le printemps se pointa. Henri eut six ans. Il reçut un gros sac d'école en cuir. Il en était tellement fier qu'il le posa près de son lit pour pouvoir le toucher à tout moment, même pendant la nuit. Il irait à l'école en septembre. Il était un grand maintenant.

Grégoire commençait à avoir des horaires plus réguliers. Il était absent presque tous les soirs et il traînait à la maison tous les matins. Lydia avait réalisé que si la vie à Montréal était bien agréable avec les enfants, elle coûtait également beaucoup plus cher. Ils n'allaient plus aussi souvent au restaurant. Avec les livres et les fournitures scolaires qu'il faudrait acheter, les vêtements qui n'avaient pas le temps de s'user, tellement les petits grandissaient vite, Lydia arrivait difficilement à boucler son budget. À voir son mari passer des heures à ne rien faire, elle décida de travailler à l'extérieur. Un salaire d'appoint serait le bienvenu.

Lydia s'informa ici et là. Beaucoup d'immigrantes travaillaient dans les manufactures de vêtements des alentours. Lydia s'y présenta. Elle n'était pas un as de la couture, mais elle apprenait vite. C'était un travail éreintant et la rotation du personnel était grande. Elle fut embauchée sans trop de questions. Il lui restait à convaincre Grégoire. Quand il revenait du travail, les enfants étaient couchés depuis longtemps et elle était souvent endormie aussi. Lydia se levait parfois pour l'accueillir, mais elle restait le plus souvent au lit, attendant qu'il vienne la rejoindre.

Ce soir-là, elle mit sa plus belle robe de nuit et elle s'assit au salon. Elle repassait dans sa tête toutes les bonnes raisons de gagner un peu d'argent. Le plus compliqué était de ménager l'amour-propre de son homme. Il était le pilier de la famille et elle devait faire attention de ne pas le rabaisser ou de ne pas mettre en doute sa solidité. Quand il ouvrit la porte, Grégoire s'inquiéta immédiatement. Que se passait-il? Lydia souriait. Il déposa sa boîte à lunch et son thermos sur la table basse.

— Les enfants sont corrects?

— Oui, inquiète-toi pas.

Lydia lui fit signe de s'asseoir à ses côtés. Elle se tourna ensuite vers lui pour l'embrasser. Grégoire était encore plus intrigué.

— Dis-moi tout de suite ce que tu veux? Il me semblait qu'on était bien ici. Tu veux pas partir, toujours?

— Non, on a trouvé une belle place pour voir grandir les enfants. Mais tu sais que la vie coûte cher…

Grégoire attendait, se méfiant de plus en plus. Lydia décida d'y aller directement.

— J'ai trouvé un travail. Comme t'es là le matin, tu peux t'occuper des enfants. Je commencerai de bonne heure et je finirai tôt. La *boss* de plancher a été correcte. Je peux être à la maison avant que tu partes travailler. Ça aiderait avec l'école, les livres, les uniformes. Juliette y sera dans deux ans. T'imagines? Notre petite fille va entrer à l'école.

— Elle y est pas encore. Et je peux vous faire vivre. On n'est pas riches, mais on a de la nourriture sur la table. T'as pensé au lavage, au ménage, aux repas?

— Oui, j'y ai pensé. Je peux préparer le repas du lendemain le soir. Pis le lavage et le repassage, ça peut se faire le soir aussi.

— Pis quand je vais rentrer de travailler, je vais trouver une femme épuisée. Tu penses que ça vaut les quelques piastres que tu vas rapporter?

— Si tu veux que les enfants fassent les bonnes écoles, on n'a pas le choix. Pis je travaillerai pas là toute ma vie. Mais je préfère coudre des pantalons que de servir dans un restaurant. On peut essayer. Si ça marche pas, j'arrêterai.

Grégoire se radoucit et la prit dans ses bras.

Lydia entendit chuchoter. Elle se retourna. Charlotte et Béatrice parlaient près de la porte. Elles se turent en voyant que leur mère les regardait. Cette dernière se leva et quitta la fenêtre donnant sur le parc. La nuit était tombée. Il n'y avait plus rien à voir. Lydia alla embrasser Béatrice.

– Ça faisait longtemps que je t'avais pas vue, ma grande. Toujours aussi occupée avec tes petits fous?

– Appelle-les pas comme ça. Ils ne sont pas fous. Ce sont des enfants à problèmes et ce n'est pas toujours eux, le problème.

– Je le sais, Béatrice, je le sais. Je suis contente que vous soyez ensemble comme deux sœurs qui s'aiment. C'est important, les liens de famille. Mais vous êtes pas obligées de comploter. Je vais bien. Ils me garderont plus ben longtemps.

– On sait pas, maman. J'ai pas vu le médecin encore.

– T'as beau avoir fait de grandes études, c'est pas toi qui vas décider ça.

– C'est pas moi, mais je vais m'assurer que tu reçoives les meilleurs soins. Tu fais quoi de tes journées?

– Je me rappelle de beaux souvenirs, la vie que j'ai eue et les grands bonheurs avec mon Grégoire.

– De quoi tu te rappelles au juste?

Béatrice avait toujours été directe… et curieuse. Lydia se mit à rire.

– Je te le dirai pas. Je veux pas que tu fouilles mon cerveau.

– C'est pas ça, maman…

– Mais oui, c'est ça. Si tu savais… mais vaut mieux que tu saches pas.

Béatrice échangea avec Charlotte un regard interrogateur. Lydia prit ses deux filles par la taille.

– Vous êtes ben belles, ben fines, mais moi je vais aller me coucher.

Lydia alla reconduire ses filles jusqu'à l'ascenseur, puis elle revint tranquillement dans sa chambre. En embrassant Charlotte, elle avait revu Dolores avec tellement de précision que son cœur s'était serré. Elle se souvenait très bien de leur première rencontre.

Il faisait très chaud cette journée-là. Lydia s'était glissée hors du lit doucement pour ne pas réveiller Grégoire. Il n'y avait pas d'air dans le logement. Elle s'était rafraîchie en passant une serviette d'eau froide sur son visage et son corps. Elle savait qu'elle reviendrait en sueur du travail. Les quelques ventilateurs dans la grande salle ne brassaient que la poussière de tissu. Depuis une semaine, on lui avait confié une machine à coudre. Lydia en avait rapidement compris le fonctionnement. Il ne lui restait plus qu'à augmenter le rythme si elle voulait pouvoir gagner quelques dollars.

Quand elle entra dans la salle de couture, presque toutes les travailleuses étaient déjà arrivées. Elle entendait parler toutes les langues sauf le français. Ses collègues se demandaient d'ailleurs pourquoi elle travaillait là : elle aurait pu avoir un meilleur salaire ailleurs. Mais, à voir le sourire de Lydia quand elle entrait au travail, elles se disaient que c'était une femme étrange qui ne tiendrait pas longtemps.

Lydia salua tout le monde et alla à sa machine. Les autres femmes se sentirent obligées d'en faire autant. La surveillante arriva et distribua le travail de la journée. Elle présenta à Lydia une jeune femme timide, qui fixait ses pieds. Cette dernière avait de longs cheveux noirs et brillants qu'elle avait noués en une grosse tresse qui descendait dans son dos. Quand elle leva la tête vers Lydia, celle-ci fut surprise de voir deux grands yeux aussi noirs que ses cheveux. La nouvelle venue avait un beau visage rond, des dents éclatantes, des lèvres pulpeuses, de jolies pommettes. Sa peau était d'un beige cuivré, comme celle d'une femme ayant réussi son bronzage après des mois passés à la plage.

— *This is Dolores. She'll work at your side. You can help her. She's not used to this machine.*

Lydia ne savait pas trop ce que disait la surveillante, mais elle lisait sur son visage les informations importantes. Toutefois, elle ne saisissait pas pourquoi c'était à elle, nouvellement arrivée, que revenait le rôle d'instructrice. Pourquoi demander à un borgne de guider un aveugle? La surveillante lui glissa que la nouvelle ne comprenait pas l'anglais et à peine quelques mots de français. Lydia ferait la traductrice.

Elle s'aperçut rapidement qu'en vérité Dolores ne parlait pas du tout le français. La jeune femme prenait des mots espagnols et enlevait le *o* ou le *a* final. Pendant les pauses, Lydia découvrit peu à peu la vie de Dolores. Elle trouva d'abord son prénom étrange. Comment des parents pouvaient-ils appeler leur enfant «douleur»? Même un accouchement difficile ne justifierait pas d'infliger à sa fille un tel nom pour toute sa vie. Dolores avait un rire d'enfant.

— Ça vient dé l'Espagna. L'Église place sous la protection de *Maria de dolores* pour les *dolor* d'avoir son… *hijo* crucifié. Cé *como* Maria. Tu peux me dire aussi Lola.

Lydia adora ce prénom et Lola devint une amie. Arrivée depuis quelques mois seulement à Montréal, elle était venue rejoindre son mari. Chaque jour, un nouveau morceau du puzzle se mettait en place. Fernando avait courtisé Lola pendant un an. Leurs parents habitaient le même *barrio*, près de Morelia. Fernando voulait devenir ingénieur. Il était donc allé à l'université.

Quand son père était mort, il avait dû abandonner ses études. Il avait alors épousé Lola, et le jeune couple avait emménagé chez la mère de Fernando.

Sans travail, ce dernier avait décidé de monter vers le nord. Il avait un cousin qui vivait près de New York. La guerre venait d'éclater. Le travail ne manquait pas au Canada et Fernando avait préféré passer la frontière pour aller s'installer à Montréal où il avait facilement trouvé un emploi.

Lola devait tout faire à la maison et sa belle-mère la critiquait sans cesse. Elle écrivait souvent à Fernando, le suppliant de revenir. Il remettait toujours à plus tard. La jeune femme n'en pouvait plus. Au décès de sa mère, elle avait reçu un peu d'argent et était partie rejoindre son mari.

Elle espérait vivre un conte de fées. Son histoire s'était peu à peu transformée en cauchemar. La guerre terminée, Fernando n'avait plus de travail stable. Il buvait de plus en plus, aigri, plein de reproches pour celle qui avait abandonné sa mère. Il n'était plus celui qui lui offrait des fleurs et des sérénades de mariachis.

Lola avait décidé de faire sa part et de travailler. Elle avait tellement pleuré devant le patron de la manufacture qu'il l'avait embauchée à l'essai, persuadé qu'elle ne resterait pas deux jours. Lola tenait toujours. Lydia l'encourageait, lui apprenait des mots de français en s'efforçant de bien parler.

Puis, un jour, Dolores arriva au travail avec un œil tellement enflé qu'elle ne pouvait plus l'ouvrir. Toutes les femmes détournèrent le regard. Sauf Lydia qui se fâcha, surprenant tout le monde. Lola essaya de la calmer.

– Jé mé suis cognée sur une porte.

– Ben, tu diras à ta porte qu'elle est mieux de filer doux. Sinon je vais aller lui secouer le pompon, à ta porte.

Lola n'avait pas compris tous les mots, mais le ton était très explicite. Elle excusa son mari. Il travaillait de moins en moins, sa mère était malade au Mexique et il n'avait pas d'argent pour aller la voir. Et puis, elle ne pouvait pas le quitter. Pas maintenant. Pas avec le bébé.

En entendant le mot « bébé », Lydia revit sa vie défiler en quelques secondes comme un mourant. Pourquoi croisait-elle si souvent des femmes enceintes en difficulté ?

— Et tu veux avoir un bébé avec lui ?

— Jé pas de choix. Ma mère est morte. Mon père aussi. Mes frères partis en *California*. Jé plus personne qué Fernando. Il va changer avec le bébé.

Lola ne se présenta pas au travail le lendemain. Lydia se rendit chez elle et la trouva en larmes. La jeune Mexicaine hoquetait de chagrin.

— Quand il boit… tout le temps. Jé lé connais plus.

Lydia prit un grand sac et se mit à le remplir des vêtements de Lola.

— Ramasse tes affaires. Tu ne peux pas rester ici.

— Mais où jé vais aller ?

— D'abord, chez moi. Après, on verra.

— C'est comme ça que Lola est entrée dans ma vie.

— Oui, madame Gagnon. Avez-vous pris vos médicaments ?

Lydia regarda l'infirmière à ses côtés. Elle avait de courts cheveux roux et des yeux turquoise comme un lagon sur des photos de Tahiti. Même les yeux bleus de Juliette n'avaient pas une telle luminosité.

— Vous avez des yeux incroyables.

La jeune femme sourit.

— Ce sont des lentilles. Je les mets pour les grandes occasions. C'est l'anniversaire de ma sœur et je vais la rejoindre dans un bar après le travail.

— Avec des yeux comme ça, les garçons doivent vous courir après.

— Ça dure pas longtemps. Quand ils voient mes yeux bleus naturels, ils doivent penser qu'ils avaient trop bu ou que l'éclairage était trop sombre dans le bar. Mais c'est certain qu'on me remarque avec ça. Il faut vous coucher maintenant.

— Et pourquoi donc ? Je dors une partie de la journée. Vous savez, les vieux ont moins besoin de sommeil. Il faut qu'on reste éveillés pour voir rôder la mort.

– Vous en êtes pas là, madame Gagnon. Votre santé est bonne. Vous êtes ici pour des examens, pas parce que vous êtes malade.

– Ma fille est infirmière aussi. J'aimerais qu'elle vous entende.

Lydia décida de lui faire plaisir et s'allongea sur le lit après avoir enlevé sa robe de chambre. Dès que la jeune infirmière sortit de la pièce, elle se releva et s'assit dans le fauteuil face à la fenêtre. Le parc était vide. Un homme le traversa avec son chien, puis le calme revint. Lydia savait que ce n'était pas la mort. Elle la connaissait, celle-là. Elle l'avait vue de près avec Lola, qu'elle ne pouvait plus maintenant qu'appeler Dolores.

Grégoire n'avait posé aucune question quand il avait vu sa femme arriver avec une étrangère aux yeux rougis. Il se disait que ce devait être une situation d'urgence. La petite pièce près de la cuisine qui devait servir de chambre à Albert était devenue un débarras. Grégoire rangea les boîtes dans le hangar et fit de la place pour installer un matelas. Les trois enfants l'aidaient tout en jetant des regards curieux vers la nouvelle venue qui se tenait près des armoires de la cuisine, fixant ses pieds. Ils attendaient les présentations qui ne venaient pas, comme si leur mère les avait oubliés. Henri, en tant qu'aîné, décida d'aller vers Dolores et de se présenter en lui tendant la main.

– Bonjour, madame. Moi, c'est Henri.

Lydia sursauta. Elle avait encore en tête l'appartement de Dolores. Les bouteilles de bière qui s'alignaient sur le comptoir de la cuisine, les vêtements qui traînaient partout dans la chambre, les assiettes sales sur la table du salon. Elle sourit à son fils aîné.

– Et voici Juliette, dis bonjour. Et Albert. C'est Dolores.

Les enfants tendirent la main à tour de rôle. Dolores leur sourit, ne sachant quoi dire d'autre que « bonjour ». Lydia s'approcha de son mari et lui chuchota un « merci » accompagné d'un sourire. Elle l'embrassa. Grégoire salua Dolores et partit ensuite à son travail.

Lydia fut surprise de voir ses enfants prendre soin de Dolores comme s'il s'agissait d'un membre de la famille. Ils lui offraient davantage de nourriture, un verre de jus. Dolores semblait retrouver le sourire.

Après que les enfants furent partis se coucher, Lydia parla longtemps avec Dolores de ce qu'elle devait faire. Elle s'informa de sa grossesse.

— Et tu veux le garder?

— Mais oui. Quand Fernando va le voir…

Dolores n'acheva pas sa phrase et sourit. Lydia se sentit soulagée. Elle n'aurait pas à jouer les femmes enceintes cette fois-ci. Ce rôle lui avait apporté des enfants merveilleux, mais il avait coûté très cher aux mères. Simone était morte; Hélène, tellement chagrinée, ne donnait plus de nouvelles; et Paulette… elle était probablement la seule qui s'était consolée avec un autre enfant.

Le lendemain, Lydia et son amie ne virent pas Fernando à la manufacture. Elles revinrent ensemble à l'appartement en jetant des regards autour d'elles. Le mari de Dolores semblait s'être évaporé. Ou il était trop ivre pour faire quoi que ce soit. Sa femme n'avait pas dormi à la maison et il n'était pas allé voir si elle était à son travail. Lydia se demandait pourquoi.

Beaucoup de questions trottaient dans sa tête. Et si Fernando était allé à la police rapporter la disparition de Dolores? Non. Un homme qui battait sa femme ne courait pas à la police, surtout s'il était immigrant et s'il sentait l'alcool. Et les policiers ne couraient pas après la femme d'un homme violent. C'était une histoire privée qui ne les regardait pas. De toute façon, Fernando ne leur aurait jamais dit qu'il la frappait. Il n'était pas complètement idiot. Alors, que faisait-il? Lydia l'apprit le jour suivant.

Alors que les travailleuses commençaient à sortir de la manufacture en fin de journée, Fernando faisait les cent pas devant la porte de l'édifice, un bouquet de fleurs à la main, les cheveux gominés et portant une chemise propre. On aurait dit un jeune prétendant attendant sa bien-aimée. Les femmes le regardaient en souriant, se rappelant qu'une telle chose ne leur était pas arrivée depuis bien longtemps.

Dolores se figea à la vue de Fernando qui alla vers elle en tenant le bouquet à bout de bras comme un bouclier. Lydia entendit «*mi amor, mi amor*» à répétition. Fernando avait l'air d'un gamin pris en faute pour avoir cassé un carreau de la fenêtre des voisins. Et Dolores, visiblement amoureuse de lui, se jeta dans ses bras. Les ouvrières retournèrent chez elles le sourire aux lèvres. Ah, les histoires d'amour! Ça finissait toujours par s'arranger.

Lydia regagna son appartement en espérant que les choses s'amélioreraient entre eux. Même si elle n'y croyait pas beaucoup.

Le lendemain, Dolores était rayonnante, les yeux brillants comme une jeune mariée. Lydia se détendit.

– Il doit aussi être heureux pour le bébé.

Dolores regarda ailleurs un long moment.

– J'ai lui ai pas dit. J'ai lé temps.

Lydia comprit que Dolores n'avait pas totalement confiance en son mari. Mais elle n'avait pas envie de cet enfant. Et comment pourrait-elle justifier le fait d'avoir un petit basané qui ressemblerait à Fernando et à Dolores? Grégoire n'accepterait jamais un si gros mensonge. Non, celui-là n'était pas pour elle. Les trois enfants qui l'attendaient à la maison lui suffisaient amplement.

Une main se posa sur son épaule. Lydia se réveilla brusquement. Le soleil se levait à peine sur le parc désert.

– Maman, t'as pas dormi dans ton fauteuil toute la nuit!

Lydia se leva et s'étira un peu. Toutes ses articulations semblaient résister au moindre mouvement.

– Mais non, ma Juliette. T'es de bonne heure à matin.

– Ma fille s'est fait un chum. Ses parents nous ont invités au chalet pour le brunch.

– Ç'a pas l'air de te faire plaisir.

– C'est un gentil garçon, je l'aime bien, mais c'est pas moi qui vais vivre avec. J'aurais préféré passer mon dimanche à dormir. J'arrive plus à récupérer.

Juliette embrassa sa mère.

– Je voulais juste te dire bonjour.

Lydia la trouvait non seulement fatiguée, mais triste aussi.

— T'es sûre que ça va? Et avec Michel, ça va?

— Ça va. Pourquoi tu me parles de Michel?

— Parce que tu m'en parles plus depuis un bout de temps. Vous êtes en chicane?

Juliette soupira. Elle avait envie de poser sa tête sur l'épaule de sa mère, de pleurer de chagrin, de fatigue, de colère. Elle inspira fortement à la place. Lydia prit sa main.

— Ça arrive, des crises, dans un couple, y a pas de honte à ça.

— Je t'ai jamais vue te chicaner avec papa.

— Grégoire était un homme profondément bon.

— Et il n'a jamais regardé ailleurs?

— Il voyait des belles femmes entrer dans son autobus à tous les jours. Je pense pas qu'il était aveugle. Mais il aurait jamais sauté la clôture. Pas juste à cause de moi, à cause de vous autres, les enfants. Il aurait pas risqué de vous perdre.

— Tu l'aurais quitté si…

— Je pense pas. Je vois pas comment j'aurais pu vivre sans lui. Mais moi, c'est moi. Et toi… T'es sûre qu'il y a quelqu'un d'autre?

— Non. J'ai juste l'impression de vivre avec un étranger.

— Alors, dimanche prochain, pas de brunch. Tu t'enfermes avec Michel. Interdiction de s'habiller. Vous avez le droit de manger au lit, au diable les miettes sur les draps. Retrouvez-vous comme au début. C'est le meilleur remède.

Juliette sourit. Sa mère était coquine. Cela valait mieux que d'être cocue. Et elle trouvait cette idée amusante. Si Michel ne voulait pas, il aurait des explications à fournir. Il fallait mettre les choses au clair. Ce doute la minait inutilement.

— Merci, maman. Je te promets de me reposer pour être en forme dimanche prochain.

Lydia regarda sa fille sortir. Elle mesurait toute la chance qu'elle avait eue de vivre avec Grégoire. La pauvre Dolores en avait eu beaucoup moins. Son mari s'était transformé en monstre dangereux. Mais Lydia n'aurait jamais cru que ça irait si loin.

L'automne s'était installé. Dolores entrait dans la manufacture en regardant ses pieds. Elle était simplement polie avec Lydia et ne lui parlait plus du tout. Celle-ci n'insistait pas. Elle ne pouvait pas la forcer à être de bonne humeur.

La première neige surprit Dolores qui arriva au travail en souliers. Lydia lui proposa de lui donner des bottes qu'elle ne portait plus. Mais la jeune Mexicaine refusa catégoriquement.

— Mais je demande rien pour. Je te les apporte demain.

— *No, no.* Pas de cadeaux.

— Pourquoi je pourrais pas te faire un cadeau ?

— Nando… il va être colère.

— Tu diras que tu les as achetées pas cher.

— Jé pas d'argent avec moi.

— C'est lui qui touche ta paie ?

— Lydia, *por favor*, occupe pas de moi.

— Et comment tu vas élever un enfant avec lui ?

Dolores était au bord des larmes.

— Il sait pas. Il m'appelle *paloma*…

Lydia essayait de comprendre. Que venait faire *paloma* là-dedans ? Dolores essaya de lui sourire.

— Jé suis *como una paloma*… pigeon ? Un gros derrière sur petites pattes. Nando pense que jé suis juste grosse.

— Il va le savoir un jour. Qu'est-ce que tu vas faire ?

— Sais pas. Jé prie pour savoir qué faire.

— Tu penses qu'il en voudra ?

– Il aura pas le choix.

Lydia n'avait aucune confiance en Fernando. Un matin, Dolores arriva avec un œil tuméfié. Elle n'osa pas dire qu'elle s'était cognée à une porte. Fernando s'était mis en colère quand elle lui avait annoncé sa grossesse. Il venait de perdre son travail au garage. Il était devenu livreur, mais son nouveau patron se plaignait déjà de lui, de ses erreurs, de ses retards. Sa femme était une idiote de vouloir ce bébé.

Lydia devait échafauder un plan. Les choses étaient plus difficiles maintenant. Grégoire la voyait tous les jours ; les enfants étaient à la maison tout le temps, sauf Henri durant ses heures d'école. Elle ne pouvait pas annoncer la naissance d'un bébé entre deux voyages à l'épicerie ou pendant son travail à la manufacture.

Pour Noël, elle fit quand même cadeau à Grégoire de l'annonce d'un nouveau bébé. Il était heureux et tous les enfants attendaient maintenant le petit frère ou la petite sœur pour le début de l'été.

Au printemps, Lydia avait son ventre rond et Dolores devenait obèse, cachant son état sous de larges robes. Fernando avait un nouveau travail dans un bar. Il rentrait au petit matin, au moment où Dolores s'en allait travailler. Il dormait toute la journée et repartait le soir dans l'est de la ville. Ils se voyaient à peine et ils semblaient tous les deux heureux de cette situation.

Dolores était ravie de continuer à travailler. Elle n'aurait pas voulu passer ses journées avec son mari qui revenait du bar en sentant l'alcool et le parfum bon marché. Il disait que c'était le parfum des danseuses. Dolores ne cherchait pas à savoir comment l'odeur des danseuses pouvait lui coller à la peau.

Au mois de mai, Lydia surveilla son amie de près. Elle allait la reconduire chez elle après le travail. Fernando était déjà parti. Dolores n'osa pas dire à Lydia qu'il pouvait parfois passer deux ou trois jours sans rentrer. Elle avait honte, se sentant coupable d'être grosse et laide à ses yeux.

Lydia revenait chez elle le plus rapidement possible pour que Grégoire ait le temps de se rendre au travail. Dolores avait promis de l'appeler aux premières douleurs. Un jour, elle ne se présenta pas au travail. Dès qu'elle sortit de la manufacture, Lydia courut chez elle. Elle la trouva étendue sur le canapé avec un éventail à la main.

– Jé n'en peux plus. Pas travailler. Fini.

Dolores avait de la difficulté à bouger et se plaignit d'avoir fait pipi partout. C'était arrivé si vite qu'elle n'avait pas eu le temps de se rendre aux toilettes.

Lydia comprit que le bébé arriverait dans les heures suivantes et retourna promptement chez elle. Dès que Grégoire quitta la maison pour aller au travail, Lydia confia Juliette et Albert à Henri. Ce dernier venait d'avoir sept ans et était très raisonnable pour son âge. Il promit à sa mère de s'occuper des deux petits, et Juliette jura de l'aider à coucher Albert qui, lui, se demandait s'il devait faire la promesse d'être sage. Lydia serait sûrement de retour avant minuit. Il ne fallait surtout pas que Grégoire apprenne qu'elle avait laissé les enfants seuls.

La soirée s'étirait. Lydia regardait l'heure passer. Le bébé se présenta enfin. Lydia le posa sur le ventre de Dolores qui pleurait de joie. Elle nettoya l'enfant et le fit crier à pleins poumons. Alors qu'elle se lavait les mains à la salle de bain, elle vit un flacon de somnifères près du lavabo. Lydia donna deux comprimés à son amie pour calmer les douleurs. Dolores était épuisée et s'endormit en souriant.

Lydia berçait le bébé et regardait Dolores. La jeune mère serait dévastée de perdre son enfant. C'était injuste de vouloir le lui prendre. Puis le regard de Lydia tomba sur les bouteilles de bière vides traînant au salon. Fernando ne méritait pas cette petite fille. Lydia n'osait pas réveiller son amie pour lui dire qu'elle prenait l'enfant et le ramènerait le lendemain. Mais elle savait qu'elle mentirait en promettant de le lui redonner. Si elle revenait chez elle avec la petite, celle-ci serait une Gagnon. Lydia chercha un berceau pour mettre le bébé. Elle ne trouva rien. Elle regarda les tiroirs de la commode et repensa à Henri quand Grégoire l'avait découvert dormant là-dedans. Il avait fait un ber pour lui. Fernando n'avait rien fait d'autre que s'absenter davantage pour ne plus voir sa femme.

Lydia mit la nouveau-née dans son ventre coussin et sortit de l'appartement en courant. Elle arriva chez elle essoufflée. Les enfants dormaient avec la lumière allumée. Lydia se dirigea vers sa chambre, mit un vieux drap sur le lit. Elle posa le bébé et enleva son ventre coussin qu'elle glissa sous le lit. Au moment où elle allait laver la petite qui pleurait, elle entendit la porte d'entrée s'ouvrir. Grégoire arrivait pour voir sa nouvelle petite fille. Une jolie brunette aux yeux sombres.

Lydia pleurait en regardant le parc. Les larmes coulaient lentement, ne sachant quelle direction prendre entre les rides.

– Si seulement j'avais su ce qui arriverait ensuite.

– Si tu avais su quoi, maman?

Lydia tourna la tête. Charlotte était assise près d'elle. Sa petite Charlotte que Grégoire avait prise dans ses bras alors qu'elle n'avait que quelques heures.

Lydia aurait aimé tout lui avouer à ce moment-là. Mais elle ne pouvait pas. Sa conscience était lourde, et si l'enfer existait, elle y aurait sa place. Comment dire à sa fille chérie que sa mère biologique était morte à cause d'elle? Mais Charlotte avait peut-être aussi été sauvée grâce à elle.

Lydia n'avait pas réussi à fermer l'œil de la nuit, même si elle était épuisée. Grégoire avait dormi dans le petit débarras près de la cuisine pour laisser sa femme se reposer. La pièce deviendrait la chambre de la petite Charlotte. Au matin, Lydia reprit la routine du déjeuner. Elle faillit s'habiller pour aller travailler, tellement elle était distraite. Elle s'attendait à voir surgir Dolores réclamant son enfant, ou même Fernando en colère. Elle ne savait même pas quelle excuse elle leur donnerait.

Grégoire était émerveillé par la petite aux grands yeux sombres. Les enfants se montraient très curieux de cette chose fripée coiffée d'une chevelure noire touffue. Juliette disait qu'elle avait mis son casque de poils pour l'hiver.

La journée était comme un dimanche, avec les deux parents à la maison. Lydia regardait souvent la porte d'entrée. Mais il ne se passa rien. Après le départ de Grégoire, elle fit manger les enfants, donna un biberon à Charlotte et demanda à Henri de faire ses devoirs. Elle allait revenir dans une demi-heure. Juliette demanda si elle pouvait surveiller le berceau. Lydia accepta à la condition que personne ne prenne la nouveau-née dans ses bras. Le risque de l'échapper était trop grand. Albert dit que si la petite pleurait, il lui chanterait une chanson et jouerait du piano. Lydia fut touchée par la générosité de ses trois enfants. Elle avait envie de rester près d'eux et d'oublier Dolores. Mais le risque que celle-ci vienne la poursuivre chez elle était trop sérieux.

Lydia courut chez Dolores. Elle voulait en finir au plus vite. Elle fut surprise de voir la porte verrouillée. Il n'y avait personne dans l'appartement. Lydia revint chez elle en se demandant où Dolores était passée.

Elle eut la réponse le lendemain. C'était écrit en rouge à la une du journal : « Crime passionnel ».

— Si on connaissait l'avenir, tu penses qu'on serait mieux, qu'on ferait de meilleurs choix ? Peut-être qu'on se tromperait autrement, c'est tout.

— Je sais pas, maman. Mais je sais qu'on ne défait pas ce qui est fait.

Lydia prit la main de Charlotte.

— T'as raison. Ce qui est fait est fait.

Lydia suivit le procès de Fernando discrètement. Elle n'en parla pas à Grégoire. Elle ne lui avait jamais dit que Dolores était enceinte et elle était soulagée qu'il ne cherche pas à en savoir davantage. Il ne connaissait pas vraiment la jeune Mexicaine et il était désolé de sa fin tragique, mais il ne prêta pas attention à ce qui arrivait à Fernando. Lydia ne retourna pas travailler à la manufacture. Avec quatre enfants, ses journées étaient déjà bien remplies. Elle était heureuse, entourée de ses petits, leur consacrant tout son temps.

Grégoire commençait à trouver le logement un peu petit pour eux. Quand Charlotte eut un an, elle alla dormir dans la chambre de sa sœur. Le monde de conte de fées de Juliette se brisa. Elle entra à l'école en septembre. Elle tenait à avoir son pupitre, ses livres, ses crayons, tout à elle. Personne n'avait le droit d'y toucher. Et certainement pas Charlotte qui fouillait partout avec ses doigts collants. Il ne se passait pas une journée sans que Juliette vienne se plaindre à sa mère et à son père des méfaits de Charlotte qui ne comprenait pas pourquoi sa sœur criait après elle.

Lydia sourit à Charlotte.

— Tu te rappelles du vieux logement ? Tu couchais dans la même chambre que ta sœur.

Charlotte était heureuse que sa mère évoque ses souvenirs, elle qui parlait si peu depuis quelque temps, depuis la mort de Grégoire, en fait.

— Je m'en rappelle pas beaucoup. Mais je me souviens du déménagement. J'avais… quoi? deux ans environ? J'avais été émerveillée d'avoir ma chambre pour moi toute seule. Papa l'avait peinte en rose. Je la trouvais tellement belle! Mais quand j'avais peur la nuit, je rejoignais Juliette dans son lit. Elle grognait, puis me serrait dans ses bras.

— Oui, c'est bien Juliette, ça. Le cœur plus grand que la main. Toi aussi, t'as hérité de la bonté de mon Grégoire. Mais t'as préféré aller aider ailleurs. Tu restes pas en place. Ça te manque pas, la stabilité?

— Mais je l'ai avec Nelson et les enfants. Notre famille est comme une roulotte. On est sur des roues, on se déplace, mais on est bien tous ensemble. L'avantage, c'est que le paysage change.

— Je suppose que ça doit être aussi une belle vie. Moi, j'étais habituée à rester à la même place.

— On a quand même déménagé.

Lydia et Charlotte se retournèrent. Albert les regardait en s'efforçant de sourire.

— Il y a eu la vieille maison au bout du rang que j'ai pas connue, l'appartement à Sorel, celui de la rue Rachel, puis celui de Verdun. Pis après, le bungalow à Rosemont.

Charlotte s'était levée. Elle embrassa son frère.

— Contente de te voir. Passe à l'appartement ce soir, on jasera.

Albert fit signe que oui et alla embrasser sa mère. Lydia lui caressa la joue. Elle savait que ça n'allait pas, que son fils s'inquiétait pour son petit garçon, mais elle ne voulait pas ajouter à sa douleur.

— Je pense que je vais m'arranger pour être malade. Comme ça, je vais vous voir souvent.

Albert ne resta que quelques minutes. Il avait de nouveau rendez-vous avec un médecin. Guillaume avait passé d'autres tests et Albert devait aller chercher les résultats. Lydia le regarda sortir avec tristesse. Un homme qui avait tout eu, talent, succès, gloire, et qui semblait tout perdre peu à peu. Si Guillaume mourait, Émilie et lui ne s'en remettraient pas.

— Charlotte… occupe-toi de lui. Je sens qu'il va craquer.

— Oui, maman. Et toi, ne t'en fais pas.

— Comment veux-tu qu'une mère s'en fasse pas?

— Un père aussi.

— C'est vrai. J'aimerais que Grégoire soit là pour le consoler.

— Tu te souviens quand papa l'avait pris dans ses bras pendant des heures parce qu'il pleurait d'avoir perdu une touche de son piano?

Lydia s'en souvenait très bien. Elle était même étonnée de la précision de ce souvenir. Le petit piano d'enfant était tellement vieux qu'il tombait en morceaux. Albert avait commencé à suivre des cours de piano avec une dame qui habitait à quelques rues de leur nouveau logement à Verdun. Il était si doué que son père songeait à lui acheter un piano. L'instrument coûtait cher, mais Grégoire pouvait le payer par mensualités. Il était revenu avec la bonne nouvelle.

Il avait trouvé son fils en larmes dans sa chambre. Lydia ne savait plus quoi faire. Une touche du piano jouet était tombée et Albert serrait l'instrument contre lui en pleurant. Grégoire avait beau lui dire qu'un tout nouveau piano, un vrai, serait livré d'ici quelques jours, Albert était inconsolable. Il avait tenu son fils dans ses bras jusque tard dans la soirée. L'enfant s'était endormi d'épuisement.

Charlotte était partie. Le parc accueillait ses habitués. Lydia repensait au piano. Cet instrument avait causé tout un branle-bas de combat à son arrivée. La famille Gagnon habitait un grand logement depuis près d'un an. L'immeuble était récent et les appartements fournissaient toutes les commodités avec réfrigérateur et cuisinière électrique. Lydia avait l'impression d'habiter dans une revue où elle voyait des femmes souriantes montrer le contenu de leur magnifique Frigidaire. Grégoire travaillait maintenant pendant le jour. Henri et Juliette allaient à leur nouvelle école. Ce serait au tour d'Albert l'année suivante.

Les livreurs avaient mesuré la largeur des portes. L'immeuble avait beau être moderne, il n'était jamais facile de déplacer un piano. Ils avançaient avec le piano droit dans le corridor quand le concierge les avait arrêtés.

— Hé! Pas de piano dans mon bloc.

Les livreurs étaient des hommes costauds; ils le regardèrent en souriant.

— Vous êtes monsieur Gagnon?

— Non, mais je veux pas…

Lydia sortit de l'appartement. Elle fit signe aux livreurs d'avancer. Le concierge se planta devant elle. Il sentait déjà l'alcool à dix heures du matin. Lydia mit doucement la main sur son sternum et le repoussa. L'homme fut surpris d'être touché par cette petite bonne femme et recula légèrement.

– Monsieur Gendron, faites attention, vous êtes dans le chemin et vous allez vous faire mal.

La voix sèche de Lydia ne laissait aucune place à la négociation, surtout avec les deux costauds qui l'encadraient. Le concierge recula et se mit aussitôt à gueuler :

– Ça va faire du bruit et les voisins vont se plaindre. Pis la police va venir.

– Ça va faire de la musique. Ce sera pas pire que votre transistor à tue-tête toute la journée. Pis la police, je vous conseille de l'appeler tout de suite. Dans une heure ou deux, vous allez être trop soûl pour le faire.

Les deux livreurs éclatèrent de rire. Le concierge, humilié, retourna à son appartement.

Lydia se demanderait par la suite si c'était cette humiliation qui avait déclenché les ennuis. Sans doute pas. Les hommes comme Paul Gendron savaient qu'ils étaient irrécupérables et ils noyaient leur abrutissement dans l'alcool.

Les livreurs déposèrent le piano dans le salon. Albert suivit les manœuvres avec ravissement. Un vrai piano pour lui tout seul. Un piano comme celui de madame Wojas. Il avait envie de courir chez elle et de l'inviter à venir l'admirer. Mais il était interdit de voir madame Wojas en dehors des heures de cours. Elle était occupée avec d'autres élèves.

Albert se mit à jouer dès que les livreurs furent partis. Le piano n'était pas accordé et Lydia le supplia d'arrêter. Il fallait attendre l'accordeur. Celui-ci se présenta une heure plus tard. Albert ne manquait aucun de ses gestes. L'homme aux cheveux grisonnants appréciait la présence du petit garçon curieux. Il lui expliqua ce qu'il faisait et il découvrit qu'Albert avait une oreille parfaite.

L'enfant joua au piano l'ouverture d'une petite pièce de Beethoven, *Lettre à Élise*. L'accordeur le félicita.

– Tu joues très bien. Ça fait longtemps que tu pratiques ?

– Madame Wojas dit que c'est une bagatelle. Je joue tous les jours sans piano.

— Sans piano ?

— Oui, je répète avec mes doigts sur un carton. Comme ça, je me rappelle où sont les notes. Maintenant, je vais pouvoir le faire pour vrai.

Lydia avait envie de pleurer de joie. Comment pouvait-on appeler ça du bruit ?

Grégoire entendit son fils jouer en entrant dans l'appartement. Il s'arrêta, ému. Il referma la porte pour ne plus entendre le couple de concierges crier. C'était l'heure de la querelle quotidienne, juste avant le souper.

Charlotte était installée par terre avec sa poupée, Juliette avait encore son uniforme scolaire, tout comme Henri. Lydia était assise sur le canapé, entre les deux enfants. Tout le monde écoutait religieusement Albert recommencer la même ouverture encore et encore. Quand il vit les yeux brillants de son père, le petit pianiste s'arrêta et se jeta dans ses bras.

— Merci, papa. C'est le plus beau cadeau de toute ma vie.

Grégoire regarda son fils cadet, sa femme, ses autres enfants. C'était ça, le plus beau cadeau de sa vie.

— Madame Gagnon.

Lydia se retourna. Le docteur Legendre était entré dans sa chambre. Elle allait se lever quand il lui fit signe de rester assise. Il prit place à ses côtés.

— Je n'ai pas reçu tous les résultats des examens mais, jusqu'à maintenant, vous êtes en bonne santé.

Elle sourit, radieuse. Elle entendait encore le piano d'Albert.

— Ça, je le savais, docteur. Vous auriez dû me le demander, je vous l'aurais dit.

— Mais vos enfants s'inquiètent. Êtes-vous certaine de vouloir vivre seule ?

— Je me vois pas déménager chez un de mes enfants. Ils ont leur vie à eux. Et parlez-moi pas d'un centre pour vieux, je vais me fâcher. Pis je vous le dis tout de suite, c'est pas beau quand je me fâche.

Le médecin eut un petit rire.

— Ça, je peux imaginer que vous en avez dedans, comme on dit. Vous êtes encore énergique à votre âge. Mais vous avez besoin de vivre dans un environnement sécuritaire.

— La sécurité... vous savez bien que la mort se moque de ça. Elle est avec nous depuis la naissance, elle rôde et attend. Elle sait qu'elle va gagner un jour. Si on passe son temps à avoir peur d'elle, on vit plus. Pis je peux vous dire que j'ai vécu.

— J'en doute pas, madame Gagnon. Mais si vous avez un malaise toute seule, qui va appeler les secours?

— Si c'est ça, c'est que le temps sera venu. En attendant, laissez-moi vivre encore un peu comme je le veux. Pis faites-vous-en pas, avec mes cinq enfants et mes sept petits-enfants, c'est pas la visite qui va me manquer. Ils me surveillent déjà. Allez, faites-vous plutôt du souci pour vous.

Le médecin la regarda, intrigué. Elle lui sourit, complice.

— Vous êtes ben jeune pour avoir des cernes sous les yeux. Ma fille médecin avait l'air de la même chose en dernière année à l'université. Mais Béatrice s'est calmée depuis. Je pense qu'elle a appris à laisser les problèmes de ses patients au bureau. Elle est aussi ben, elle soigne les fous. Mais j'ai pas le droit de les appeler comme ça.

— Je connais Béatrice. On était ensemble à l'université. Elle s'en sort bien avec les enfants de la DPJ. Mais, moi, je préfère les vieilles dames charmantes.

Le docteur Legendre se leva. Lydia lui sourit. Elle était heureuse qu'il ne parle pas trop de Béatrice. Si la pauvre avait su à quel enfer elle avait échappé... Mais elle le savait d'une certaine façon. Elle travaillait tous les jours à essayer de sauver les poqués, les abandonnés, les maltraités. Tous ces innocents qui deviendraient bourreaux à leur tour si on ne faisait rien.

Lydia avait l'habitude d'écouter des feuilletons radiophoniques et des émissions musicales l'après-midi. Elle nettoyait et cuisinait en fredonnant les chansons à la mode. Quand elle passait dans la rue Gordon, elle regardait toujours avec fierté l'immeuble abritant les locaux de la station de radio CKVL qui avait commencé à diffuser quelques années plus tôt. Elle se disait que des milliers de gens dans toute la province écoutaient ce qui se disait dans ce bâtiment de brique. Elle se sentait alors au cœur d'une ville importante.

L'arrivée du piano avait cependant changé la dynamique de la famille. Habituellement, Henri et Juliette faisaient leurs devoirs en revenant de l'école, puis Grégoire arrivait pour le souper. Dans la soirée, après le chapelet, les enfants lisaient ou jouaient au parchési sur la table de la cuisine. Grégoire finissait les mots croisés qu'il n'avait pas eu le temps de faire. Lydia couchait Charlotte avec un biberon et le calme régnait dans le logement. Mais depuis qu'Albert jouait sans cesse son petit morceau de musique, Grégoire commençait à regretter son achat.

Lydia avait hâte qu'Albert entre à l'école. Elle aurait au moins quelques heures de tranquillité. Il était de plus en plus difficile de lui demander de faire autre chose que de pianoter sans cesse. Heureusement, les vacances scolaires arrivèrent et la tension baissa.

Henri, qui avait neuf ans, se montra un grand frère responsable. Il sortait souvent avec Albert pour aller jouer au ballon sur un des terrains aménagés par la Ville ou se promener à bicyclette sur la large promenade en bois longeant le fleuve. Juliette faisait aussi sa part en emmenant Albert dans un des nombreux parcs de la ville ou encore au Natatorium qui faisait la fierté de tout le monde. À sa première visite, Albert était resté bouche bée. Il n'était pas le seul à être impressionné par la dimension de la piscine extérieure, qui pouvait accueillir plus de mille baigneurs. Il avait eu l'impression de se retrouver devant un grand lac, avec le fleuve en arrière-plan. Il n'avait pas encore six ans et il comprit qu'il n'y avait pas que le piano. Même si le piano restait au sommet de ses activités préférées.

Cette tranquillité retrouvée permit à Lydia de découvrir la vie insoutenable de Paul Gendron et de sa famille. Elle savait que le concierge était un alcoolique, mais elle avait ignoré jusque-là que sa femme Raymonde buvait tout autant. Le couple commençait à boire une grosse bouteille de bière au petit-déjeuner. À l'heure du souper, ils étaient non seulement soûls, mais aussi plus agressifs. Lydia comprit pourquoi la radio fonctionnait à tue-tête, du matin au soir, dans leur logement. Avec les fenêtres ouvertes en été, elle pouvait les entendre se quereller. Le pire pour elle fut quand elle entendit un enfant pleurer à s'arracher les poumons.

Elle n'avait jamais croisé les enfants du concierge, ils semblaient vivre uniquement à l'intérieur de leur logement. Elle les vit pour la première fois sur le balcon en revenant du parc avec Charlotte. Un petit garçon d'environ cinq ans et une fillette qui marchait à peine. Ils étaient crasseux, la morve leur coulant du nez, les cheveux collés en épis. Ils mangeaient tous les deux des bonbons, barbouillant tant leurs visages de rouge qu'on aurait dit qu'ils étaient tout ensanglantés. Le garçonnet fixait Lydia d'un regard mauvais, comme si elle le dérangeait en le regardant. La fillette souriait béatement, sa main portant régulièrement des bonbons à sa bouche. Raymonde hurla quelques mots et les enfants rentrèrent tout de suite. Lydia en resta figée. Comment pouvait-on traiter des enfants de la sorte?

Le logement des Gagnon était grand, il était situé à quelques rues du fleuve, il y avait un petit parc tout près, la rue Wellington était à côté pour faire les courses, la plus belle et importante rue commerciale de l'île de Montréal. Lydia n'avait pas envie de perdre tout ça pour un couple d'ivrognes. Après tout, c'était leur vie. Et elle n'allait pas s'y inviter.

L'été se passa en pique-niques, en promenades et en randonnées à bicyclette pour Henri, Juliette et Albert. Lydia les suivait avec Charlotte dans la poussette. Elle était contente de sa vie. La jeune fille qui avait croisé le regard du grand Grégoire en faisant les foins avait parcouru un long chemin. Elle avait pris beaucoup de risques pour avoir une si belle famille. Et elle ne le regrettait pas. Les magnifiques enfants qu'elle regardait grandir étaient la preuve qu'elle était une bonne mère. Et Grégoire avait maintes fois prouvé qu'il était un père exceptionnel.

Mais les enfants Gendron n'avaient pas pour autant disparu de la tête de Lydia. Elle se demanda si ses enfants ne pourraient pas jouer avec eux. Elle n'osa pas aller frapper à la porte du concierge, mais quand elle croisa Raymonde Gendron et sa plus jeune à l'épicerie, elle en profita pour la saluer. Raymonde lui grogna un bonjour, sans plus.

Elles attendaient toutes les deux pour passer à la caisse du nouveau et moderne Steinberg qui venait tout juste d'ouvrir ses portes. C'était un endroit agréable où acheter sa nourriture. Les allées étaient vastes, on choisissait soi-même ses aliments qu'on mettait dans un panier à roulettes. Fini les files d'attente pour une boîte de conserve ou un pot de confiture. Raymonde donna un bonbon à sa fille boudeuse assise dans le panier. Lydia se décida à lui parler.

– Elle a quel âge? Ma petite Charlotte vient d'avoir deux ans.

Raymonde la regarda d'un œil morne.

– La mienne va en avoir trois.

Lydia ne lui aurait pas donné trois ans: la petite fille semblait avoir encore de la difficulté à marcher comme il faut.

169

– Et le petit garçon, il entre à l'école en septembre? Il sera sans doute dans la classe d'Albert.

– Il est en deuxième année.

Lydia aurait juré que le garçon avait à peine cinq ans. Il était petit, malingre. Est-ce que ces enfants mangeaient à leur faim? Lydia regarda avec plus d'attention le panier d'épicerie. Des chips, des bouteilles de boisson gazeuse, des bonbons, du pain, du beurre d'arachide, des boîtes de conserve. Pas de viandes, de légumes, ni de fruits. Tout devait être prêt à servir, car Raymonde n'était sûrement pas une grande cuisinière après avoir bu plusieurs bouteilles de bière.

Lydia regarda la petite. Celle-ci semblait ne pas avoir pris un bain depuis un moment. Ses ongles étaient noirs de crasse. Lydia eut un haut-le-cœur. Elle ne laisserait pas Charlotte jouer avec elle. Et Albert n'avait rien à apprendre d'un petit voyou qui ressemblait trop à son père. Lydia l'avait entendu crier: «Mange d'la marde!» à sa petite sœur plus d'une fois. Moins les Gagnon verraient les Gendron, mieux ils se porteraient. Les deux femmes s'ignorèrent poliment tout l'été. Elles se saluaient seulement d'un signe de tête quand elles se croisaient.

L'école recommença en septembre. La veille de la rentrée, Albert n'avait pas dormi de la nuit. Il s'était levé à l'aube pour vérifier son uniforme. La chemise bien blanche, le pantalon gris, le blazer bleu marine, la cravate rouge. Il était si fier de le porter. Juliette et Henri l'accompagnaient en souriant. Ils étaient des grands, eux, ils n'étaient plus aussi nerveux. Et ils étaient impatients de retrouver leurs amis et même certains instituteurs. Lydia les suivait avec Charlotte. Elle avait soudain l'impression qu'ils pouvaient se passer d'elle. Comme ils grandissaient vite!

Henri allait à l'Académie Richard qui venait de prendre le nom d'École supérieure Richard, une école de garçons tenue par les frères du Sacré-Cœur et située dans la rue Galt. L'école offrait un cours scientifique qui permettait d'entrer ensuite à l'École polytechnique de Montréal. Depuis sa petite enfance, Henri ne se fatiguait pas de s'amuser avec son jeu de mécano, essayant sans cesse des formes nouvelles. Ce cours avait plu à Grégoire qui voyait dans son fils aîné un grand mécanicien.

Juliette fréquentait l'école de filles Notre-Dame-des-Sept-Douleurs qui était dirigée par les sœurs de la Congrégation de Notre-Dame et qui se trouvait dans la rue de l'Église. Elle aimait la discipline feutrée, les encouragements quand elle avait de bonnes notes. Elle se voyait devenir missionnaire en Afrique un jour, sauver les affamés de Chine un autre jour.

Albert lâcha la main de sa sœur et suivit son frère. Quand ce dernier tendit le bras vers lui, il mit la main dans sa poche. Il n'était plus un bébé maintenant. Henri sourit. Il se souvenait de sa première journée d'école. Sa mère l'avait reconduit en tenant Juliette par la main et Albert dans ses bras. Henri avait été content d'avoir le sentiment de ne plus être un bébé. Et il avait été heureux de ne pas pleurer comme le faisaient tant de petits dans les bras de leur mère.

Lydia regarda les photos de ses petits-enfants sur le babillard. Ils n'avaient pas la mine sérieuse de ses enfants sur les photos scolaires. Les temps changeaient. Elle se leva et alla vers la fenêtre. Il pleuvait, le parc était désert. Elle se dirigea vers la porte de la chambre. Elle était fatiguée d'être dans cette pièce, si confortable fût-elle. Elle n'avait pas vécu toute sa vie en se mettant en danger régulièrement pour finir comme un animal en cage, une vieille lionne édentée à qui on servirait de la viande hachée. Elle n'eut pas le temps d'ouvrir la porte que Béatrice entrait. Elles restèrent toutes les deux figées quelques secondes. Béatrice s'avança pour embrasser sa mère.

— Tu te sauvais?

— J'aimerais bien. T'as vu le médecin?

— Oui, Patrice m'a dit qu'il t'avait parlé. Il reste les résultats de quelques tests sanguins à venir. Tu vas sans doute pouvoir partir bientôt. Contente?

Lydia rit.

— C'est comme demander à un Esquimau s'il aime la neige.

— On dit «Inuit» maintenant.

— On change le nom des choses, mais est-ce qu'on change les choses?

Les yeux de Béatrice s'allumèrent.

— Tu philosophes maintenant? Je suis heureuse de te voir en forme.

Béatrice entraîna sa mère vers le fauteuil. Elle ne voulait pas rester debout près de la porte. Ce dont elle avait à parler demandait de la tranquillité. Elles s'assirent presque côte à côte, regardant la pluie tomber sur le parc.

— Maman, où vas-tu habiter? Je sais que tu as dit à ton médecin que tu voulais retourner à ton appartement toute seule. Mais tu vas tous nous inquiéter comme ça. C'est pas seulement que tu peux avoir un malaise et être incapable d'appeler du secours. Tu peux aussi oublier un poêlon et mettre le feu à tout l'immeuble.

Lydia regardait sa fille. Ses cheveux étaient un peu plus courts, à peine ondulés, et ils avaient une teinte de blond plus pâle. Quand elle était petite, ses cheveux étaient un peu plus foncés, mais ils contrastaient avec ceux de Charlotte, si noirs et si raides. Les deux petites filles se ressemblaient si peu que les étrangers ne croyaient pas qu'elles étaient des sœurs. Les gens regardaient parfois Grégoire en se demandant s'il savait qu'il était cocu. Mais à les voir entourées de toute la famille, il était évident qu'elles en faisaient partie. Les mêmes mimiques, les mêmes regards, la même complicité semblaient les souder.

Béatrice ne paraissait pas ses quarante ans. Elle avait l'air d'une jeune femme encore séduisante. Mais Lydia décela dans ses yeux de la tristesse. De la fatigue, de la lassitude à écouter les problèmes des autres pendant des heures, ou quelque chose de plus intime, de plus profond, comme une trahison? Elle prit la main de sa fille spontanément.

— Qu'est-ce qui va pas? Tu travailles trop?

— Mais non, maman. Je ne suis pas ici pour parler de moi.

— Tu ne parles jamais de toi. On ne peut pas non plus passer sa vie à s'oublier. Ça va avec Alain? Sophie et Nicolas, ça va?

— Bien sûr que ça va.

Béatrice se mordit les lèvres. Le ton avait été trop direct, trop dur. Il dévoilait son incapacité à reprendre le dessus. Elle respira lentement.

— Les enfants vont bien, maman. Nicolas entrera au secondaire l'an prochain, tu te rends compte? Et Sophie est en deuxième année. Il me semble qu'ils étaient encore bébés il n'y a pas si longtemps. Mais je ne t'apprends rien. Avec cinq enfants, tu sais de quoi je parle.

— Et Alain ?

— Toujours anesthésiste.

Le ton avait été cette fois glacial. Béatrice s'en voulait d'être aussi vulnérable face à sa mère. Ses yeux s'embuèrent. Et émotive en plus ! C'était la cerise sur le gâteau. Elle devrait revoir son thérapeute pour évacuer tout ça. Sa mère n'y pouvait rien. Elle lui souriait doucement.

— Tu sais, c'est pas parce qu'un homme regarde de l'autre côté de la clôture qu'il veut changer de terrain.

Béatrice sentit la colère monter en elle. Sa mère avait toujours eu le don de la percer à jour. Mais de quoi se mêlait-elle ? Et qui lui avait parlé d'infidélité ?

— Ne t'en fais pas, maman, je peux gérer ma vie.

— Je te parle pas de gérer, je te parle de vivre. C'est drôlement plus intéressant.

— Parce que tu trouves que tu as vécu une vie intéressante en restant à la maison pour élever cinq enfants ?

— Oui… et j'ai beaucoup aimé et j'ai aussi été aimée. Et pas juste par les enfants. Mon Grégoire et moi, on a fait l'amour presque tous les jours de notre vie… sauf pendant les grossesses bien sûr.

Béatrice la regarda un moment, muette. Elle essayait de se rappeler quand elle avait fait l'amour avec Alain la dernière fois. Plus de trois mois ! Ce chiffre la laissa bouche bée. Comment en étaient-ils arrivés là ? Le travail, la routine, la fatigue, les enfants… La liste était longue, mais c'était aussi un prétexte pour laisser aller les choses, pour espérer un changement sans le provoquer. Et un jour, il se produisait, ce changement, mais ce n'était pas celui qu'on souhaitait.

Et voilà que sa mère lui disait avoir baisé presque chaque jour de sa vie. Elle devait se vanter. C'était impossible.

Béatrice regarda Lydia dans les yeux.

— Tous les jours ? Comment vous faisiez ?

— On s'aimait et on aimait ça. Il y a des gens qui n'aiment pas ça, ils sont contents quand ils vieillissent, ça leur donne une bonne raison pour arrêter. C'était pas notre cas.

— Ç'a dû être épouvantable quand papa est mort.

Lydia ne voulait pas se rappeler ce moment. Il était encore trop présent à son esprit. Ils habitaient leur bungalow à Rosemont. Les enfants étaient tous partis. La maison semblait immense, mais Grégoire ne voulait pas déménager dans un appartement, aussi beau puisse-t-il être. Depuis qu'il avait pris sa retraite, il s'était découvert un talent de jardinier, et le parterre qu'il avait créé avec une rocaille et un petit jardin d'eau faisait s'arrêter les passants. La journée avait été semblable à bien d'autres. Lydia préparait le repas du soir, coupant des légumes. Grégoire était entré et s'était assis à la table de la cuisine avec le journal, pour terminer ses mots croisés.

Ils parlaient de tout et de rien, des enfants, des petits-enfants. Puis Lydia avait entendu un bruit sourd. Elle s'était retournée, le couteau à la main. Son homme était tombé de sa chaise et gisait sur le plancher. Elle avait essayé de le soulever. Impossible. Elle avait fait le 911 et avait attendu l'ambulance en secouant son mari qui n'avait jamais rouvert les yeux. Les ambulanciers avaient essayé de le réanimer, en vain. Grégoire avait fait une crise cardiaque fulgurante, comme si son grand cœur généreux avait explosé. Lydia était restée pendant des jours indifférente au monde qui l'entourait. Sa vie venait de s'écrouler, de se réduire en cendres.

— Atroce. Comme un oiseau inséparable qui perd son compagnon. Il meurt. Une bonne partie de moi est morte ce jour-là. Et je sais que ça reviendra pas. Mais il m'en reste encore pour vous autres. Parce que si vous aviez pas été là…

Béatrice savait tout l'attachement que sa mère portait à son père, mais une question la tourmentait.

— Maman… tu le sais, tout le monde le sait, on se ressemble pas tous… As-tu sauté la clôture ?

Lydia rit pour cacher son malaise. Elle avait eu à répondre maintes fois à cette question, le plus souvent formulée comme un commentaire insignifiant.

— Je te ferai pas de cours de génétique. Toi, tu ressembles à ma mère. Elle avait aussi les cheveux clairs.

— Et Charlotte à l'arrière-grand-mère amérindienne, et Juliette à la grand-mère irlandaise... Ça, c'est l'histoire officielle. Mais as-tu trompé papa?

— Jamais. Ça me serait même pas venu à l'idée. Et essaye pas de me jouer dans la tête. Occupe-toi d'Alain si tu l'aimes encore. T'es trop jeune pour devenir une vieille fille acariâtre.

Béatrice soupira. Elle savait que sa mère avait raison. Comment cette femme qui était allée à l'école si peu de temps pouvait savoir autant de choses? Elle était douée d'une belle intelligence et si elle était née à une autre époque, elle aurait sans doute fait des choses dignes d'attention. En fait, elle avait fait une chose remarquable, elle avait réussi à bien élever cinq enfants, à les conduire à l'université, à en faire des êtres intelligents et sensibles.

Lydia regardait sa petite dernière réfléchir. Si elle avait su de quel merdier elle l'avait sortie...

Avec l'arrivée de l'automne, les jours prenaient un rythme différent. Les enfants passaient leurs journées à l'école, la température baissait et tout le monde savait que l'hiver approchait avec sa neige, ses froids et ses redoux. Lydia regardait Paul Gendron mettre les châssis doubles aux fenêtres de l'appartement. Il était presque à jeun, midi n'avait pas sonné.

Charlotte faisait du bruit avec une grosse toupie. Lydia s'aperçut que le concierge était dérangé par ce tapage, grimaçant comme si un mal de tête se pointait. Elle s'approcha de Charlotte et lui demanda gentiment de jouer sur le tapis, c'était plus silencieux. La petite obéit. Paul la regarda, impressionné.

— Vous avez le tour avec les enfants, vous.

— Il faut juste leur faire comprendre pourquoi on veut telle ou telle affaire.

— Les miens comprennent pas ça. Ils ont la tête dure comme leur mère.

— Vous savez, c'est pas toujours facile.

— Surtout avec quatre! Moi, je sais pas ce que je vais faire avec un troisième en route. Des fois, je me dis qu'y sont pas du monde. Des petits monstres d'une autre planète.

Lydia le regarda un moment. Avait-elle bien entendu? Un troisième en route? Non, pas ça! Raymonde aurait un autre morveux tout sale après qui crier toute la journée. Lydia se sentit si mal qu'elle alla s'asseoir sur le canapé. Elle fixa Charlotte qui jouait en souriant. Une petite fille heureuse qui ne connaissait pas la violence. Elle n'avait jamais vu Dolores pleurer, ni Fernando crier, encore moins la battre. Elle était aimée de ses frères et de sa sœur, adorée par son père. Lydia l'avait vraiment sauvée. Mais elle ne se sentait plus la force d'en rescaper un autre. Non, c'était trop.

Le concierge termina son travail et prit son coffre à outils. Lydia alla le reconduire à la porte. En sortant, Paul trouva son fils dans le corridor. Celui-ci portait son uniforme scolaire tout débraillé, et son sac d'école était par terre.

— Qu'est-ce que tu fais icitte, toé? T'es pas à école?

Le petit avait visiblement pleuré, les larmes faisant des coulées plus claires sur la crasse de ses joues. Il ne dit rien, l'air boudeur. Paul Gendron lui donna une taloche derrière la tête. Le garçon ne bougea pas.

— Le directeur t'a encore puni? Il t'a donné la *strap*, j'espère.

Paul lui pinça le bras et le traîna vers son logement. Lydia ne pouvait pas les quitter des yeux. Elle n'aimait pas beaucoup ce petit garçon, mais il ne méritait pas d'être traité ainsi. La porte du logement du concierge claqua. Lydia allait refermer la sienne quand elle vit le sac d'école par terre. Elle le prit et alla frapper chez le concierge. Elle entendait crier, puis hurler. Raymonde était furieuse. Lydia frappa plus fort. La porte s'ouvrit sur le visage rouge de Paul. Lydia lui tendit le sac et fit demi-tour rapidement. Elle avait peur qu'il la frappe pour avoir été témoin de cette querelle.

Lydia se dépêcha à préparer le repas des enfants. Ils arrivèrent tout excités. Il y aurait une projection du film *Samson et Dalila* le samedi suivant, dans le sous-sol de l'église. Lydia essaya de partager leur joie, mais l'image de Raymonde la hantait.

— On peut y aller, maman? On a les sous.

Henri posa sa main sur le bras de sa mère. Lydia sortit de sa rêverie.

— Bien sûr.

— Tous les trois?

— Albert est pas trop petit pour ce genre de film?

Albert croisa les bras et fit la moue.

– Non, je suis pas trop petit. Et c'est biblique.

L'histoire revint à Lydia. Dalila la traîtresse. Oui, bien sûr, c'était biblique. Et la Bible contenait son lot de violence et de sang versé au nom de Dieu. Tout à coup, Lydia eut envie d'être Dalila. Pas en coupant les cheveux à qui que ce soit, mais en étant une traîtresse face à Raymonde, en lui prenant ce petit ange avant qu'elle n'en fasse un démon. Cette idée lui donna de l'énergie. Elle sourit aux enfants.

– Vous irez tous les trois. Mais attention, pas trop de bonbons. Albert, t'as eu mal au ventre la dernière fois.

– Promis, maman.

Les enfants repartirent pour l'école tout contents. Lydia les suivit du regard, admirant encore leur vitalité, leurs bonnes manières, leur joie, leur bonheur simple. Un film et ils frôlaient l'extase. Elle prit Charlotte et la coucha dans son lit pour sa sieste. La petite gazouilla un peu, puis s'endormit avec son ours en peluche.

Lydia alla fouiller tout au fond de la garde-robe et sortit une boîte contenant de vieilles robes. Elle découpa des ronds de tissu qu'elle bourra de ouate. Elle avait déjà une idée des améliorations qu'elle apporterait à son ventre coussin pour bien tenir le nouveau-né. Même les enfants n'y verraient que du feu.

Quand il arriva de son travail, Grégoire trouva Lydia rayonnante. Il dut attendre d'être seul avec elle pour connaître la raison de ce sourire. Lydia lui murmura qu'ils allaient avoir un autre bébé. Grégoire resta quelques secondes silencieux. Lydia ne s'attendait pas à cette réaction.

– T'es pas content?

Il l'embrassa.

– Mais oui. C'est la surprise. Un cinquième!

Il sourit.

– Pourquoi pas? Les autres nous rendent si heureux. C'est pour quand?

– Je suis pas certaine. Ce sera pour avril ou mai.

– T'as pas vu le médecin encore?

– Non… je t'annonce ça comme ça, mais je peux aussi me tromper. Ça paraît pas vraiment.

Béatrice regardait sa mère perdue dans ses pensées. Avait-elle conscience de sa présence ? Savait-elle où elle était ? Béatrice se leva. Lydia lui sourit et en fit autant.

– T'es pas très jasante… mais tu l'as jamais été. Je suppose que tu préfères écouter. Pour l'appartement…

Lydia se souvenait très bien de l'incident du chaudron. Elle avait quitté rapidement la maison de Rosemont qui lui rappelait trop la mort de Grégoire. Elle ne pouvait même pas regarder le parterre sans pleurer. Le petit appartement lumineux l'avait séduite. Elle avait cru commencer une nouvelle vie, mais le souvenir de Grégoire lui revenait sans cesse. Son homme lui manquait tellement qu'elle avait parfois l'impression de ne plus pouvoir respirer. La douleur la transperçait et la laissait sans ressort. Elle avait mis machinalement la soupe à réchauffer sur le feu. Puis le chagrin l'avait envahie comme une déferlante. Elle avait de la difficulté à avaler, sa tête allait exploser. Elle était allée à la salle de bain et avait pris le flacon d'aspirines. Étourdie, elle s'était assise sur le canapé et tout était devenu vaporeux.

Juliette l'avait retrouvée inconsciente dans le salon avec les comprimés à la main. Un chaudron fumait sur la cuisinière ; la soupe qu'il contenait avait fait place à une boue épaisse. Lydia avait refusé que Juliette appelle les ambulanciers. Elle avait eu un coup de fatigue, c'était tout. Mais Juliette s'était inquiétée, persuadée que si elle n'était pas entrée à ce moment-là, elle aurait retrouvé sa mère morte. Béatrice avait vu dans cet incident une perte de mémoire et un début possible d'Alzheimer. Elle avait trouvé aussitôt une clinique où sa mère pourrait passer des examens. Lydia ne l'avait pas contredite. Elle avait compris qu'elle comptait encore pour ses enfants, qu'elle n'avait pas le droit de les abandonner. La douleur de perdre Grégoire s'estompait peu à peu. Il lui restait ses souvenirs et tous ces petits Gagnon de qui s'occuper.

— T'en fais pas pour moi. Je mettrai pas le feu aux chaudrons. Ma belle Béatrice, apprends à laisser aller un peu. Je te sens si… Ah! Excuse-moi, je suis en train de jouer au psy avec toi.

— Tu me sens comment, maman?

Lydia caressa doucement la joue de sa fille.

— Je te sens malheureuse. Je sais pas ce qui cause ton chagrin, mais dis-toi qu'on n'est jamais obligé de tout subir. En fait, les seules souffrances qu'on doit prendre sont celles de nos enfants. Albert souffre en ce moment et il a pas le choix. Mais quand il a souffert avec Annie, il est parti.

— Sa souffrance n'était pas Annie, mais la perte d'Olivier.

— Mais Annie lui rappelait toute sa douleur. Elle aussi avait besoin de partir.

— Ça s'appelle fuir, maman.

— Des fois, on a besoin de fuir. Pas besoin d'être docteur pour savoir que tu restes pas dans une maison en feu.

— C'est ça que tu me conseilles, fuir Alain?

— Alain? Mais non. Peut-être juste te sauver un peu de toi-même. T'as toujours été si raisonnable. Tu calcules, tu pèses. Je comprends que c'est ça ton travail mais, des fois, faire des folies, ça fait du bien.

Lydia se tut soudain. Elle était sur le point de tout confesser. Elle jeta un regard admiratif à Béatrice. Sa fille était extraordinaire, elle lui donnait envie de se raconter. Le docteur Legendre avait raison, elle devait faire du bon travail avec les enfants de la DPJ.

— Allez… je te retiens pas. Tu dois avoir du travail.

— Je vais revenir en soirée…

Elle faillit ajouter : « … pour te parler vraiment, pour te dire toute la blessure que je ressens. » Mais elle se tut. Sa mère avait raison : elle avait de la difficulté à s'ouvrir. La peur de la douleur était trop grande. Une autre chose à revoir avec son thérapeute.

Béatrice sortit et traversa le parc. La pluie avait cessé et le soleil rendait les couleurs encore plus éclatantes. Un arc-en-ciel s'était formé au loin. Béatrice se retourna et vit Lydia lui envoyer la main de la fenêtre. Ce geste lui fit du bien. Elle était comme une petite fille consolée par sa mère. Il fallait qu'elle la voie plus souvent, elle se sentait mieux. Elle était maintenant décidée à affronter Alain.

Lydia soupira. Elle était presque certaine qu'il y avait entre Béatrice et Alain un problème d'infidélité. Béatrice était tellement rationnelle qu'elle avait sans doute résisté à la tentation de le tromper, ne serait-ce par crainte des ennuis et des souffrances possibles. Mais lui semblait l'avoir fait. Ou serait-ce des soupçons sans fondement ?

Lydia essaya de se représenter Alain. Un grand garçon au crâne déjà dégarni. Il avait un regard doux et passait facilement inaperçu. Pourquoi Béatrice avait-elle choisi cet homme ? Pour la tranquillité, la discrétion ? À écouter tant de problèmes toute la journée, elle avait peut-être besoin d'une sorte de coussin douillet pour se reposer le soir.

Lydia sourit au souvenir du coussin. Elle avait réussi à faire un faux ventre qui ressemblait beaucoup à un vrai. Elle avait même ajouté un joli nombril gonflé pour les derniers mois de grossesse.

Paul Gendron semblait être de mauvaise humeur du matin au soir. Pour avoir des informations, Lydia se décida à interroger Henri sur le fils du concierge. Contournant la question, elle parla de l'école, des élèves. Son fils répondait, tout en assemblant une sorte de tour biscornue.

— Et le petit Gendron, tu le vois souvent ?

Henri haussa les épaules.

— Il est presque tout le temps en punition. Il se bat avec tout le monde.

— Il s'est déjà battu avec toi ?

– Non, il est trop peureux pour s'attaquer aux grands mais, des fois, les grands de sa classe le ramassent. Il avait un œil au beurre noir la semaine passée. Il a jamais voulu dire qui l'avait frappé. Tout le monde pense que c'est un petit qui a fait ça. Alors, Gendron, il est gêné.

Lydia se disait que c'était sans doute son père ou sa mère qui l'avait frappé. Cela la conforta dans sa décision.

L'hiver passa lentement. Les enfants étaient curieux du nouveau bébé à venir et, un soir, Juliette s'approcha de sa mère qui tricotait au salon.

– Maman, je peux toucher. Est-ce qu'il bouge?

Lydia entoura son ventre de ses bras avec une telle rapidité que Juliette resta immobile, à la regarder avec de grands yeux. Lydia s'efforça de sourire.

– Il bouge pas encore. C'est trop tôt.

– Je vais pouvoir le voir quand il va venir au monde?

– Tu vas pouvoir le prendre une fois que le docteur l'aura bien nettoyé.

– Comment il va arriver?

Lydia regarda sa fille qui allait avoir huit ans en juin. Où prenait-elle toutes ces questions?

– Quand tu seras grande, je t'expliquerai.

– Mais je suis déjà grande, tu l'as dit.

– Pas assez grande pour ça.

– Mais, maman…

– Juliette!

Grégoire faisait les mots croisés et il n'eut même pas besoin de lever la tête pour calmer sa fille. Lydia lui fut reconnaissante de venir ainsi à son secours. Juliette fit la moue et retourna jouer à la maman avec Charlotte, sur le tapis. Cette dernière attrapa une poupée et la plaça sous sa robe. Lydia sentit le feu lui monter aux joues. Juliette prit la poupée sous la robe de sa sœur en lui disant que le bébé était déjà nettoyé: elle ne pouvait pas le remettre dans son ventre. Charlotte bouda et prit un cahier à colorier. Fini de jouer à la maman.

Albert n'avait pas cessé de jouer du piano. Lydia fut soulagée que cette musique adoucisse la tempête qu'elle sentait en elle. Le calme était revenu au salon, mais son cœur battait encore très vite. Comment arriverait-elle au mois d'avril sans encombre ? Juliette la surveillait sans cesse, curieuse de ce qui se passait dans son ventre. Lydia aurait aimé le lui faire toucher, lui faire sentir le bébé qui bougeait. Mais elle ne pourrait jamais partager ce moment avec elle, ni avec personne. Elle n'avait qu'une vision extérieure de l'événement, que le masque de la grossesse. Elle pouvait simuler les douleurs de l'accouchement, mais elle ne pourrait jamais les ressentir. Cela lui donna envie de pleurer.

Lydia regardait encore le parc comme si elle s'attendait à ce que Béatrice revienne sur ses pas et pleure dans ses bras. Elle sentit une présence derrière elle. Elle se retourna. Albert était dans l'embrasure de la porte, blême. Il avança péniblement. Sa mère se précipita vers lui pour le prendre dans ses bras. Il éclata en sanglots. Elle le fit s'asseoir doucement. Il pleura un bon moment. Lydia attendit que le flot des larmes diminue. Albert releva la tête et prit le mouchoir qu'elle lui tendait. Il réussit à prononcer quelques mots :

— C'est la leucémie.

Il prit une profonde inspiration et appuya la tête sur le dossier du fauteuil.

— Pourquoi est-ce que mes enfants meurent ? Un stupide accident, puis maintenant ça, une maladie mortelle.

— Attends-toi pas à avoir une réponse à ça. Mais baisse pas les bras. Tu y pouvais rien pour Olivier, mais Guillaume, il est pas encore mort. Ça peut se guérir, non ?

Albert passa la main sur son visage pour reprendre contenance.

— On cherche un donneur pour une greffe de moelle osseuse. Émilie et moi, on n'est pas compatibles. Juliette s'est offerte. Elle a passé des tests, on attend. Si ça marche pas, je vais en parler à Henri et à Béatrice.

Lydia sentit son cœur se serrer. Pas des tests sanguins. Ils allaient tout découvrir. Non. Impossible !

— Et la sœur d'Émilie ?

— Elle a rendez-vous pour une prise de sang demain. Sinon il y a la banque de donneurs.

Albert prit la main de sa mère.

— Je m'excuse, maman. Je voulais pas t'ennuyer avec ça. J'étais à l'hôpital à côté. J'avais besoin d'en parler. Excuse-moi.

Il allait se lever. Lydia le retint.

— J'aime pas savoir que vous avez des problèmes, mais je suis contente quand vous avez encore envie de m'en parler. Albert… peu importe ce qui va arriver, je veux que tu saches… que je vous aime beaucoup, tous les cinq. Vous avez été mes plus belles joies et mes plus grands bonheurs.

Albert était encore plus ému. Il avait l'impression que sa mère lui faisait ses adieux comme si elle allait mourir bientôt. Il se pencha et la serra dans ses bras.

— On le sait tous, maman. Tu nous as aimés comme peu de mères peuvent le faire. Demande à Béatrice. Tu es un exemple extraordinaire à suivre. On essaye de t'imiter. Mais c'est toi qui restes le modèle original.

— Embrasse Guillaume pour moi.

Albert partit et Lydia resta un moment à fixer le vide. Ils allaient tout découvrir. Est-ce que ce serait mieux si elle les devançait et racontait tout? Est-ce qu'ils auraient la patience de l'écouter vraiment, de suivre son récit sans broncher, sans argumenter, sans crier? Sa voix se perdrait dans les protestations, les querelles. Non, le silence était de rigueur. Du moins jusqu'au dévoilement des preuves scientifiques. Après, elle pourrait toujours jouer les amnésiques.

Elle l'avait fait avec Grégoire en reportant plus d'une fois la date de l'accouchement. Puis, un matin, Lydia avait entendu Raymonde sacrer en passant devant sa porte. Elle avait couru à la fenêtre. Raymonde montait dans un taxi avec Paul qui tenait la plus jeune dans ses bras.

Le moment était venu. Lydia avait eu de la difficulté à cacher son excitation toute la soirée. Pourvu que Raymonde accouche d'un bébé en bonne santé! Avec toute la bière qu'elle buvait et la mauvaise nourriture qu'elle mangeait, tout était possible.

Lydia regarda sur le babillard la photo de Guillaume âgé d'à peine quelques jours. Elle n'aurait jamais cru que ce beau bébé aux joues roses puisse souffrir de leucémie deux ans plus tard. Un enfant était toujours une surprise, parfois belle, parfois douloureuse.

Lydia n'avait pas de plan précis, mais elle avait besoin d'une reconnaissance des lieux. Le problème était Charlotte. Elle avait presque trois ans, parlait de mieux en mieux et elle pourrait être un témoin gênant. Mais Lydia ne pouvait pas la laisser toute seule dans l'appartement. Elle devait en faire sa complice involontaire.

Lydia savait par expérience comment passer inaperçue. Et une femme enceinte tenant une petite fille par la main était une chose courante autour des maternités.

Elle alla à la pouponnière, cherchant le bébé Gendron. Charlotte adorait regarder les bébés dans leur petit lit de fer blanc. Lydia eut donc tout le temps nécessaire pour examiner chaque poupon. Pas de petit Gendron. Raymonde n'avait donc pas encore accouché.

Lydia allait partir quand elle vit une petite salle près de la pouponnière où il y avait deux incubateurs. Un seul était occupé. Elle put lire le nom du bébé : Gendron. Une petite fille à en juger par le bracelet de billes roses. Une infirmière entra dans la pièce. Lydia ne bougeait pas, curieuse de savoir ce qui se passait vraiment. L'infirmière la salua d'un sourire. Lydia se répétait qu'elle devait partir, qu'elle devait fuir. Quelqu'un la reconnaîtrait. Ce projet était insensé. Et puis, elle ne pouvait pas s'occuper d'un bébé prématuré. Le visage de Raymonde lui revint. Elle non plus ne pouvait pas s'en occuper. Charlotte sortit sa mère de sa torpeur.

– Veux voir, maman.

Lydia prit la petite dans ses bras pour lui montrer la nouveau-née dans sa boîte de verre. L'infirmière sourit à Charlotte et lui expliqua gentiment que le bébé devrait gagner quelques onces et que, ensuite, il pourrait dormir dans un berceau comme les autres.

Lydia sentit son cœur s'accélérer. Elle avait maintenant la certitude qu'elle devait sauver cette petite qui méritait une meilleure vie. Elle revint à l'hôpital deux jours plus tard. Elle ne pouvait pas prendre le bébé si Charlotte était avec elle. Il y avait une salle d'attente dans le hall de l'hôpital. Des parents attendaient parfois avec de jeunes enfants en dehors des heures de visites. Lydia avait apporté un livre d'images. Elle le donna à Charlotte en lui faisant promettre de rester assise sur la chaise.

– Tu m'attends là, tu bouges pas. Je reviens bientôt. Et tu parles pas à des inconnus.

Charlotte promit en crachant par terre comme elle avait vu ses frères le faire.

Lydia savait que, pour passer inaperçue, elle devait avoir le même rythme que les autres. Elle ne prit pas l'ascenseur, mais monta les trois étages à pied, lentement mais sans traîner. Une infirmière prenait un bébé pour l'apporter à sa mère. Lydia repéra la petite tout près de la porte. Une chance !

Le corridor était vide. Lydia en profita pour se glisser dans la pouponnière. En quelques secondes, elle avait pris la nouveau-née et s'était glissée derrière la porte des toilettes. Le bébé ouvrit les yeux, puis les referma, en confiance. Lydia souleva sa robe, glissa la petite dans son coussin et l'enveloppa bien. Elle prit une grande inspiration. Le pire était à venir. Si elle se faisait prendre sous les yeux de Charlotte, ce serait l'échec de toute sa vie.

Lydia sortit et marcha sans se presser vers l'escalier, en tenant son ventre. Elle descendit les marches avec la même lenteur qu'elle trouvait exaspérante. Elle croisa des médecins, des infirmières. Ils la regardaient tous quelques secondes, puis passaient à autre chose. Elle était miraculeusement transparente.

Lydia retrouva Charlotte. Elle sentait que sa nouvelle fille commençait à gigoter dans son coussin.

– Viens, il faut qu'on rentre tout de suite.

Charlotte se mit à marcher le plus vite qu'elle put avec sa mère. Lydia fut soulagée en entrant dans son appartement. Elle demanda à la petite de préparer le berceau. La fillette était tout excitée.

– Il arrive, il arrive.

Lydia pouvait imaginer ce que Charlotte raconterait à sa sœur Juliette. Elle s'enferma dans la salle de bain et sortit le cinquième enfant Gagnon. Le bébé la fixa avec un tel calme que Lydia décida de l'appeler Béatrice, la bienheureuse.

Charlotte trépignait d'impatience à la porte.

– Veux voir, maman.

Lydia ouvrit la porte et présenta la jolie Béatrice à sa sœur, puis elle la déposa dans son berceau. Elle la changea et coupa le petit bracelet. Les billes colorées tombèrent dans le petit lit. Lydia les récupéra, espérant qu'aucune n'était restée sous le matelas.

Lydia repensa au frère de Juliette qui passait pour un demeuré en répétant : « Lilas, lilas. » Charlotte devrait peut-être aussi payer le prix pour le crime de Lydia. « Pital, pital » sonnerait comme « lilas ».

Les enfants revinrent de l'école et admirèrent leur petite sœur. Juliette était un peu jalouse de Charlotte d'avoir pu être là. Mais elle ne gâcha pas son plaisir et tint le biberon de la petite affamée avec joie.

Lydia attendait Grégoire. Elle n'aurait jamais cru le voir devant l'immeuble avec Paul Gendron à ses côtés.

De la fenêtre de la clinique, Lydia observait un couple qui se querellait, près d'un banc du parc. La femme levait les épaules en signe d'impuissance. L'homme se touchait régulièrement les cheveux et la nuque, fixant ses souliers. Dès que quelqu'un approchait, ils se taisaient, gênés. La femme sortit un mouchoir de son sac. L'homme leva les yeux au ciel et lui tourna le dos pour partir. La femme lui toucha l'épaule. Ils restèrent un moment immobiles. Puis l'homme partit et la femme s'effondra sur le banc.

Lydia aurait pu être cette femme délaissée. Quand elle avait vu Paul Gendron hurler devant Grégoire, elle avait senti que toute sa vie de mensonges allait éclater au grand jour. Elle était allée trop loin cette fois-ci. Lydia Gagnon, voleuse d'enfants. Elle voyait déjà les titres des journaux.

Le concierge était furieux et Grégoire haussait les épaules en signe d'impuissance. Lydia ne comprenait pas ce que Paul disait, elle se contentait de les regarder par la fenêtre. Les enfants s'étaient aussi attroupés, ainsi que quelques voisins. Henri ouvrit la fenêtre pour entendre ce qui se disait. Lydia crut défaillir. Paul criait :

— Ils ont volé mon bébé, les tabarnak. À l'hôpital… tu paies, pis ils sont même pas capables de surveiller les bébés. Ils disent qu'ils ont vu personne sortir avec…

Paul réalisa qu'il avait un auditoire et cria encore plus fort.

— Ils vont me le payer, les enfants de chienne.

Grégoire ne savait plus comment se défaire de lui. Il lui mit la main sur l'épaule.

— C'est ben épouvantable. La police va le retrouver.

— La police… une gang de trous de cul.

— C'est peut-être juste une erreur de nom. Ils l'ont donné à la mauvaise mère, pis ils vont s'en rendre compte. Un bébé, ça disparaît pas comme ça.

— Ils sont mieux de le retrouver. Demain, je vais voir un avocat. Ça va leur coûter la peau des fesses.

Quelques voisins encourageaient le concierge, et Grégoire en profita pour se faufiler dans son appartement. Il fut surpris du comité de réception. Lydia était là, toute mince, entourée des enfants. Charlotte prit la main de son père.

— Viens, papa.

Elle l'entraîna dans la chambre des parents. Un bébé minuscule dormait dans le berceau. Charlotte murmura à son père :

— C'est une fille toute propre.

Lydia était secouée par la colère de Paul, certaine qu'il viendrait chercher la petite en pleine nuit. Elle serrait ses mains pour que personne ne remarque son tremblement. Grégoire la regarda un moment, puis se tourna vers Charlotte.

— Tu étais là quand c'est arrivé, mon trésor ?

— Oui, papa. J'ai tout vu. Elle bougeait, puis on a couru et elle est arrivée dans la toilette.

Lydia se sentait incapable de parler. Grégoire la regarda de nouveau. Tous les enfants étaient dans la chambre, attendant un commentaire de leur père. Pourquoi ne semblait-il pas content ? Juliette rompit le silence :

— Elle est petite, mais elle est affamée. Je lui ai donné à boire. Elle a vidé sa bouteille.

Grégoire sourit à Juliette, si fière d'être une grande sœur modèle. Il l'embrassa sur le front, puis se pencha au-dessus du berceau. Béatrice ouvrit les yeux et le fixa en gigotant. Elle avait une petite bouche en forme de cœur. Grégoire caressa ses petits doigts.

– Bienvenue, petite Gagnon. Tu t'appelles comment?

– Batriss, répondit Charlotte.

Les enfants rirent et l'atmosphère s'allégea. Henri fit répéter «Béatrice» à Charlotte en prononçant chaque syllabe.

Lydia invita tout le monde à passer à table. Elle évita de croiser le regard de Grégoire. Lui aussi. La soirée se déroula dans une normalité toute feinte pour Lydia. Elle essayait d'imaginer le discours qu'elle tiendrait sur l'oreiller. Elle avait surtout peur que Grégoire fasse des rapprochements avec ses précédents accouchements. Ils s'étaient tous déroulés dans un secret ambigu, un tour de passe-passe, disparition et apparition.

Les enfants couchés, Lydia berça la petite en lui donnant le biberon. Elle avait l'impression que c'était la dernière fois qu'elle prenait cette mignonne petite fille, la dernière fois qu'elle la regardait bouger les lèvres en s'endormant. Lydia se glissa entre les draps avec l'impression d'aller à l'abattoir. Elle sentait la présence du sac contenant le ventre coussin sous le lit. Elle allait tout perdre, ses enfants, l'homme de sa vie. Aucun juge ne tiendrait compte des circonstances atténuantes. Elle serait traitée comme une criminelle, une meurtrière.

Grégoire l'avait évitée toute la soirée. Après avoir fait sa tournée habituelle pour s'assurer que la porte et les fenêtres étaient bien fermées, il se coucha dans le lit conjugal. Il avait passé la soirée à regarder ses enfants. Ils étaient heureux, studieux, ils s'entraidaient. Il n'avait que de belles choses à dire sur eux. Henri n'était pas aussi costaud que lui, mais il aimait les mêmes choses, il était habile de ses mains et était studieux. Un fils admirable. Juliette avec ses grands yeux bleus. Une fillette généreuse, compatissante, à qui il pouvait toujours confier des responsabilités. Un cœur plus grand que celui de… Non, il ne voulait pas penser à Paulette la dure, la sévère, parfois impitoyable. Albert l'artiste, le musicien de talent, l'être sensible. Un cadeau de Tom et d'Hélène peut-être. Ils l'aimaient trop pour le confier à n'importe qui. Et Charlotte… Il savait pour Charlotte. Il l'avait toujours su sans vouloir se l'avouer. Et il ne rendrait jamais ce petit ange à son père violent qui devait encore pourrir en prison.

Peu importe ce que Lydia avait fait, il avait une famille épanouie et son rôle était de veiller sur elle. Et comment Paul pourrait-il prouver que la petite Béatrice était à lui ? Charlotte avait bien dit que le bébé était arrivé dans les toilettes. Elle n'aurait pas menti sur ce point.

Grégoire se tourna vers Lydia qui fixait le plafond, attendant la sentence, prête à fournir les explications avec son ventre coussin. Grégoire se racla la gorge. Il ne savait pas quoi dire, ou plutôt comment dire qu'il aimait toujours cette femme qui lui avait offert cinq enfants. Et il aimait par-dessus tout sa famille. Il voulait tous les protéger.

— Je pense qu'avec cinq enfants, on peut pas rester ici.

Lydia commença à mieux respirer.

— Il y a un chauffeur que je connais, il s'est trouvé une belle petite maison dans Rosemont, avec un sous-sol fini. Je vais jeter un coup d'œil demain.

Lydia se tourna vers lui. Elle sourit et ses yeux s'embuèrent. Grégoire lui caressa la joue.

— Mais on arrête à cinq. Je fais pas un salaire de premier ministre.

Elle se rapprocha et l'embrassa. Il eut envie de soulever sa robe de nuit et de lui faire l'amour. Ç'aurait été une preuve de sa culpabilité de fausse mère. Mais il ne le fit pas.

— Faut que tu dormes maintenant. T'as besoin de repos.

Lydia se recroquevilla contre lui. Elle s'endormit d'épuisement. Il la regarda un moment. Elle avait l'air d'une petite fille. Il aurait aimé connaître le fond de l'histoire. Plus tard peut-être. Quand ils seraient vieux et que la vie des enfants serait assurée. Peut-être jamais aussi.

— À quoi vous pouvez bien penser ? C'est le parc qui vous rappelle des souvenirs ?

Lydia leva les yeux vers le docteur Legendre qui lui souriait.

— Qui vous dit que j'ai encore des souvenirs ?

– Vous avez l'air de quelqu'un qui voit l'invisible. Je me trompe?
Il prit place à ses côtés.

– Vous allez être contente, je vous donne votre congé. Les tests sont terminés, vous avez un peu de cholestérol, pas de diabète, un peu d'hypertension. On dirait que vous voulez devenir centenaire.

– Souhaitez-moi pas ça. Me momifier sur un lit d'hôpital, non merci.

– Je ne peux pas vous souhaiter de vous faire écraser par un autobus.

– Vous savez que mon mari a été chauffeur?

– Oui, Béa me l'a dit la première fois que je lui ai parlé. On venait d'entrer en première année à l'université. Je me plaignais d'un chauffeur qui m'avait fermé la porte au nez. Elle est montée sur ses grands chevaux pour le défendre. «Ils sont pas tous comme ça.» Je l'entends encore me crier après.

Lydia le regarda avec tendresse. Ses yeux s'étaient allumés quand il avait parlé de Béa. Ils avaient sans doute eu une petite aventure. Ou peut-être pas. Béatrice était parfois très stricte, presque prude. Tout passait par la volonté. Lydia était incapable d'imaginer sa fille se laissant aller à une passion. Sauf pour défendre les chauffeurs d'autobus. Elle avait toujours voué à Grégoire une grande admiration.

Le corridor était désert, la lumière, tamisée, les portes, closes. Béatrice marchait lentement vers la chambre de sa mère en se demandant ce qu'elle faisait là si tard dans la soirée. Avec le retour de l'école de Sophie et de Nicolas, la préparation du souper, les devoirs, la routine des soirs de semaine variait peu. Aujourd'hui, cependant, les enfants s'étaient finalement couchés sans voir leur père. Alain avait travaillé tard sans donner d'explication. En tant qu'anesthésiste, le docteur Desrosiers avait un horaire assez régulier. Mais, ce soir, il était rentré en prenant un air épuisé, les épaules voûtées, les pieds raclant la moquette.

Elle l'avait attendu au salon, préférant un terrain plus neutre que la chambre à coucher. Elle avait pris un livre pour se donner une contenance, mais elle n'avait pas réussi à enfiler deux phrases. Après un « bonsoir, chérie » crié de l'entrée, Alain était passé dans la salle de bain de leur chambre. Elle avait eu envie de l'étrangler à ce moment-là. Elle revoyait les parents de ses jeunes patients au moment où ils étaient sur le point d'exploser. Elle ressentait la même colère, la même impuissance et elle comprenait qu'on puisse sauter une coche, péter les plombs.

Elle s'était levée du canapé et s'était rendue à la salle de bain. Alain lui avait souri dans le miroir, les lèvres couvertes de mousse blanche. La veille, il pleurait en s'excusant de ce moment d'égarement. Il avait trop bu, il s'ennuyait et puis cette collègue de Toronto avait besoin de compagnie. Son mari venait de la quitter. Il n'aurait jamais pensé que ça irait jusque-là. « Là » étant son lit, bien sûr. La liberté des congrès, des «je baise pourvu que personne ne le sache». Béatrice ne lui avait pas demandé ces confidences, mais elle l'avait écouté. Elle avait l'impression que c'était la seule chose qu'elle savait faire dans la vie. Écouter sans faire de commentaires, essayer de comprendre, de prendre la place de l'autre tout en restant neutre. Il avait pleurniché, avait répété qu'il l'aimait. Elle était toute sa vie. Merveilleuse Béatrice.

Ce n'était qu'aujourd'hui qu'elle avait réalisé, en parlant avec sa mère, qu'elle n'avait pas fait l'amour depuis des mois. Et ses parents avaient fait ça presque quotidiennement. Ils avaient été soudés l'un à l'autre pendant plus de cinquante ans. Elle regardait son mari terne, ennuyeux et infidèle avec l'envie de tout laisser, de partir au bout du monde, de ne plus jamais entendre quelqu'un se plaindre. Mais on ne quitte pas ses enfants, pas comme ça, sur un coup de tête.

Alain s'était rincé la bouche et avait retrouvé son air penaud. Il savait qu'il devait tout raconter ce soir. Il l'avait promis à sa femme, mais il n'avait pas eu le courage de rentrer à la maison. Il avait l'impression d'avoir tout dit la veille. Que pouvait-il ajouter à son aveu d'adultère? Il ne voulait pas perdre Béatrice et les enfants, mais il ne pouvait pas dire qu'il regrettait vraiment sa nuit à Toronto. Maureen était en manque de chair fraîche. Elle lui avait sauté dessus et il avait apprécié sa façon directe de le désirer. Pas de souper aux chandelles, pas de musique d'ambiance. Du sexe et du sexe toute la nuit. Il ne se rappelait pas avoir vécu ça avant. Même pas avec une prostituée brésilienne alors qu'il était étudiant: ils avaient baisé toute la nuit, mais la fille avait posé et minaudé plus qu'elle n'avait savouré le moment, préférant s'admirer dans les miroirs de la chambre d'hôtel. Maureen n'avait pas fait semblant. Elle avait pris son plaisir goulûment.

Mais Béatrice avait beau être compréhensive, il ne pouvait pas lui raconter ça. Il était rentré tard pour ne pas avoir à discuter. Il voulait que le temps apaise tout, efface les aspérités, calme les émotions. Il avait cru soulager sa conscience en déversant sa culpabilité sur sa femme si tolérante, si intelligente. Il aurait voulu n'avoir jamais parlé comme un idiot de cette nuit à Toronto.

Béatrice avait réalisé qu'elle n'avait rien à dire à son mari. Et elle n'avait pas envie non plus d'entendre parler de son aventure dans les détails. Elle aurait pu lui crier qu'il ne l'avait pas touchée depuis des mois, mais ç'aurait servi à quoi? À justifier son aventure probablement. Parce que faire l'amour était devenu entre eux de petits automatismes hygiéniques. Consoler une divorcée devait être plus excitant. Elle s'était retournée et était sortie de la chambre sans un mot. Et elle arrivait maintenant devant la porte de la chambre de sa mère. Le trajet s'était fait dans un immense brouillard.

Elle ouvrit la porte doucement. Lydia dormait, un sourire accroché aux lèvres. Béatrice la regarda un moment. Sa mère semblait si heureuse, reposant comme une enfant. Béatrice n'osa pas s'avancer et referma la porte. Elle ne voulait pas retourner chez elle tout de suite. Elle ne voulait pas entendre les excuses, les explications, les demandes de pardon d'Alain. Qu'il aille au diable! Elle repensa au parc et décida d'aller s'y promener. L'air frais lui ferait du bien. Comme elle arrivait à l'ascenseur, elle vit Patrice Legendre quitter son bureau. Il la regarda, surpris.

— Béatrissse!

— Patrissse!

Ils s'étaient amusés, étudiants, à siffler leur nom comme un serpent à sonnette. Ils venaient tous les deux de rajeunir de plus de dix ans. Il lui sourit.

— On dirait que tu as besoin d'un verre.

— Même un verre ne suffira pas, mais c'est mieux que rien.

Patrice avait envie de la prendre dans ses bras pour la consoler. Elle avait l'air si triste, si perdue. Il ne l'avait jamais vue comme ça. Elle avait toujours donné l'image d'une fille forte, en possession de ses moyens.

— Est-ce que chez moi, c'est trop dangereux?

Béatrice se rappela soudain ce mot: «dangereux». Elle l'avait prononcé à l'université quand Patrice l'avait invitée dans sa chambre d'étudiant. Elle avait refusé, disant que c'était trop dangereux. Elle n'avait pas spécifié de quel danger il s'agissait, lui non plus. Il s'était dit qu'elle ne s'intéressait pas à lui. Elle voyait déjà Alain, ils allaient au cinéma, dansaient le samedi soir, prenaient un verre avec des camarades sans vraiment être un couple. De quoi avait-elle eu peur en parlant de danger ? De devenir amoureuse ?

– Chez toi, c'est parfait. Si je ne dérange personne.

Il la laissa passer la première dans l'ascenseur.

– J'ai égorgé mon perroquet la semaine dernière, il m'accueillait avec des insultes quand je rentrais tard.

– Et à voir ton air fatigué, tu rentres souvent tard. Je pensais que travailler en clinique était plus reposant.

– C'est quand, la dernière fois que tu es entrée dans une maison vide, Béa ?

Elle le regarda avec tendresse. Pauvre Patrice. Il avait tout donné à son travail. Il était pourtant beau garçon avec ses cheveux noirs et épais, ses yeux sombres qui semblaient voir trop de choses en fixant les gens. C'était peut-être l'intensité de son regard qui intimidait les autres. Mais pourquoi n'avait-il pas de femme dans sa vie ? Béatrice ouvrit la bouche pour poser la question. Mais elle se tut, ce n'était pas le moment de l'interroger. Elle devait apprendre à se laisser aller. Sa mère avait raison, elle était trop raisonnable.

La porte de l'ascenseur s'ouvrit. Ils ne bougeaient toujours pas, se regardant comme s'ils se voyaient pour la première fois. La porte se referma. Patrice passa sa main derrière les épaules de Béatrice et il se pencha vers elle. Elle leva la tête et le saisit par la taille. Ils s'embrassèrent comme ils n'avaient jamais osé le faire.

L'appartement était petit, mais confortable. Il était situé au dernier étage d'un immeuble banal en brique et en béton. Les larges fenêtres donnaient sur les toits avoisinants et les faîtes des arbres. Juliette ouvrit la porte avec sa clé et entra avec Charlotte sur les talons. Elles s'arrêtèrent toutes les deux dans le salon lumineux. Il n'y avait qu'un voilage blanc devant la fenêtre jumelée à la porte-fenêtre.

– Je ne viens pas souvent ici. Je ne me souvenais pas que c'était aussi ensoleillé.

– Moi, je viens plutôt le soir, après mon travail à l'hôpital. On ne voit que quelques lumières de la ville à l'extérieur. Je comprends qu'elle ne veuille pas déménager.

Juliette s'avança vers la porte-fenêtre et regarda le balcon. Il y avait des pots de géraniums et de fines herbes.

– J'aurais dû venir plus tôt pour les arroser. Elles sont peut-être récupérables.

Elle prit l'arrosoir, le remplit et donna à boire aux plantes assoiffées. Charlotte faisait le tour des pièces. Elle ouvrit la fenêtre de la chambre pour aérer. Elle vida la poubelle de la cuisine et inspecta le réfrigérateur. Elle vérifia la date des yogourts et jeta le lait. La salle de bain était propre, mais le panier de lavage était plein. Elle rejoignit sa sœur sur le balcon.

– Est-ce qu'on fait le lavage? Les machines sont au sous-sol?

– J'aime autant pas. Tu connais maman, elle tient à ses affaires. On n'avait jamais le droit d'y toucher. Et puis, ça la distraira de prendre l'ascenseur et de jaser avec du monde, son panier de linge dans les bras.

— Maman devrait déménager chez nous. On va à nouveau partir pour un an ou deux. Elle serait près de chez toi, s'il arrivait quelque chose…

Les mots flottèrent dans l'espace un moment. Leur mère avait reçu son congé de la clinique, mais elle n'était pas devenue immortelle pour autant. Juliette sourit.

— Si tu avais vu son visage ce matin! Une gamine qui reçoit un gros cadeau du père Noël. Elle voulait partir tout de suite. J'ai réussi à la faire attendre jusqu'à cet après-midi, le temps que Michel passe la chercher.

Le nom de Michel sonna bizarrement dans la bouche de Juliette, et Charlotte le remarqua.

— Ça va avec Michel?

— Tu vas pas faire comme maman et me donner des conseils?

— Des conseils? Non. Qu'est-ce qu'elle t'a dit?

— De ne pas avoir peur des miettes dans le lit.

Charlotte était intriguée. Quel était le rapport entre les miettes et le lit? Elle mit de l'eau à bouillir et sortit une théière. Elle apporta deux tasses qu'elle déposa sur la table du salon.

— Ma chère sœur, espère pas t'en tirer aussi facilement. Tu me racontes tout et je ne dirai jamais rien. Promis, juré. Allez…

Juliette sourit et s'assit dans un fauteuil. Elle avait pris soin de bébé Charlotte très tôt et elle avait parfois l'impression que c'était sa grande fille à elle. Elle lui dit que leur mère lui avait conseillé de passer la journée au lit avec l'interdiction de s'habiller. Charlotte éclata de rire.

— Elle est encore coquine à son âge, j'en reviens pas. Et ç'a marché?

Le ton de Juliette redevint sérieux:

— Quand j'ai proposé à Michel de passer le dimanche en tête à tête, en amoureux, il m'a répondu en riant qu'on allait s'ennuyer. Et puis, c'est ce jour-là qu'on voit les enfants, on ne peut pas manquer le dîner familial. Plus terre à terre que ça, tu manges des racines de pissenlit.

— Alors, attends pas à dimanche. Vous êtes seuls toute la semaine, c'est le temps d'en profiter. Et pour les miettes dans le lit, elle a raison. Il faut que tu réveilles ton pompier.

Juliette regarda sa sœur en coin.

— Et toi, ton Nelson?

Charlotte débrancha la bouilloire et versa l'eau chaude sur les feuilles de thé. Juliette lui cria du salon qu'elle ne s'en sortirait pas si facilement.

— Allez, parle. C'est à ton tour.

Charlotte revint avec la théière posée sur un plateau. Elle prit le temps de remplir les deux tasses.

— On passe de longs moments sans avoir vraiment d'intimité. Quand on va sur le terrain, on dort à plusieurs dans une hutte ou sous une tente. J'étais étonnée au début de voir tous ces gens dormir ensemble. Je me demandais comment ils réussissaient à avoir une vie sexuelle en étant entourés de leur famille élargie.

— Ils vont dans les bois pour être tranquilles?

— C'est ce que j'ai pensé d'abord. J'ai découvert qu'ils signeraient leur arrêt de mort s'ils faisaient ça. Avec toutes ces bêtes qui les boufferaient au premier moment d'inattention.

Charlotte prit une gorgée de thé. Juliette en fit autant et attendit.

— Tu vas me le dire, comment ils font, ou je vais devoir téléphoner à ton mari?

— On a appris à faire comme eux. À rester silencieux. Ça ne veut pas dire que c'est pas intense. Au contraire. Parfois je pense que c'est plus excitant avec le risque de se faire prendre. Et puis, le risque n'est pas bien grand. On est mariés. On ne triche personne.

Le visage de Juliette s'assombrit. Charlotte le vit et posa sa main sur le bras de sa sœur.

— Ça va? Tu penses à Michel?

— Je me demande s'il me trompe et, en même temps, je me demande comment il pourrait le faire. Il a un horaire régulier, il est souvent à la maison. S'il a une maîtresse, elle est bien cachée et il perd pas de temps avec la romance.

— Juste le temps pour une petite vite ?

Juliette se mit à rire, un rire franc qui fit plaisir à Charlotte.

— Ça me rappelle quelque chose… L'autre matin, je me rendais au travail. Normalement, je marche, mais là j'étais en retard, alors j'ai pris l'autobus. Ça n'a pas donné grand-chose, on a été pris dans un bouchon. Je ne pouvais pas faire autre chose que de regarder par la fenêtre. Et devine ce que j'ai vu ?

— Ç'a un rapport avec une petite vite ?

— Oui. Il y avait une auto juste sous ma fenêtre. L'homme avait les mains sur le volant et il souriait aux anges. Je me suis demandé s'il écoutait une musique sublime, puis j'ai vu une tête blonde s'activer près du volant. La fille avait un rythme plus rapide que le trafic.

— Devant tout le monde ?

— Il devait être certain que personne pouvait le voir de la rue. Il n'a jamais pensé qu'il y avait des gens dans l'autobus qui assistaient au spectacle. Quand je dis «spectacle», c'est beaucoup dire. Il fallait avoir de l'imagination pour expliquer ce qui se passait.

— Tu penses que sa femme lui souhaitait une bonne journée comme ça.

— Je pense plutôt qu'il payait une fille pour bien commencer sa journée. Elles ne travaillent pas toutes le soir. Il y en a qui pensent aux pauvres employés de bureau qui vont se faire chier à tous les matins.

— Et Michel va travailler en auto ?

— Non, il prend l'autobus. C'est pour ça que je pense qu'il en a peut-être très envie, mais qu'il n'est pas passé à l'acte.

Charlotte regarda sa sœur avec émotion.

— Je suis certaine qu'il t'aime. Je connais personne sur la planète qui peut pas t'aimer.

— Ne dis pas «bonne Juliette».

– Je l'ai pas dit. Cochonne Juliette, il me semble que ça t'irait bien.

Les deux sœurs rirent de bon cœur. Comme ça faisait du bien de se retrouver!

Henri s'étira et ouvrit les yeux. Il mit quelques secondes à réaliser qu'il était dans son appartement. Il aurait très bien pu être dans une chambre d'hôtel haut de gamme. Des meubles sobres, une moquette et des murs neutres, pas de décoration, de cadres au mur, de plantes vertes. Un espace luxueux et impersonnel. Il regarda l'heure. Il avait promis à Juliette d'aller voir leur mère aujourd'hui. Il essaya de mettre ses idées en place. Juliette l'avait bel et bien appelé tôt ce matin pour lui annoncer que Lydia rentrait chez elle en fin de journée. Il irait la voir à la clinique, c'était plus près.

Il entendit la chasse d'eau. La mémoire lui revenait peu à peu. Il avait bu la veille au soir, mais pas au point de ne pas se rappeler avec qui il était revenu chez lui. Une jolie femme qui dansait merveilleusement. Il n'était pas encore assez vieux pour ramasser les fonds de bar, mais il savait que ça viendrait bientôt. Il en avait l'âge en fait, mais il était bien conservé, comme on le lui répétait. Il savait que la mise en forme jumelée à un bon compte de banque rendait les hommes séduisants plus long-temps. Une jeune femme dans la trentaine, à en juger par son corps nu, sortit de la salle de bain. Elle lui sourit et se glissa sur le lit comme une chatte. Il s'attendait à l'entendre ronronner. Elle se pencha et l'embrassa sur la bouche. Elle goûtait la menthe. Il effleura ses seins. Il essayait de se rappeler son nom, mais ça ne venait pas.

– Salut, beauté. Désolé, mais je dois partir bientôt.

La jeune femme le regarda. C'était un drôle de type, celui-là. Il était à vos pieds, admiratif, et, une minute plus tard, il ne vous connaissait plus. Elle ne voulait pas perdre le peu de dignité qui lui restait et elle se leva du lit pour enfiler ses vêtements éparpillés dans la chambre.

— Je sais que tu l'as déjà oublié, mais je m'appelle Michelle. Et ne me chante pas les Beatles.

— Et pourquoi je chanterais les Beatles?

— C'est de ton âge.

Il encaissa le coup. Elle n'était pas seulement séduisante, elle était aussi effrontée. Elle enfila un corsage en satin et en dentelle crème aux fines bretelles.

— Alors, Michelle, tu dois te rappeler que je t'ai dit que j'étais un grand nomade? Pas d'attache.

— Tu le répètes assez pour que tout le monde le sache.

Il était intrigué. Tout le monde? De qui parlait-elle? Michelle vit son air étonné et lui sourit.

— Tu ne te rappelles même pas. On s'est rencontrés il y a… quoi? un peu plus de six mois? Tu m'avais parlé de ton travail.

Henri ne savait plus quoi dire. Cela lui arrivait rarement. Comment aurait-il pu oublier une si jolie femme? Il parlait peu de son travail avec une jeune beauté qu'il voulait séduire. À moins de vouloir se donner une touche exotique en se vantant de ses nombreux voyages. Michelle enfila sa jupe sur ses longues jambes.

— Si j'ai voulu finir la nuit dans tes bras, c'était pour vérifier tes qualités masculines.

— Comment ça? Tu fais passer des tests de baise?

Elle fit glisser la fermeture éclair de sa jupe.

— Ne t'inquiète pas, l'âge te donne l'avantage de l'expérience.

La jeune femme glissa ses pieds dans ses escarpins, puis se releva. Henri lui saisit la main et l'attira vers lui.

— Après tout, j'ai encore un peu de temps.

— Pas moi. Je sais que tu ne veux pas t'attacher et je tiens à te rassurer. Je ne me trouve pas assez exceptionnelle pour te faire changer d'idée.

Il la regarda plus attentivement. Il se plaignait souvent que les femmes n'avaient qu'une idée en tête : domestiquer tout homme qui leur plaisait. Et il se flattait qu'aucune femme n'était assez extraordinaire pour le dresser. Michelle le fascinait davantage.

– Que veux-tu ?

– Un enfant.

Il recula vers le mur en une fraction de seconde. Elle se mit à rire.

– Pauvre Henri. N'aie pas peur. Je viens de te rayer de la liste des pères potentiels. Même si tes gènes me semblent bons. Il faudrait que tu grandisses et je ne pense pas que tu pourras le faire.

Elle se pencha et l'embrassa sur le front. Puis elle sortit de la chambre en lui envoyant la main comme à un enfant qu'on laisse à la garderie. Il resta un moment abasourdi. Il regarda autour de lui et vit deux condoms utilisés par terre. Cela le rassura. Il se leva et alla prendre une douche.

La vapeur emplissait la cage vitrée et Henri revoyait Michelle quitter sa chambre d'une démarche ondulante. Puis l'image de Michelle au travail lui revint. Arrivée quelques semaines plus tôt, elle était un des nouveaux bras droits de son patron. Il l'avait à peine croisée à son retour de voyage. Stricte, les cheveux en chignon, vêtue d'un tailleur irréprochable, froidement polie comme une héroïne de Hitchcock, elle mettait en valeur ses qualités professionnelles. Une pièce montée sur glace. Mais, avec l'éclairage du bar, ses seins pointant à travers son corsage en satin, ses cheveux se mouvant au rythme de la musique, il ne l'avait pas reconnue. Merde ! C'était sa seule règle : ne pas mêler sexe et travail. Et il l'avait enfreinte pour la première fois.

Il se sécha rapidement et s'habilla. Il avait promis à son frère de passer à l'hôpital pour une prise de sang. Il regarda l'heure. Il avait tout juste le temps de s'y rendre. Il y entra en coup de vent. Une jolie infirmière le reçut presque aussitôt. Il la remercia d'un sourire. Pas d'attente. Il réalisa qu'un rendez-vous avait été pris pour lui et qu'il s'y présentait en retard. Mais, avec son sourire enjôleur et ses yeux doux, il se faisait toujours tout pardonner. Quelques minutes plus tard, il marchait vers la clinique.

Henri repensait à Michelle. Il lui arrivait rarement de songer très longtemps à une des femmes qu'il avait attirées dans son lit. Il ne prenait même pas le temps de noter leur nom. Mais cette Michelle continuait de l'intriguer. Pourquoi? Parce qu'elle était effrontée, indépendante ou parce qu'elle s'était moquée de lui? Il avait déjà eu des choix difficiles à faire, il avait dû enterrer des désirs, mais il n'avait jamais cédé à une collègue auparavant.

Il traversa le parc et regarda l'édifice de béton, cherchant la fenêtre de la chambre de sa mère. Il la trouva facilement : Lydia lui faisait de grands signes joyeux de la main. Il comprit qu'il n'avait pas le choix avec Michelle. Il ferait l'indifférent, le gars qui avait tout oublié, qui ne s'intéressait à personne. C'était presque vrai, parfois. Il ne se rappelait que les noms et les visages de ses clients ; les autres demeuraient un peu flous.

Il arriva à la chambre de sa mère en constatant que la jolie Michelle occupait encore ses pensées. Lydia ne remarqua pas son air distrait. Elle était trop contente à l'idée de retrouver son appartement.

– Tu vas venir ce soir? Michel vient me chercher vers cinq heures.

Henri sursauta en entendant le nom «Michel», puis réalisa que sa mère parlait du mari de Juliette. Il rit pour lui-même. Il devenait gaga.

– Tu as besoin de bras pour déménager?

– Ben non, mais j'aimerais vous avoir autour de moi. Vous êtes venus souvent me voir ici et je trouve que c'est une belle habitude que j'aimerais garder.

Lydia n'osait pas lui dire que, bientôt, quand ils sauraient toute la vérité à cause de ces prises de sang, ils ne voudraient peut-être plus jamais la voir. Elle cherchait à profiter de ces derniers moments de bonheur.

— Je pars dans deux jours. Mais j'irai te voir ce soir. Je sais que je ne suis pas le plus assidu, mais ça ne veut pas dire que je ne pense pas à toi.

— C'est normal avec tes voyages. Mais, un jour, il va bien falloir que tu t'arrêtes quelque part. As-tu choisi ton paradis de retraite ?

— Un paradis de retraite ? Je ne vois pas comment la retraite pourrait être un paradis. J'aime trop travailler pour ça. Et puis, j'ai pas encore cinquante ans. Faut pas m'enterrer avant le temps, comme un ringard amoureux des Beatles.

— Je voulais pas te blesser, mon garçon. T'as raison, j'ai pas à me mêler de ta vie. Ton père et moi, on n'a jamais rêvé de retraite, on vous avait, pis on était simplement heureux. La retraite, c'était les petits-enfants.

— Pardonne-moi, maman. J'ai pas dormi beaucoup cette nuit.

Elle le regarda avec un sourire en coin.

— Elle était jolie au moins ?

Henri se détendit.

— Elles sont toutes jolies, maman, c'est le problème.

Lydia faillit lui dire qu'il trouverait peut-être sa Simone un jour. Mais elle se retint. Elle se demanda quelle vie aurait eue Simone si elle avait pu vivre avec François. Aurait-il été comme Grégoire, un mari et un père responsable, ou aurait-il été un mari volage, un joli cœur frivole ? Elle savait qu'elle n'aurait jamais de réponse à cette question.

Henri était parti à son bureau. Il ne désirait qu'une chose : ne pas rencontrer Michelle.

Lydia s'était installée encore une fois devant la fenêtre. Elle vit Béatrice arriver en courant. Elle avait l'air d'une jeune fille heureuse et insouciante. Lydia avait hâte de la voir de près pour vérifier la luminosité de son regard. Béatrice entra dans la clinique et Lydia attendit.

Béatrice sortit de l'ascenseur et se dirigea vers le bureau de Patrice. Il leva la tête et sourit. Elle entra et referma la porte. Ils se jetèrent dans les bras l'un de l'autre. Leur baiser dura un moment. Ils se séparèrent, haletants.

— C'est trop dangereux ici. On peut nous voir.

— Je sais. Tu as les lèvres enflées.

Elle rit en mettant la main devant sa bouche. Il caressa son visage.

— Je serai chez moi ce soir. Je t'attendrai… Et je vais me raser de près.

— Ma mère rentre chez elle. J'ai promis d'être là. Mais je ne suis pas obligée de rester longtemps.

Elle passa sa main dans les cheveux touffus de Patrice. Il s'était montré un amant tendre et sensuel. Elle n'avait jamais remarqué auparavant qu'il avait un corps de liane, souple et fort avec des bras puissants. Ça faisait si longtemps qu'un homme n'avait pas exploré son anatomie avec autant de délicatesse. Elle se demandait même si son mari l'avait fait un jour. Elle avait été attendrie par Alain, attirée peut-être davantage par ses faiblesses que par ses forces. Elle s'était donnée à lui et il l'avait prise. C'était le seul souvenir qu'elle en gardait.

Elle se dégagea à contrecœur des bras de Patrice. Elle remit de l'ordre dans sa blouse. Il reprit sa place derrière son bureau et elle ouvrit la porte.

— Merci, docteur Legendre.

Elle essaya de marcher normalement dans le corridor. Elle avait l'impression que ses jambes sautaient sur place, que son bassin refusait de s'aligner avec son torse. Elle entra dans la chambre de sa mère. Celle-ci la regardait bizarrement.

— Je reste pas longtemps.

— Approche-toi.

Béatrice se sentit de nouveau comme une petite fille prise en défaut. Elle s'approcha en se demandant si sa mère remarquerait ses lèvres tuméfiées d'avoir trop embrassé. Bien sûr qu'elle les remarquerait. Sa secrétaire les avait vues quand elle était arrivée au bureau, malgré le rouge à lèvres qu'elle avait mis pour essayer de les masquer.

Lydia lui sourit.

— T'as les yeux brillants. T'es heureuse ?

Béatrice sourit. Elle avait envie de tout raconter à sa mère, mais elle n'avait ni le temps ni le courage de le faire. Ce type d'aventure durait environ six mois, puis s'estompait peu à peu comme un brouillard. Au mieux, il en restait un beau souvenir. Au pire, l'aventure avait fait éclater un couple et une famille. Béatrice connaissait les statistiques. Et elle redevenait raisonnable. Le serait-elle ce soir ? Sa tête lui dirait de ne pas voir Patrice ; son corps crierait le contraire. Qui gagnerait ? En ce moment, Béatrice opta pour faire gagner le corps. Elle l'avait trop négligé, celui-là.

— Ça va bien, maman.

— T'as attrapé un feu sauvage ?

— Non, c'est une réaction à un nouveau rouge à lèvres. Ça va disparaître.

Elle était entrée au milieu de la nuit. La maison était dans le noir. Elle avait espéré trouver Alain endormi. Elle s'était demandé si elle devait prendre le canapé ou se glisser dans le lit conjugal. La réponse lui était venue aussitôt l'entrée passée. Alain était assis sur le canapé, le regard désespéré.

— Où t'étais?

— Partie voir ma mère.

Même ces quatre mots lui avaient coûté. Elle ne voulait pas lui parler, elle ne voulait même pas le voir. Elle avait filé vers la chambre. Elle avait pris une douche rapide et s'était mise au lit.

Alain l'avait rejointe. Il avait tendu une main vers elle et elle avait tiré les draps.

— Il est tard, j'ai besoin de dormir.

— Je t'aime, Béa, tu es la seule femme de ma vie.

Béatrice avait crispé les mâchoires. Évidemment qu'elle était la seule. Personne ne voulait de monsieur chloroforme, à part une divorcée torontoise. Il s'était conduit comme un chiot à qui on interdisait de monter sur le lit. Il avait pleurniché. Il avait touché sa hanche et elle avait sursauté.

— Tu te tiens tranquille ou tu couches sur le canapé.

Il s'était retiré sur son côté de lit. Il se demandait si la guerre allait durer longtemps. Il n'avait jamais compris pourquoi elle l'avait choisi, lui, le gars endormant, comme on l'appelait. Il avait épousé la plus belle, la plus intelligente et il avait fait l'idiot. Quel prix devrait-il payer en bout de ligne? Ce serait stupide de divorcer pour une nuit de baise avec une presque inconnue.

L'attitude d'Alain avait changé au matin quand il avait vu les lèvres de sa femme.

— T'as baisé hier pour te venger? Comment t'as pu faire ça?

Il avait lancé ce cri du cœur alors que les enfants déjeunaient. Elle l'avait regardé froidement. Cela n'avait rien d'une vengeance, mais il ne la croirait jamais.

— Tu es devenu dermatologue? Allez, les enfants, mangez, sinon vous allez être en retard. C'est papa qui va vous reconduire ce matin.

Sophie avait regardé les lèvres de sa mère. Béatrice ne pouvait pas laisser passer cet incident sans répondre.

– C'est une réaction allergique. Rien de grave.

Lydia fixait sa fille avec un sourire dans les yeux.

– On dirait que t'es amoureuse. T'es tellement différente depuis hier. T'as les yeux brillants comme le docteur Legendre quand il parle de toi.

Béatrice se sentit rougir de la tête aux pieds. Elle ouvrit la bouche, mais fut incapable de dire quoi que ce soit. Comment sa mère pouvait-elle être si perspicace ?

– Je dois y aller. Je vais être en retard pour mon rendez-vous. On se voit ce soir.

Elle sortit presque en courant. Lydia la regarda traverser le parc au pas de course. Qu'est-ce qui avait déclenché ce malaise ? Poser la question ne servirait à rien. Béatrice était passée maître dans l'art de donner des réponses laconiques et énigmatiques.

Lydia ne tenait plus en place. Elle surveillait de la fenêtre l'arrivée de Michel. Le docteur Legendre entra dans sa chambre et elle se retourna, tout sourire.

– Je vois que vous êtes contente de nous quitter, madame Gagnon.

– Vous pouvez pas m'en vouloir pour ça. Vous semblez pas fâché non plus.

– Pourtant, je perds une bonne patiente.

Lydia rit un peu.

– Allons donc, vous savez bien qu'à mon âge vous me perdez pas pour longtemps. Mais, là, j'ai hâte d'être chez moi.

– Je suis sûr que ça va bien aller. S'il y a quoi que ce soit, vous savez où me trouver.

Il lui serra la main, sourit et sortit de la chambre. Lydia le trouvait changé, mais elle ne savait pas pourquoi. Il était toujours le même, grand et calme. Il avait encore les yeux cernés, mais son regard était rieur. Il semblait heureux. Tant mieux pour lui.

Michel frappa légèrement à la porte. Lydia se leva et lui ouvrit les bras.

– Comme je suis contente de te voir !

Il se pencha pour l'embrasser.

– Un accueil pareil, ça fait plaisir.

Il prit sa valise et lui offrit son bras. Lydia quitta sa chambre comme une reine, saluant le personnel infirmier qu'elle croisait. Le trajet se fit en silence. Lydia regardait tout autour d'elle, comme si elle redécouvrait son quartier qu'elle n'avait pourtant quitté que quelques jours.

Juliette frottait un ballon sur ses cheveux pour créer l'électricité statique nécessaire pour le faire tenir au mur. Charlotte collait une dernière guirlande. Elles reculèrent toutes les deux et se mirent à rire. Charlotte ouvrit les bras.

— On en fait trop, on dirait une fête d'enfants.

— J'ai pourtant résisté à la tentation d'acheter des confettis. Maman en aurait retrouvé des mois plus tard, coincés entre les lattes du plancher.

Charlotte se rembrunit.

— J'ai l'impression qu'on la fête avant qu'elle meure.

— Les tests sont bons. Elle est pas éternelle, mais elle va encore être là pour un bout. L'important, c'est de profiter du moment. J'ai hâte de voir sa face quand elle va entrer.

À cet instant, Michel ouvrit la porte et laissa passer Lydia. Celle-ci mit les mains sur ses joues, et ses yeux s'embuèrent.

— Hé, que vous êtes fins! Vous donner tout ce trouble!

Ses deux filles l'embrassèrent. Michel alla déposer la petite valise sur le lit de la chambre. Lydia découvrit des assiettes de hors-d'œuvre et des verres sur la table du salon.

— Vous me fêtez vraiment. Je vais aller à l'hôpital plus souvent.

Albert entra au même moment avec sa femme, Émilie. Ils se figèrent en entendant le mot « hôpital ». Émilie n'avait pas envie de fêter quoi que ce soit. Elle ne voulait rien d'autre que passer du temps avec Guillaume. Albert avait dû insister pour qu'elle sorte et voie sa famille. Elle allait craquer si elle ne prenait pas du temps pour elle, pour se distraire. La santé de leur enfant ne s'aggraverait pas parce qu'ils s'absentaient une heure.

Lydia rejoignit Émilie et la prit dans ses bras.

— Je suis contente de te voir. Tu sais qu'on est tous avec toi.

Les larmes montèrent aux yeux d'Émilie et elle fit un effort pour ne pas pleurer. C'était pour ça qu'elle préférait rester auprès de son fils. Ses émotions se calmaient, elle ne pensait qu'à profiter du sourire de son petit, à caresser ses bras, à embrasser son front. Le pire, pour lui, était de devoir porter un masque en permanence à cause de la faiblesse de son système immunitaire.

Albert s'approcha de sa femme et l'entoura de son bras. Tout le monde entra dans le salon et resta debout. La pièce n'était pas très grande. Lydia passait de l'un à l'autre, repensant à l'histoire de chacun. La porte s'ouvrit de nouveau et Henri entra avec sa sœur Béatrice. Elle tenait un bouquet de fleurs dans ses mains. Lydia fut heureuse de cette attention. Ses enfants étaient merveilleux.

— Alain est pas là ?

Béatrice chassa une mouche imaginaire de la main.

— Non, il allait chercher les enfants après son travail.

Michel ouvrit une bouteille de mousseux et remplit les verres que lui tendait Juliette. Tout le monde trinqua à Lydia, à sa bonne santé et à sa longue vie heureuse. Elle essuya une larme. Elle priait pour que ses enfants n'apprennent jamais qui elle était.

À la deuxième bouteille, les rires fusaient. Henri raconta une anecdote du désert d'Algérie ; Charlotte renchérit avec une autre histoire, de jungle cette fois. Albert parla de sa dernière tournée à New York. Il tenait à faire au moins semblant d'exister en dehors de la maladie de son fils. Émilie regardait son mari et sentait toute sa souffrance, elle qui avait tellement voulu le rendre heureux avec cet enfant. Elle prit une autre gorgée de vin. Elle aurait aimé que les bulles lui envahissent le cerveau et le paralysent un moment.

Le téléphone sonna. Lydia répondit.

— Allô ! Ah, Alain ! Comment ça va ?

Béatrice se rapprocha de sa mère pour entendre ce qu'elle disait. Son mari osait donc la suivre à la trace.

— Ben oui, je vais te la passer. (…) Son chandail préféré… Pauvre Sophie, je suis certaine qu'elle va le trouver. (…) Tiens, je te passe Béatrice.

— Salut… Sophie a perdu son chandail ? (…) As-tu regardé dans le linge sale ? (…) Oui, tu vois, tous les Gagnon sont en ville et ça jase fort. Je ne sais pas quand je vais rentrer. J'ai pas vu Charlotte et Henri depuis longtemps. Couche les enfants, je rentrerai pas trop tard. (…) Bisous, Sophie. (…) Bisous, Nicolas. (…) Oui, oui. T'en fais pas. Bye!

Elle raccrocha et regarda autour d'elle. Lydia s'était éloignée et elle n'avait sans doute pas suivi sa conversation. Béatrice sentit un nœud se former dans son estomac. Elle n'aurait jamais cru être capable de mentir autant. Elle savait aussi qu'Alain n'était pas dupe. Il l'accuserait de vouloir se venger puérilement. Mais ce n'était pas ça. Elle avait depuis longtemps une histoire inachevée avec Patrice. Ils avaient été très près de passer à l'acte pendant des années, mais tout les avait retenus. Puis Alain s'était installé dans le décor officiellement. Patrice avait accumulé les aventures d'un soir. Béatrice avait fait le choix le plus raisonnable. Elle ne savait pas aujourd'hui si ce choix avait été le meilleur, mais il avait abouti à Nicolas et à Sophie. Elle avala une gorgée de vin pour faire passer ce constat. Elle regarda sa mère aller de l'un à l'autre, tout sourire. Son monde tenait dans ce salon bondé.

Michel, une bouteille à la main, faisait sa tournée pour rafraîchir les verres. Émilie refusa d'un signe de tête. Béatrice s'approcha d'elle. Elle avait négligé sa belle-sœur qui avait pourtant tellement besoin de soutien. Elle mit la main doucement sur son épaule. Émilie frémit légèrement. Béatrice avait tous les bons mots du monde à la bouche et elle ne réussissait pas à les faire sortir. Elle joua au médecin.

– On fait des progrès à tous les jours. C'est Carpentier qui s'occupe de lui, c'est le meilleur. Et puis, parmi nous, il y aura bien un donneur.

– Tu te rends compte, je suis pas une bonne donneuse. Albert non plus. On n'est pas compatibles à cause du HLA.

– Tu sais qu'on reçoit la moitié des gènes de notre père et l'autre moitié de notre mère. À cinquante pour cent, c'est pas compatible. Les antigènes permettent au système immunitaire d'identifier les intrus et de les combattre. Notre HLA est unique. C'est bien le problème avec les greffes. Il t'a parlé du sang de cordon ombilical?

– Oui. Si ça ne marche pas avec les Gagnon ou ma sœur, on va chercher de ce côté-là.

– Les chances seront meilleures. Les cellules qu'on trouve là sont jeunes et peuvent se développer plus facilement. Et Guillaume est tout petit.

Lydia avait entendu une partie de la conversation et elle commençait à s'inquiéter. C'était sans doute sa dernière journée de fête avec ses enfants. Émilie vida son verre. Elle était contente d'avoir parlé à Béatrice. Elle chercha des yeux Albert qui était en grande conversation avec Henri, près de la porte-fenêtre. Béatrice avait suivi son regard.

– Si tu veux, je peux te reconduire à l'hôpital. Il faut que je rentre. Albert pourra te rejoindre plus tard. Ça fait longtemps que les deux frères ne se sont pas vus.

Émilie lui sourit ; sa belle-sœur lui faisait du bien. Elle accepta l'invitation. Elles saluèrent tout le monde et sortirent de l'appartement. Lydia alla sur le balcon leur envoyer la main comme si elle n'allait jamais les revoir.

Béatrice eut tout juste le temps de tendre la main que la porte s'ouvrit. Elle reconnut à peine Patrice. Il portait un jean et un t-shirt coloré. Il avait l'air encore plus jeune, loin de ses pantalons neutres et de ses chemises pastel. Une musique douce emplissait l'appartement. La lumière était tamisée. Béatrice ne put s'empêcher de sourire. Il sortait tous les clichés pour la séduire. Il n'avait pourtant pas besoin de ça.

Il referma la porte et la prit dans ses bras.

– Je viens de me raser et je te promets de ne pas trop t'embrasser.

Elle répondit en l'embrassant passionnément. Ils allèrent directement dans la chambre en abandonnant leurs vêtements en chemin. Béatrice lui murmurait qu'elle ne pouvait pas rester longtemps. Il répétait : « Je sais, je sais. » Le moment n'était pas aux mots. Ils firent l'amour comme des assoiffés tombant sur une oasis.

Essoufflés, haletants, ils s'enroulèrent dans les draps. Il l'embrassa sur l'épaule avant de reposer sa tête sur l'oreiller.

— Je suis si heureux avec toi.

Elle passa doucement la main sur son torse. Elle se demandait si six mois seraient suffisants pour qu'elle n'ait plus cet homme dans la peau. Il se tourna vers elle.

— Tu sais… je veux pas briser ton couple, ta famille. Je suis simplement heureux de t'avoir près de moi. Tu penses qu'on peut s'en sortir sans faire de mal aux autres?

Elle n'osa pas répondre à cette question. Ce serait sans doute impossible. Elle venait d'ouvrir une boîte de Pandore.

Après le départ de ses frères, Charlotte avait insisté pour tout ranger dans l'appartement de sa mère. Elle tenait à mettre Juliette dehors pour que celle-ci ait un tête-à-tête avec Michel.

— T'en as assez fait. Va relaxer. Demain, ce sera la grasse matinée. T'auras pas besoin d'aller visiter maman à l'hôpital.

Charlotte baissa le ton :

— Tu pourras récupérer d'une longue nuit.

Juliette sourit et l'embrassa.

— Qu'est-ce que je ferais sans toi ?

— Tu te rabattrais sur Béatrice et ses raisonnements logiques.

Elles aimaient toutes les deux Béatrice, mais elles avaient un peu peur de ses jugements autoritaires. Comme elle soignait les maladies mentales, leur sœur était facilement perçue comme une femme qui lisait dans le cerveau des autres… et y trouvait des problèmes, bien sûr.

Juliette embrassa sa mère et sortit avec son mari.

Le retour à la maison se fit en silence. Michel conduisait attentivement. Juliette le regardait parfois. Il n'avait pas beaucoup changé avec les années. Il avait à peine quelques cheveux gris aux tempes. Elle se demandait comment l'aborder. Tous ses gestes semblaient mécaniques. Verrouiller l'auto, débarrer la porte de la maison, enlever le système d'alarme, laisser les clés sur la tablette de l'entrée.

Michel passa au salon et alluma le téléviseur. Juliette savait qu'il passerait un moment à regarder les nouvelles du sport.

Il fouillerait un peu dans le réfrigérateur et mangerait un bol de céréales. Il remettrait ensuite le système d'alarme avant de se rendre dans leur chambre. Il ferait une toilette rapide et se glisserait sous les draps en répétant qu'il était fatigué. C'était la routine du soir qui avait son équivalent du matin, en plus précipité.

Juliette monta à leur chambre. Elle ouvrit un tiroir et en sortit une chemise de nuit fleurie rose et lilas. Elle l'enfila. Elle ne l'avait pas portée depuis un voyage à Vancouver des années plus tôt. Ses seins avaient grossi et le tissu de satin tirait sur la poitrine. Les bretelles spaghettis serraient la peau des épaules. Elle se regarda dans le miroir de la salle de bain. Elle avait l'air aussi ridicule qu'un jambon ficelé. Il valait mieux tamiser les lumières.

Elle répartit des bougies parfumées dans la chambre et les alluma. Elle se rappela soudain qu'elle était mariée à un pompier. Il avait horreur des chandelles allumées. Elle s'assit sur le bord du lit avec l'envie de pleurer. Qu'est-ce qu'elle essayait de faire au juste? Séduire son homme? Était-ce encore possible à son âge, boudinée dans du satin pastel?

Michel ferma la télévision et alla dans la cuisine. Le silence de la maison le surprit. Que faisait Juliette? Il allait ouvrir la porte du réfrigérateur quand il sentit une odeur de fumée. Il sortit de la cuisine et vit une lueur en haut de l'escalier. Il se précipita dans la chambre sans attendre, montant les marches trois à la fois.

Il trouva Juliette en train de souffler les bougies parfumées. Il resta devant la porte un moment à regarder sa femme éteindre les chandelles en reniflant. Elle en avait mis partout et elle avait cette drôle de chemise de nuit qu'il lui avait offerte lors d'un voyage. Un vêtement très joli sur un mannequin, mais qui ne lui allait pas du tout. Il sentit qu'il devrait passer beaucoup de temps à s'expliquer ou à se justifier. La jalousie, la ménopause, l'indifférence, la routine. La liste pouvait être longue. Et il n'avait pas le choix. Il avança dans la chambre. Juliette se retourna.

— Je m'excuse…

Elle alla à la salle de bain enlever sa chemise de nuit pour mettre son peignoir favori, tout blanc avec un imprimé de petites cerises rouges. Quand elle revint dans la chambre, Michel était assis sur le bord du lit et attendait, l'air penaud comme un enfant devant le bureau du directeur de l'école. Elle s'assit à ses côtés. Un filet de fumée s'échappait encore de quelques bougies. Elle rit. Michel en fit autant.

— Un pompier, c'est nul pour une soirée aux chandelles.

Il mit la main sur sa cuisse. Elle posa sa main sur la sienne.

— Est-ce qu'on s'est perdus, tous les deux?

— Je sais pas, Juliette. C'est peut-être qu'on est bien ensemble, pis on fait comme si c'était normal, une affaire de tous les jours. On se pose pas de questions. On devrait peut-être. Je suis pas sûr.

Il se pencha pour l'embrasser. Elle lui rendit son baiser. Elle réalisa que les baisers étaient la première chose qui se perdait dans un couple. Elle avait entendu dire que les prostituées n'embrassaient pas. Avec raison, c'était un geste trop intime. Surtout quand on se regardait dans les yeux.

Michel passa sa main dans le décolleté de son peignoir. Sa femme était encore belle, ses yeux étaient toujours aussi magnifiques, ses seins, plus opulents avec l'âge. Sa peau était douce et il ne l'avait pas caressée depuis longtemps. Comme tout le monde, il se fiait à son regard pour lui faire sentir une attirance, comme si les autres sens étaient inadéquats.

— J'ai compris ton message. On devrait faire l'amour plus souvent.

— J'aimerais savoir ce qui va pas. On vit côte à côte comme des gens bien élevés, sans se chicaner. On travaille trop, on est tout le temps fatigués, on pense pas à nous. C'est quoi, le problème?

— Un peu tout ça, je crois. Les enfants sont partis, ils se débrouillent tout seuls. Ce sont des adultes… Et j'ai quarante-sept ans. Je peux pas l'éviter.

— T'es encore en grande forme. Tes pectoraux sont toujours aussi séduisants.

Il sourit à sa femme qui avait posé sa main sur son torse.

— J'ai beau parader en t-shirt devant la caserne, je suis plus dans le coup. Ils vont me proposer le poste de répartiteur dans pas grand temps. Cinq jours de gym par semaine suffiront pas.

— Alors, c'est une question d'âge? Moi, j'ai pas envie de prendre ma retraite de l'amour. Le temps passe trop vite pour qu'on le regarde filer.

— Et tu veux qu'on se parle plus souvent. Les femmes veulent toujours parler.

— Parler? Non, c'est pas ça. Je veux que tu me prouves ta bonne forme physique régulièrement. Il va falloir que tu parades plus souvent, mais sans t-shirt.

Elle tira sur son chandail. Il l'enleva rapidement.

— Alors, vas-y, prends-moi.

Elle sourit et le renversa sur le lit. Il se défit de son pantalon en un tour de main et ouvrit le peignoir de Juliette.

— Tu l'auras voulu, tigresse. La nuit va être longue.

Elle rit de bon cœur, puis l'embrassa. Il ne l'avait pas appelée «tigresse» depuis des années. Mais, après dix minutes d'essais infructueux, Michel déclara forfait. Juliette eut envie de lui dire que ce n'était pas grave, mais elle se tut. Elle savait que c'était la dernière chose que son mari voulait entendre.

Michel ne comprenait pas. Il n'avait plus de désir pour sa femme. Et pour compliquer les choses, il ne pouvait envisager la vie sans elle. Il ne voulait personne d'autre à ses côtés. Il la serra dans ses bras.

— Je t'aime, je veux que tu saches que je t'aime.

Juliette le savait. Elle l'aimait aussi. Mais elle venait de réaliser que sa séduction n'opérait plus. Elle n'était plus la jolie jeune femme qui dansait nue devant son mari, elle n'était plus celle dont on lorgnait le décolleté à la moindre occasion, elle n'était plus celle dont la chute de reins faisait se retourner les têtes. Elle avait un corps mature et un désir de passion qu'il lui parut utopique de satisfaire.

Lydia était maintenant seule dans son appartement. Elle n'avait jamais remarqué auparavant le silence et la tranquillité qui régnaient chez elle. À la clinique, il y avait toujours un bruit de fond, la circulation automobile, les gens qui parlaient même doucement dans le corridor, la clochette de l'ascenseur, un téléphone au loin. Et puis la porte qui s'ouvrait régulièrement sur un de ses enfants venu la visiter. Sans oublier le parc et tous ces gens qui la distrayaient.

Lydia sortit sur son balcon. La rue était tranquille ; personne ne marchait sur le trottoir ; les autos circulaient sur de plus grandes artères. La ville était là, mais Lydia se sentait enfermée dans un écrin, comme un vieux camée que personne ne regardait plus, protégé de la poussière et des regards. Elle n'en revenait pas que la clinique lui manque, alors qu'elle avait tout fait pour en sortir.

Elle entra et referma la porte-fenêtre. Elle jeta un coup d'œil au poste de télévision. Elle n'avait pas envie de l'allumer. Elle alla à sa chambre et sortit une vieille valise du fond de la garde-robe. Elle fouilla sous les vieux vêtements. Elle retrouva les lettres qu'elle avait envoyées à son mari quand il était à Sorel et les réponses de Grégoire. Elle n'avait jamais pu les détruire. Une correspondance sage qui ne donnait aucun indice de son secret. Lydia trouva la touche brisée du petit piano d'Albert. Elle sourit. Pourquoi avait-elle gardé ce souvenir ? Il y avait aussi une feuille à l'en-tête du petit hôtel de la rue Saint-Hubert où était inscrit le numéro de Tom à Sorel. Elle la prit et la froissa. Elle fouilla plus attentivement. Si elle mourait le lendemain matin, ses enfants ne devaient rien trouver.

Elle avait déjà jeté tout ce qui pouvait ressembler à un faux ventre. Elle ne laissait aucune trace de ses grossesses. Elle regarda les vieux vêtements. Même eux devraient disparaître, elle ne les porterait jamais. Elle passa plus d'une heure à nettoyer sa garde-robe, jetant une vieille tuque de laine qui avait appartenu à Grégoire, une robe de baptême qui avait servi à trois de ses enfants, une paire de bottines qu'elle avait portées quand elle était jeune mariée. Toutes ces choses qu'on range en pensant les réutiliser un jour et qu'on oublie au fond d'un placard.

Lydia se sentit soudain prête à mourir. Sa vie avait été nettoyée. Son secret était en sécurité dans sa mémoire. Ses enfants n'avaient plus qu'une chose à faire : penser à leur avenir et à celui de leurs enfants. Elle sortit le lecteur de CD et écouta le disque compact qu'Albert lui avait offert. Elle ferma les yeux. Quel plaisir !

L'appartement en haut d'une tour de verre et de béton dominait Montréal. La nuit, avec les lumières de la ville, la vue était impressionnante ; elle donnait la sensation de planer entre ciel et terre. Le salon était à peine éclairé ; seul le clavier du piano ressortait dans toute sa blancheur grâce à une lumière halogène au plafond. Les tapis persans sur le plancher de chêne ajoutaient de la chaleur à la pièce.

Albert regardait ses doigts courir sur les touches. Il avait l'impression que ce n'était pas ses mains, mais celles d'un autre, d'un pianiste plus lent, un novice. C'était ce qu'il était redevenu, un débutant, un apprenti. La musique vibrait en lui depuis sa plus tendre enfance et il sentait que le lien s'était rompu. Il n'avait que le visage de Guillaume en tête. Ses traits se changeaient parfois en ceux d'Olivier. Les doigts d'Albert s'arrêtaient à ce moment-là, paralysés.

Albert retira ses mains du clavier et les posa sur ses cuisses. Émilie se leva du fauteuil d'où elle n'avait pas bougé depuis un moment. Elle s'approcha de son mari.

– Il faut que tu répètes demain avec l'orchestre. Tu ne peux pas les laisser tomber.

Albert haussa les épaules.

– Je vais prendre une douche et me coucher.

Il se leva et marcha vers la chambre. Émilie avait envie de le frapper.

– C'est mon fils également… et ça me fait mal à moi aussi. Mais c'est pas avec deux parents accablés qu'il va guérir. Guillaume veut que tu joues. Si la vie continue pour nous, il a des chances de continuer à vivre lui aussi.

Albert s'était arrêté. Il savait que sa femme avait raison. Il savait aussi qu'il ne pourrait jamais être au sommet de sa forme en sachant son fils condamné. Après la mort d'Olivier, il avait passé des mois loin du piano. Il ne pouvait même plus écouter de musique. Puis il avait réalisé que, sans musique, sa vie n'avait plus de sens, la douleur était encore plus vive. Il avait repris au début avec *Lettre à Élise*, la bagatelle de madame Wojas. Cela lui avait fait du bien. Il devrait le refaire. Pour se calmer et aussi pour aider Émilie qui souffrait en silence, sans musique pour la soulager. Il revint près de sa femme et la prit dans ses bras.

– Tu as raison. Notre douleur ne le guérira pas.

Elle se serra contre lui. Elle sentait que tout allait bientôt exploser, elle ne pourrait plus tenir bien longtemps. Elle avait quitté son travail administratif pour s'occuper de son fils et voilà que son mari semblait lâcher prise. Elle n'aurait pas la force de soutenir le monde entier.

Ils restèrent un moment enlacés, le temps de reprendre contenance tous les deux. Après une nuit de mauvais sommeil, ils essayèrent de commencer la journée paisiblement. Albert se préparait à partir pour la salle de concert, décidé à affronter le chef d'orchestre qui commençait à le trouver trop « diva ». Émilie terminait de se maquiller, elle se rendrait à l'hôpital où Albert la rejoindrait dans l'après-midi.

Le téléphone sonna et la douce routine se transforma. La secrétaire du docteur Carpentier leur demandait de passer à l'hôpital.

Elle ne pouvait leur en dire plus. Le médecin désirait les voir le plus tôt possible. Ils partirent tous les deux presque en état de panique. Ils coururent vers le bureau qu'ils connaissaient trop bien.

Le sourire du médecin les détendit. Celui-ci les fit asseoir.

– J'ai des bonnes et des mauvaises nouvelles. Je commence par les mauvaises, comme ça on pourra les oublier ensuite. Votre sœur n'est pas compatible, madame Gagnon. Ni aucun des frères et sœurs Gagnon. Ils ont d'ailleurs trois types de sang différents…

Albert ne tenait plus en place.

– Et la bonne ?

– On a regardé du côté de la greffe de sang de cordon. On pense avoir trouvé un donneur. Le processus est long. Vous savez qu'on va devoir détruire le système immunitaire de Guillaume pour le remplacer par du neuf. L'avantage, c'est que les cellules sont jeunes et peuvent se diversifier plus facilement. Les chances sont bonnes. Mais je refuse de vous donner des garanties. En fait, tout ce que je peux vous dire, c'est que toute mon équipe va faire le maximum.

Albert se dégonfla comme un ballon transpercé d'une aiguille. Émilie se sentit portée par une joie sans borne. Elle n'allait pas perdre son petit, elle allait le voir grandir, devenir adulte, avoir des enfants à son tour.

Le médecin les laissa un moment digérer l'information, puis il se leva. La rencontre était terminée et il avait beaucoup de travail. Une phrase chicotait Albert.

– C'est quoi, cette histoire de trois groupes sanguins ?

– Cela ne veut pas dire grand-chose. Vous êtes A positif comme votre frère. Votre sœur…

Le docteur Carpentier se pencha vers son dossier ouvert sur le bureau.

– Juliette et Charlotte sont O positif, et Béatrice est B positif.

– On n'a pas tous les mêmes gènes ?

– Non, ça veut pas dire ça. Les croisements génétiques montrent qu'on peut hériter d'un gène d'un ancêtre ou de son groupe sanguin. Vous allez m'excuser, mais j'ai beaucoup de patients à voir aujourd'hui. C'est pour ça que je voulais vous voir ce matin. J'aurais pas eu le temps de vous annoncer la bonne nouvelle avant la fin de la journée.

Henri passait parfois plus de temps à l'étranger qu'à Montréal. Il profitait rarement de la superbe vue de son grand bureau. Et il occupait trop souvent à son goût la salle de conférences. Il avait l'impression d'être devenu comptable et avocat à lire et relire des piles de contrats. L'ingénieur en lui s'ennuyait parfois de son jeu de mécano. Mais il était toujours aussi fier quand il visitait les réalisations de sa firme à l'étranger. Il savait qu'il participait à ces grands projets qui changeaient peu à peu la face du monde. C'était le plus grand plaisir du déplacement.

Il regarda l'heure. Il avait une dernière réunion dans dix minutes et il rentrait ensuite chez lui préparer sa valise. Il prenait l'avion la nuit suivante. On frappa légèrement à la porte entrouverte. Henri leva la tête. Michelle poussa le battant et entra avec un document à la main.

— Bernard veut que tu le lises avant la réunion.

— J'ai dix minutes ?

Elle esquissa un sourire. Cet homme lui plaisait et elle cherchait encore à savoir pourquoi. Il avait quinze ans de plus qu'elle, une attitude d'adolescent devant toute responsabilité, mais il aimait les femmes et ça paraissait au lit. Elle avait eu l'impression d'être une déesse. Du moins, pour un moment.

— Il n'y a que trois pages. Tu devrais y arriver.

Michelle s'avança et déposa le document sur son bureau. Henri ne la quittait pas des yeux.

— Un dernier verre, ce soir, avant mon départ ? On peut faire ça à l'aéroport si tu as peur de moi.

Elle sourit encore.

— Merci pour l'ambiance. Surtout la nuit. Ça me déprime de voir tous ces gens avec des valises à roulettes…

— Et ce midi ? Bernard te donne le droit de manger ? Je peux cuisiner, tu sais ?

Elle avait envie de rire. Il ne lâchait donc jamais prise. Elle poussa le document vers lui.

— Je suppose que ton frigo est plein à quelques heures du départ. Désolée, mais les petites vites entre deux voyages, ça me dit rien. Je pensais te l'avoir dit l'autre soir.

— Tu as parlé d'enfant. C'est pas ce que j'avais en tête.

Michelle lui offrit son plus beau sourire.

— Tu vas être en retard à ta réunion.

Et elle tourna les talons. Il la regarda sortir. Elle avait une croupe d'enfer. Si seulement elle oubliait cette obsession d'avoir un enfant qu'avaient beaucoup de femmes dans la trentaine… Elle ferait une compagne magnifique. Elle n'était pas un trophée, mais une femme intelligente et raffinée. Henri ouvrit à contre-cœur le document. Il dut faire un effort pour se concentrer sur les mots et les chiffres.

Béatrice était assise à son bureau. Ses yeux papillonnaient sur le dossier ouvert devant elle. Elle avait de la difficulté à se concentrer. L'appel de Patrice l'avait troublée au plus haut point.

Elle n'était pas rentrée très tard la veille, mais Alain n'était pas de bonne humeur pour autant. Elle avait parlé de ses frères et sœurs pour meubler le silence de son mari. Il lui avait demandé si ses lèvres cicatrisaient bien.

— Elles sont guéries. Tu vois, rien de grave.

Alain aurait aimé se persuader que ce n'était qu'une réaction allergique. Il s'était approché de sa femme, assise sur le canapé. Béatrice avait eu un frisson. Elle venait de faire l'amour avec Patrice et elle n'avait pas envie qu'Alain la touche. Elle avait encore l'impression d'avoir l'odeur de son amant sur la peau et elle voulait conserver cette sensation. Elle s'était levée doucement pour ne pas offusquer son mari.

— Je suis crevée et j'ai bu trop de mousseux. Excuse-moi.

Alain l'avait regardée aller vers leur chambre. Il avait eu envie de la rejoindre tout de suite et de la coucher sur le lit, jambes écartées. Il avait revu en un éclair Maureen monter sur lui et s'asseoir sur son sexe. Il avait soupiré. Il en voulait à Béatrice de ce qu'il avait fait lui-même. C'était honteux de sa part. Il n'était pas un homme comme ça. Il aimait sa femme. Elle était toute sa vie. Il n'allait pas la perdre en devenant un mari tyrannique. Quand il s'était glissé sous les draps, Béatrice faisait semblant de dormir. Il voyait bien qu'elle n'avait pas envie d'un affrontement ce soir.

— Va falloir qu'on se parle, Béa. J'ai réservé la gardienne pour demain soir. On va souper au restaurant et on va faire le point. Je t'aime, mon amour.

Béatrice n'avait pas eu le courage de parler. Elle s'était tournée sur le côté. Elle savait qu'elle n'échapperait pas au souper dans un restaurant haut de gamme, c'était là que les conversations étaient les plus feutrées.

Et elle fixait maintenant un dossier sans pouvoir lire ce qui y était écrit. Patrice l'avait appelée dans la matinée. Il était joyeux et voulait savoir si elle avait eu des ennuis. Elle lui avait parlé du tête-à-tête au restaurant.

— Je pense que ce sera difficile, à l'avenir, de se voir le soir. Le mieux serait de ne pas se revoir.

— Tu nous pénalises tous les deux pour la tranquillité d'esprit d'Alain… Il t'a trompée en premier.

— Ne joue pas ce jeu-là, Patrice. Ce n'est pas une vengeance de gamins. Je ne suis pas libre, tu le sais.

— Alors, si on peut pas se voir le soir, on peut faire autrement.

Béatrice avait attendu la suite, l'oreille collée au téléphone. Patrice cherchait une solution. Ils étaient tous les deux occupés pendant la journée et ils ne pouvaient pas remettre des patients parce qu'ils avaient envie de se voir. Ils n'avaient qu'une petite heure pour dîner… Mais oui.

– J'ai trouvé. Tu connais Le Petit Diable ? C'est un resto à quelques rues de l'hôpital. Il y a un petit hôtel de quelques chambres en haut. Je peux y réserver une chambre. On se voit là à midi. Je te rappelle pour te donner le numéro. À plus tard.

Et il avait raccroché, la laissant stupéfaite. Elle avait vu mille fois ce restaurant, elle y avait même mangé et elle n'avait jamais remarqué qu'il y avait des chambres au-dessus. Mais comment Patrice les connaissait-il ?

Béatrice n'eut pas le temps de lui poser la question quand il rappela. Il lui donna le numéro de la chambre et lui dit d'aller vers les toilettes, au fond du resto. Un escalier discret montait à l'étage. Il l'attendrait. Il avait déjà raccroché quand elle avait ouvert la bouche pour parler. Ce rendez-vous soudain l'excitait.

Et le document qu'elle avait sous les yeux l'ennuyait. C'était surtout le langage alambiqué des fonctionnaires qui commençait à l'exaspérer. Les médecins étaient devenus des générateurs de coûts ; les patients, des clients ; et les administrateurs vociféraient comme des gérants d'estrade en essayant de sauver leurs emplois qui se dédoublaient. La meilleure façon de tuer la médecine était de la noyer sous la paperasse. Et ça fonctionnait. Béatrice passait de plus en plus de temps à lire et à signer des rapports plutôt qu'à écouter ses jeunes malades. Elle regarda l'heure. Un dernier patient – elle refusait d'utiliser le mot « client », elle ne vendait pas de souliers – et elle aurait sa pause repas.

Émilie regardait Guillaume, encore plus pâle qu'avant. Il soulevait parfois les paupières un court instant, puis les refermait. Elle souriait en permanence sous son masque. Elle voulait être certaine que son fils la verrait enjouée au moins une fraction de seconde. Elle ne réalisait pas que son regard était triste et que les pommettes rebondies au-dessus du masque ne reflétaient aucune joie.

Elle savait que le pire était encore à venir. La chimiothérapie avait entrepris sa lente destruction. Les nausées allaient commencer, les ulcérations à la bouche, la perte de cheveux, la chambre stérile… Émilie avait beau savoir que tout ça était temporaire, elle en souffrait quand même. Elle se demandait jusqu'à quel point son fils comprenait ce qui se passait.

Une infirmière portant aussi un masque lui mit doucement la main sur l'épaule.

– Allez manger quelque chose. Ça sert à rien de rester ici aussi longtemps. On s'occupe de lui.

Émilie acquiesça machinalement. Elle se leva, sortit de la chambre, laissa le masque, la blouse et les chaussons dans un sac et alla vers l'ascenseur. Elle sortit de l'hôpital et songea qu'elle n'avait pas envie d'aller manger au restaurant. Elle serait plus à l'aise chez elle. Elle ne voulait pas traîner sa tristesse devant les autres. Elle fit demi-tour et vit Béatrice qui sortait précipitamment de l'hôpital. Elle lui envoya la main. Béatrice n'avait pas d'autre choix que de la saluer.

– Tu m'excuseras, je n'ai pas beaucoup de temps pour manger. Je ne suis plus capable de supporter la cafétéria de l'hôpital. Ça va?

– Ça va. Je veux pas te retarder. Guillaume va recevoir une greffe de cordon. Aucun des Gagnon n'était compatible, même avec trois groupes sanguins différents.

Béatrice avait peur que sa belle-sœur ne s'invite à manger avec elle. Elle l'embrassa sur les joues.

– Il faut que je file. La greffe de cordon est ce qu'il y a de mieux. Il va s'en sortir, j'en suis sûre.

Elle ne vit que la tête d'Émilie acquiescer. Elle traversa la rue en courant alors que le feu de circulation virait au jaune. Elle marchait d'un pas vif et essayait de calmer les battements de son cœur. Elle commettait toutes les erreurs qui provoquaient les divorces. Tromper son mari en plein jour, en toute connaissance de cause. Elle ne pouvait pas prétexter avoir été soûle dans un congrès. Jouer avec le feu et penser s'en sortir était une pure illusion. Elle voulait à tout prix mettre son cerveau sur pause. Elle repensa à Émilie. Elle avait un témoin en plus. Quelle malchance!

Béatrice arrivait devant Le Petit Diable quand elle entendit les paroles de sa belle-sœur sur les Gagnon et leurs trois groupes sanguins différents. Trois! Elle s'arrêta net. Elle était elle-même B positif, alors que Lydia et Grégoire étaient O positif. C'était possible, mais un troisième groupe… c'était curieux. Elle devrait tirer ça au clair. Mais ce n'était pas le moment.

Elle regarda les gens assis à la terrasse. Elle ne connaissait personne. Elle entra rapidement dans le restaurant et se dirigea vers le fond, comme une habituée. Elle n'osa pas se regarder dans le miroir au-dessus des banquettes. Elle devait avoir le visage rouge et le regard coupable. Tant pis. Elle trouva facilement l'escalier et monta à l'étage. Six portes de bois sombre donnaient sur un étroit corridor. Béatrice allait frapper au numéro 5, mais elle arrêta son geste. Elle tourna plutôt la poignée et ouvrit la porte doucement.

Patrice était assis sur le lit. Il se leva aussitôt et la prit dans ses bras. La chambre était minuscule. Un lit double, une petite commode où était posé un plateau de nourriture, une chaise près de la fenêtre et une porte menant à une salle de bain minimaliste. Patrice referma la porte et tira Béatrice vers le lit. Ils se déshabillèrent en un temps record, en se regardant dans les yeux et en s'embrassant. Moins de vingt-quatre heures d'absence et ils avaient l'impression de se retrouver après des mois de séparation. Ils finirent enlacés et souriants. Les paroles avaient été superflues depuis le début.

Patrice tendit le bras vers le plateau sur la commode et attrapa un morceau de sandwich qu'il donna à Béatrice. Elle le prit et mordit dedans, réalisant qu'elle était affamée. Ils s'assirent tous les deux sur le lit et mangèrent en riant. Un pique-nique sur les draps. Béatrice n'aurait jamais cru vivre ça un jour. Cette forme de folie passagère, non, pas une folie, une fantaisie, un accroc à la rigide bonne conduite. Un plaisir qu'on qualifiait à tort de coupable. Pourquoi être coupable d'être heureux? Elle se pencha pour embrasser Patrice sur l'épaule.

— Et comment tu connais cet hôtel si discret?

— Tu veux vraiment tout savoir?

Le ton était léger et enjoué. Béatrice fit signe que oui. Patrice prit une gorgée de jus et sourit de plus belle.

— C'est parce que j'étais bon en chimie.

Il regarda les yeux de Béatrice s'arrondir. Il était content de son effet.

— Tu te souviens de madame... Elle avait un nom imprononçable, deux voyelles noyées dans une série de consonnes. On l'appelait Atchoum. Elle a remplacé le vieux Guérin pendant deux ans. Elle donnait des cours de chimie.

— Oui, je me souviens. Une femme assez ordinaire, un peu moche, même. Bonne prof, mais quel ennui!

— C'est l'image qu'elle donnait. Elle portait des vêtements trop grands et toujours dans des teintes neutres. J'ai longtemps eu l'impression qu'elle voulait se fondre aux murs de la faculté.

Mais c'était pas le cas. Elle avait un corps d'enfer avec ses dessous en dentelle noire.

— Quoi? T'as baisé avec cette vieille femme?

— Elle avait à peine quarante ans. On a cet âge-là nous deux et je considère pas qu'on est si vieux. En tout cas, je trouve ton corps de vieille femme fort séduisant.

Béatrice avait de la difficulté à le croire.

— Et comment es-tu arrivé à voir ses dessous en dentelle?

— Très simple. Premièrement, c'était elle qui choisissait. Pas question de l'aborder, sinon elle te passait un savon. Elle aimait ceux qui avaient de bonnes notes en chimie. Du moins, c'est ce que les heureux élus racontaient. Je sais pas qui a été le premier à accepter d'aller au Petit Diable avec elle. Il devait être en manque ou en dépression. Mais il en est revenu enchanté et le mot a circulé. Tu n'as jamais remarqué tous les efforts que faisaient les gars dans les cours de chimie? On se battait pour être premier. Et quand elle nous invitait au restaurant, on la suivait au fond de la salle et on montait l'escalier. Elle ouvrait la porte et enlevait tout de suite ses vêtements. Moi, je suis resté paralysé quand je l'ai vue avec son porte-jarretelles et sa guêpière noire. J'aurais jamais pu imaginer un tel corps sous les couches de tissu qu'elle portait. Je pense que c'est ce qu'elle aimait le plus. La surprise sur nos visages de novices.

— Et la surprise passée, elle devait apprécier ces jeunes corps vigoureux de vingt ans de moins qu'elle. Vingt ans! Tu te rends compte? C'est comme si j'avais une liaison avec un garçon de l'âge de Vincent, le fils de Juliette. Je serais une belle salope.

Patrice se pencha et l'embrassa.

— Mais tu es une très belle salope.

Il tira les draps et colla son corps au sien. Elle rit.

— Encore?! Mais tu es gourmand!

— J'ai trop attendu.

Ils avaient l'impression d'être des enfants faisant l'école buissonnière. Et ils avaient bien l'intention de recommencer chaque semaine. Mais le temps les rattrapa. Ils seraient en retard au travail. Ils se rhabillèrent après une toilette rapide à la salle de bain. Avant de partir, Béatrice demanda à Patrice un échantillon de sang de sa mère.

— Je peux pas faire ça. Pourquoi tu veux ça?

— J'ai appris que nous avons trois groupes sanguins différents dans la famille.

— Et alors? C'est rare, mais c'est possible. De toute façon, les échantillons sont détruits après analyse, tu le sais.

— Il reste les tests d'ADN.

— Que veux-tu savoir exactement? Tu ne trouves pas que ta vie est assez compliquée comme ça?

Elle lui sourit. Il avait raison. Un mari qui voulait la reconquérir, un amant qui voulait la garder, des enfants qui avaient besoin d'elle. C'était bien suffisant. Elle sortit la première. Il suivit quelques minutes plus tard. Ils essayaient de passer inaperçus. Les habitués feignaient de ne pas les voir. Les autres mangeaient avec insouciance en regardant les passants se presser dans la rue.

C'était la première fois que Béatrice avait du mal à être entièrement présente. Elle faisait passer des tests à un petit garçon de quatre ans que la travailleuse sociale soupçonnait d'avoir été abusé. L'enfant était réservé, craintif. Il avait visiblement peur de donner une mauvaise réponse. Béatrice savait comment aller chercher ces enfants, comment les mettre en confiance. Mais aujourd'hui, même en souriant, elle y arrivait difficilement.

Elle repensait aux mots de Patrice. Qu'est-ce que ça lui donnerait, de savoir qu'un de ses frères ou sœurs avait été adopté? Rien, sinon de confondre sa mère avec un immense mensonge. Et alors? Si Lydia et Grégoire n'avaient rien dit, c'était sans doute pour les protéger. Mais de quoi? D'un parent dangereux comme celui de ce gamin qui la regardait avec des yeux affolés?

Avant de rentrer se changer pour le souper en tête à tête avec Alain, Béatrice téléphona à Charlotte pour lui demander ce qu'elle avait de prévu pour la soirée.

— Rien de spécial. Je pensais aller voir maman.

— Tu peux être chez toi vers neuf heures?

— Oui, bien sûr. Pourquoi?

Le plan de Béatrice commençait à prendre forme.

— Je vais passer te voir. Henri part cette nuit. J'ai envie qu'on se voie tous avant son départ.

— On s'est vus hier. Qu'est-ce qui se passe?

— Je suis pas certaine. Rien d'important sans doute. Tu seras là? Je peux pas faire ça chez moi avec les enfants.

– Tu m'inquiètes, Béatrice. Il est arrivé quelque chose de grave ?

– Non. J'ai croisé Émilie et on va fêter un nouvel espoir pour Guillaume.

Charlotte n'avait jamais entendu sa sœur parler de manière aussi décousue. Ce devait être important.

– Je serai à la maison. Je vais vous attendre.

Béatrice raccrocha après l'avoir remerciée. Elle laissa un message sur le répondeur de Juliette. Émilie et Albert étaient sans doute à l'hôpital, mais elle ne se sentait pas la force d'aller leur parler. Elle laissa un message chez eux, en espérant qu'ils l'écouteraient avant neuf heures. Henri terminait de boucler ses valises quand sa sœur appela. Il avait prévu prendre un verre dans un de ses bars favoris avant de se rendre à l'aéroport. Cette invitation ne l'emballait pas, mais il l'accepta en se disant qu'il s'en irait de toute façon avant minuit. Le ton de conspiratrice de Béatrice l'amusait.

Béatrice se demandait pourquoi elle s'acharnait autant sur cette histoire. Pour fuir Alain en se donnant plus de travail ? Ou pour fuir Patrice et un amour qui se développait chaque jour au lieu de s'éteindre ? Non, elle refusait de croire qu'elle fuyait. Au contraire, elle avait l'impression de foncer, de prendre le destin à bras le corps. Après tout, elle était la seule de la famille à avoir le groupe sanguin B positif.

Les enfants l'accueillirent avec joie. Ils étaient contents d'avoir la jeune voisine comme gardienne un soir de semaine. Brigitte n'était pas disponible et ils pensaient ainsi éviter les devoirs. Béatrice les déçut en les installant à la table de la cuisine pendant qu'elle faisait réchauffer un repas surgelé. Alain entra. Elle lui demanda de s'occuper des enfants pendant qu'elle se changeait. Elle ressemblait à une abeille dans un champ de fleurs printanières.

Les enfants terminèrent leurs devoirs, mangèrent, puis s'installèrent devant un film d'animation qu'Alain avait mis dans le magnétoscope. L'emploi du temps semblait minuté. Béatrice revint au salon dans une petite robe marine et blanche. Alain alla lui aussi se préparer. À son retour, Béatrice le regarda. Le changement n'était pas très visible, sauf pour le choix de couleur de la chemise et de la cravate. Elle chassa l'image de Patrice en jean, l'air décontracté.

La salle à manger était décorée délicatement, couleurs pâles et chaudes, moquette étouffant les bruits de pas, éclairage discret estompant les effets de l'âge chez les clients, serveurs qui semblaient flotter au-dessus du sol, ombres silencieuses et efficaces. Béatrice étouffait déjà et elle venait à peine de recevoir le menu. Elle ne put s'empêcher de regarder l'heure à sa montre. Elle décida de sauter l'apéritif et de commander tout de suite. Alain s'attendait à une longue soirée au restaurant et il avait l'impression d'avoir droit à « on mange et on sort ». Le serveur parti, ils se regardèrent un moment. Avaient-ils tant de choses à se dire? Alain se décida à briser la glace.

— Je te trouve très belle ce soir.

— Seulement ce soir?

Béatrice se mordit les lèvres. Elle se montrait désagréable inutilement. Le repas serait pénible si elle continuait.

— Excuse-moi. J'ai eu une grosse journée. Écoute, ça ne m'intéresse pas de parler de Toronto. Tu as couché avec une autre, c'était prévisible. On s'est perdus de vue, je comprends que tu cherchais ce que tu trouves plus avec moi. Je veux juste savoir si tu es amoureux d'elle.

— Bien sûr que non. J'ai toujours été amoureux de toi, depuis la première fois que je t'ai vue avec ta pile de livres. J'aurais voulu être Superman pour te soulever dans mes bras.

Béatrice ne se souvenait pas d'avoir vu Alain alors qu'elle portait des livres. Elle se rappelait l'avoir rencontré à la cafétéria où il lui avait parlé pour la première fois. Rien de mémorable. Mais peu importait. Il n'était pas amoureux d'une autre. Elle espérait seulement qu'il ne lui poserait jamais cette question. Elle mentirait, peu importe la réponse qu'elle donnerait. Sa liaison avec Patrice était toute récente. Mais était-elle vraiment amoureuse? Elle réalisa qu'elle tortillait sa serviette de table. Le serveur arriva avec l'entrée. Elle lui en fut reconnaissante.

Ils mangèrent en faisant l'éloge des différents mets. Alain observait de plus en plus Béatrice. Elle se sentit mal à l'aise. Il posa sa main sur la sienne.

— Il y a quelque chose qui ne va pas ? Tu peux m'en parler, tu le sais.

Elle essaya de lui sourire. Non, elle ne pouvait pas lui parler de la femme hypocrite qu'elle était devenue pour quelques moments de bonheur magnifique. Elle ne pouvait pas lui parler de la complicité profonde qu'elle vivait et qui ne cessait de l'étonner. Elle ne pouvait pas lui parler de son ancien rival qui commençait à gagner du terrain dans ses émotions et dans sa vie… Mais elle pouvait lui parler de son rendez-vous chez Charlotte.

— Je pense que ma mère et mon père ne sont pas mes parents.

Alain faillit s'étouffer.

— Qu'est-ce que tu racontes ?

— Je suis B positif et ils sont O positif.

— Tu sais ça depuis longtemps et tu sais aussi que ça ne veut rien dire.

— Je sais, mais il y a un troisième groupe sanguin dans la famille. Émilie me l'a dit. Guillaume va recevoir une greffe de sang de cordon. Aucun des Gagnon n'est compatible.

— C'est normal. La compatibilité se fait plus souvent entre frère et sœur. Oncle et neveu, ça prend de la chance.

— Il y a quelque chose qui cloche. J'ai déjà demandé à maman, elle m'a assurée que Grégoire était notre père. Mais je n'arrive pas à y croire. On a été adoptés. C'est la seule explication.

— Et alors ? Tu veux passer à la télévision pour des retrouvailles ?

— Surtout pas. Aller pleurer en criant « maman » à une inconnue, pas question. Mais on a tous le droit de savoir.

— Et tu penses que savoir te rendra plus heureuse ? Tu aimeras plus les enfants, tu m'aimeras davantage ?

Béatrice joua dans son assiette. Une aussi bonne nourriture ruinée par une obsession, quel gaspillage !

— Je ne sais pas si savoir m'aidera, mais ne pas savoir me frustre.

Elle n'aurait su expliquer pourquoi elle voulait soudain connaître la vérité alors qu'elle commençait à tisser sa propre vie de mensonges.

— Je vais en parler avec les autres. Charlotte nous attend vers neuf heures.

Alain comprit qu'il n'aurait pas de souper romantique. Il n'attendit pas le serveur et remplit son verre de vin. Il lui restait au moins ça. Elle ne lui avait pas dit qu'elle l'aimerait davantage. Il n'avait pas osé demander si elle l'aimait tout court.

Charlotte avait décidé de souper avec sa mère. Elle ne voulait pas rester seule chez elle à attendre Béatrice. Le ton de la voix de sa sœur ne l'avait pas rassurée. Lydia allait s'inviter chez Juliette quand Charlotte avait téléphoné. Un souper avec sa fille, quelle bonne idée! Celle-ci avait apporté un plat de riz et de crevettes qu'aimait beaucoup Lydia. Elles mangèrent ensemble et parlèrent de tout et de rien.

Charlotte était contente de ne pas manger seule dans l'appartement en chantier. Elle avait repeint sa chambre tout en blanc et avait mis de nouveaux rideaux vaporeux. Elle avait déplacé les meubles dans les chambres des enfants, et les murs étaient prêts à être repeints. Elle avait choisi de jolies teintes de fuchsia pour la chambre d'Audrey et du bleu et du vert pomme pour celle de David. Elle voulait que tout soit fait pour leur retour dans une semaine. Il ne lui restait qu'à choisir une couleur pour la petite chambre d'amis.

– Tu sais quoi, maman ? Tu devrais habiter notre appartement quand on repartira en mission. Ce n'est pas loin de chez Juliette et il y a plein de terrasses, de cafés. Un nouveau fruitier vient d'ouvrir. Et tu connais les bons pains que fait notre boulanger. Ça va te distraire. Ici, c'est si tranquille.

Lydia avait écouté avec attention. Le quartier de Charlotte était bien, les jeunes gens en avaient repris possession et il était agréable de s'y promener.

– À mon âge, la tranquillité, c'est important. Je veux pouvoir sortir sans risquer de me faire attaquer.

– Mon quartier est tranquille de ce côté-là. Tu préfères vivre entourée de vieux?

– Les vieux sont ennuyants, mais au moins ils font pas de gros partys le soir.

Lydia rit et Charlotte en fit autant.

– Alors, les voisins ont dû te chicaner hier soir.

– La vieille d'en face m'a dit que j'avais des enfants tannants. Elle peut bien parler, les siens la voient au jour de l'An, et encore. Ils sont dans le Sud et lui souhaitent une bonne année en mars. Ça, c'est quand même un peu trop tranquille à mon goût.

– Ça te ferait du bien de changer de place.

– Non, j'aime ça, être dans mes affaires. T'as un grand appartement, mais c'est chez vous. Quand vous revenez, vous avez pas envie d'avoir mémère dans les jambes. Pis les enfants ont besoin de place pour eux, c'est normal.

– Et si je te trouvais un petit appartement pas loin de chez moi ou de chez Juliette?

– Peut-être. Comme ça, vous aurez pas besoin de vous inquiéter de savoir si j'oublie un chaudron sur le poêle.

Charlotte ne savait quoi ajouter. Ses sœurs lui avaient relaté l'incident avec inquiétude. Elle avait même décidé d'avancer de quelques jours son retour du Honduras pour voir sa mère. Mais devant le sourire en coin de Lydia, Charlotte préféra sortir le sorbet au citron qu'elle avait apporté. Elles le mangèrent sur le balcon en regardant le soleil décliner.

Charlotte allait laver la vaisselle quand Lydia l'arrêta.

– Laisse faire ça. Ça va m'occuper. Sors plutôt le sac de vidanges en partant.

Charlotte embrassa sa mère et prit le sac. Arrivée au rez-de-chaussée, elle se dirigea vers le grand conteneur, près du garage. L'agrafe se défit et le sac se renversa. Charlotte en ramassa le contenu et constata qu'il s'agissait de vêtements usagés.

Habituée à récupérer et à réutiliser le plus de choses possible dans les pays pauvres, elle se dit qu'elle ferait le tri. Certains vêtements pouvaient peut-être encore servir. Elle mit le sac dans le coffre de sa voiture et rentra chez elle.

Juliette l'attendait devant sa porte.

– Il n'est pas neuf heures. Tu es en avance.

– J'ai pas aimé le message de Béatrice. On aurait dit un robot qui parlait. Elle veut que tous les Gagnon soient là. On s'est vus hier. Qu'est-ce qui s'est donc passé?

– Je ne le sais pas plus que toi.

Charlotte ouvrit la porte et laissa le sac de plastique près de l'entrée. Juliette le regarda et ferma la porte.

– Tu traînes tes poubelles maintenant?

– C'est à maman. Elle a jeté son vieux linge. Je me suis dit que certaines choses pouvaient aller à la récupération.

Juliette ouvrit le sac. Elle y trouva de vieilles robes usées tout juste bonnes à servir de guenilles. Quelques paires de souliers inutilisables.

– Elle a eu raison de jeter tout ça. Je vois pas à quoi ça peut servir. Ah, tiens!

Juliette sortit la tuque de laine de Grégoire. Elle la porta à son nez et eut envie de pleurer.

– Je l'ai vu tellement souvent avec ça sur la tête.

Charlotte la regarda aussi. La vieille tuque rouge et blanche. Grégoire avait encore plus l'air d'un géant quand il la portait. Elles se turent un moment. Un coup à la porte les fit sursauter. Juliette déposa la tuque sur le sac et Charlotte ouvrit à Béatrice et à Alain. Charlotte fut surprise de voir Alain. Ce dernier la rassura tout de suite:

– Je suis juste venu te saluer, Charlotte. On s'est pas vus depuis ton retour.

Il l'embrassa et embrassa aussi Juliette. Puis il mit la main sur la taille de Béatrice, s'approcha d'elle et posa tendrement ses lèvres sur les siennes. Il referma ensuite la porte derrière lui. Charlotte et Juliette regardèrent leur sœur avec un sourire qui disait : « Raconte ! Qu'est-ce qui se passe ? » Mais Béatrice entra au salon sans attendre.

Charlotte sortit une bouteille de vin blanc du frigo, Juliette prit les verres et elles s'installèrent au salon devant leur sœur cadette qui semblait déjà regretter d'avoir réuni tout le monde. Charlotte tendit un verre à Béatrice avant de s'asseoir.

— Qu'est-ce qu'il y a de si important tout à coup ? Alain avait une face d'enterrement. Tu l'as mis à la porte ?

— Pourquoi tu dis ça ?

Charlotte avait rarement vu Béatrice sur la défensive.

— Parce que tu veux nous voir d'urgence et que ton mari n'a pas l'air dans son assiette. Vous allez vous quitter ?

— Non, pas du tout. Je lui ai dit ce que j'avais appris.

Juliette la fixait.

— Et ça nous concerne ?

— Oui. Je ne suis pas votre sœur biologique.

Juliette se mit à rire.

— Et tu viens de découvrir ça ?

— Aucun Gagnon n'est compatible avec Guillaume. Il y a trois groupes sanguins différents dans la famille. Je suis la seule B positif.

Béatrice avait lancé ces mots comme une tirade. « Je suis la seule B positif. » Alors qu'elle avait envie de crier : « Je suis la seule vraie salope, j'ai un amant. » Juliette but une gorgée de vin.

— Ma pauvre Béa. Qu'est-ce que ça peut bien faire ? Tu penses que j'ai cru longtemps que j'avais les yeux de l'ancêtre irlandaise ? Pourtant, je suis du même groupe sanguin que maman et papa. Ça sert à quoi, de remuer le passé ? Je préfère profiter de la présence de maman pendant qu'elle est encore en santé. Même si elle m'a volée au bonhomme Sept Heures, Lydia reste ma mère. Et j'en veux pas d'autre.

Charlotte approuva de la tête.

— Et moi, Béa, tu m'as regardée ? J'ai pas besoin de test pour savoir que j'ai été adoptée. Tout mon physique le prouve. Personne ne doute que je suis Indienne quand je vais au Honduras. Ils sont juste surpris que je parle espagnol avec un accent. Et tout à coup, ils m'admirent. J'ai grandi comme une *gringa*, riche et instruite. Pourtant, je suis O positif comme Lydia et comme plus de la moitié de la population.

Béatrice comprenait maintenant le baiser d'Alain. Il savait qu'elle allait se ridiculiser avec cette histoire de sang et il lui disait qu'il l'aimait quand même.

– Alors, où sont les papiers d'adoption? On a tous vu nos certificats de naissance quand on a demandé un passeport.

Juliette rectifia:

– Des certificats de baptême. Mais on parlait de père inconnu pour un enfant adopté.

Béatrice n'arrivait pas à abandonner.

– Avec Lydia, c'était peut-être pas «père inconnu». Elle serait pas la première qui, face à un mari stérile, saute la clôture pour avoir un enfant. Quand je lui ai demandé si elle avait trompé papa, elle m'a juré que non, presque fâchée.

Charlotte remplit les verres de nouveau.

– Et elle avait raison. À remuer la merde, ça pue partout. Laisse tomber, Béatrice. Qu'est-ce que tu ferais d'un deuxième père?

– Ça ne vous dérange pas, tous ces mensonges pendant toutes ces années?

La sonnette de la porte retentit comme un gong annonçant la fin d'un round.

Albert et Henri entrèrent en même temps. Ils sentirent la lourdeur de l'atmosphère aussitôt. Ils passèrent au salon sans dire un mot. Juliette et Béatrice étaient assises bien droites dans des fauteuils. Henri prit le verre de vin que lui tendait Charlotte.

– Quelqu'un est mort?

Sa question resta sans réponse. Il regarda Albert, cherchant une complicité. Ce dernier prit une gorgée de vin et fixa Béatrice.

– Je suis fatigué, j'ai une répétition demain matin et ma femme est au bord de l'épuisement. Si c'est pour m'annoncer la fin du monde, j'aimerais que tu fasses vite.

– Je pense que j'ai été adoptée et j'aimerais que tu me fournisses une prise de sang pour des tests d'ADN.

Le silence retomba. Charlotte et Juliette pensaient l'avoir raisonnée. Des tests d'ADN? Elle n'avait jamais parlé de ça avant. Albert reposa son verre.

– Va voir Carpentier, il a tout ça.

– Il ne voudra jamais… l'éthique médicale.

Henri prit une autre gorgée de vin et regarda Béatrice.

– Ça donnerait quoi, de savoir que l'un de nous a été adopté? On est tous une même famille. On a grandi ensemble, nos parents nous aimaient. Je ne comprends pas ce que tu veux, Béa?

Béatrice déposa son verre vide sur la table basse.

– Henri, c'est toi le plus vieux. Tu te rappelles la naissance de chacun?

– C'est si important pour toi?

– Oui. Raconte. Je ferai pas de test, je veux juste savoir comment on s'est ramassés tous ensemble.

Henri n'avait pas tellement envie de répondre à un questionnaire, mais sa sœur était si tendue qu'il décida de fouiller sa mémoire.

– Juliette est apparue quand j'avais un peu plus de deux ans. J'ai pas de souvenirs précis. On habitait une vieille maison au fond d'un rang. Il y avait un potager, la forêt pas très loin…

Il se tut un moment et tout le monde le regarda, silencieux, attendant la suite.

– Je me souviens pas vraiment… papa était inquiet. Oui… c'est ça. Il cherchait maman. Je pleurais et il était vraiment anxieux. Puis on l'a vue sortir de la forêt avec un paquet. Oui, c'est ça. Juliette, tu es venue au monde dans le bois.

Juliette se mit à rire.

– Dis-moi pas que je ressemble vraiment à l'arrière-grand-mère irlandaise! Tu vois, Béatrice, Lydia est ta mère aussi. Pour le père, ça m'étonnerait que papa l'ait laissée sauter la clôture cinq fois.

L'atmosphère se détendit. Albert regarda son frère qui avait éveillé sa curiosité.

– Et moi, je suis sorti du bois aussi?

– Non, t'es arrivé en auto de Montréal. Moi aussi, remarque. Je suis né à Montréal et maman a pris l'autobus jusqu'en Mauricie pour que je sois baptisé au village. Mais, ça, c'est pas des souvenirs. C'est elle qui me l'a raconté.

– Pourquoi maman a accouché à Montréal? demanda Béatrice.

– Je ne sais pas. Je sais que, pour Albert, elle est partie avec oncle Thomas et elle est revenue le lendemain avec lui et tante Hélène. Je me souviens de l'avoir vue de la fenêtre de l'appartement de Sorel. Madame Guévremont attendait, inquiète. Maman n'avait pas donné de nouvelles de la nuit. Papa lui avait parlé au matin et il était parti travailler fâché. Mais quand il était revenu et qu'il avait vu le beau petit Albert, il avait tout oublié.

Juliette sourit.

– J'avais quoi… pas deux ans ? Je me souviens pas de grand-chose. Mais j'ai dû vouloir jouer à la poupée avec toi.

Henri acquiesça.

– J'ai pas besoin de vous dire que maman n'a pas voulu.

L'atmosphère s'allégeait. Même Béatrice réussit à sourire.

– C'était qui, tante Hélène ? Je ne me souviens pas d'elle.

– C'était la voisine. Je m'en rappelle. Elle avait une voix magnifique. C'était une chanteuse. D'ailleurs, elle était partie à Montréal et maman l'avait rejointe…

Le silence se fit. Béatrice cherchait à comprendre.

– Tu veux dire que maman, enceinte, part rejoindre tante Hélène et revient le lendemain avec Albert.

Henri acquiesça. Juliette se leva et se dirigea vers le téléphone.

– Je dois avoir une photo d'elle. L'année dernière, j'ai retrouvé un vieil album de photos de nous enfants. Maman l'avait jeté à la mort de papa. Je l'ai volé dans les vidanges. Je vais appeler Michel pour qu'il me l'apporte.

Pendant que Juliette téléphonait, tout le monde resta silencieux, digérant cette information. Quelle était cette manie qu'avait Lydia d'accoucher à Montréal ? Charlotte sortit un plat d'amuse-gueule.

– C'est mon tour. Je sais que je suis née à Montréal. Toute la famille avait déménagé.

Henri rassemblait ses souvenirs et il commençait à hésiter à continuer de raconter.

– Je me souviens que je me suis réveillé en pleine nuit et maman était sur le lit avec toi dans les bras.

– Elle a accouché à la maison ?

Henri fit signe que oui. Juliette le regarda.

– Je me souviens aussi. J'avais cinq ans. Tu étais minuscule et tu avais beaucoup de cheveux sur la tête. J'avais dit à maman que t'avais un casque de poils.

Albert sourit.

– C'est vrai, je m'en souviens maintenant. Je me rappelle surtout que tu avais fait pleurer maman. J'avais trois ans, maman te berçait et pleurait à chaudes larmes. Je ne comprenais pas ce que tu lui avais fait et je pleurais aussi.

— C'était le lendemain, précisa Juliette. Elle avait lu le journal et…

Henri lui fit de gros yeux. Il ne voulait pas parler de ça. Charlotte le vit.

— C'est quoi, cette histoire de journal ?

— Je me souviens seulement qu'elle a lu le journal et qu'elle a éclaté en sanglots. Elle te tenait dans ses bras et elle pleurait en te berçant. Henri, tu savais lire à ce moment-là. C'était quoi, l'histoire ?

Henri soupira. Pourquoi remuer tous ces souvenirs ?

— Une femme avait été tuée par son mari. Je pense que c'était la même femme qu'on avait accueillie pour une nuit. Une histoire de violence conjugale.

Juliette remettait ses souvenirs en place.

— Ah oui ! La dame es… Je ne me souviens plus de son nom.

Charlotte sentait que sa sœur lui cachait quelque chose.

— Termine ce que tu as commencé.

— Rien. C'est arrivé plusieurs mois plus tôt. C'était une immigrante qui travaillait avec maman à la manufacture. Je pense que son mari la battait. Elle a passé la nuit chez nous, puis on l'a plus revue.

Henri se pencha vers Charlotte.

— C'est juste une coïncidence. Maman pleurait parce qu'elle la connaissait. T'avais pas deux jours.

La sonnette de la porte retentit. Charlotte sursauta. Juliette se leva.

— Ça doit être Michel.

Michel était dans l'entrée et regardait par-dessus l'épaule de Juliette. Le silence régnait et tous les Gagnon avaient l'air perplexe.

— Qu'est-ce qui se passe ?

Juliette prit le vieil album.

— Je t'expliquerai. Je devrais rentrer bientôt.

— Tu veux que je t'attende en bas ?

— Non, je vais marcher. J'ai besoin de prendre l'air.

— S'il est tard, hésite pas à m'appeler.

Il lui donna un baiser rapide. Elle lui sourit pour le rassurer. Elle cherchait à accepter le fait qu'ils devenaient un vieux couple, de ceux qu'on envie en se disant qu'ils ont encore l'air si heureux ensemble.

Juliette retourna au salon et ouvrit l'album. Elle passait les pages rapidement, même si elle avait envie de tout examiner. Elle retrouva une photo où Lydia, Henri et Juliette étaient sur la plage, accompagnés de tante Hélène. Elle la tendit à Albert.

— Tu reconnais maman. Et elle, c'est Hélène, la chanteuse.

Albert observa la photo. Le visage de cette femme lui semblait familier.

— Pourquoi on ne l'a pas revue si c'était notre tante ?

— Elle est partie chanter à New York, je crois. Pas longtemps après ta naissance. Pis c'était pas notre tante vraiment. Je veux dire qu'on l'appelait comme ça, mais on n'avait pas de lien de parenté.

La photo avait circulé et Albert avait demandé à la garder. Béatrice regardait ses frères et sœurs. Le silence avait envahi le salon.

– Il ne reste plus que moi. Je suis née à la maison, moi aussi, ou dans le bois?

Henri la fixa en souriant: Béatrice ne lâchait jamais. Il se rappela leur vie à Verdun, les parcs, la grande piscine. Albert se souvint du grand appartement.

– C'est là que j'ai eu mon premier piano. J'étais tellement content!

– Pis on assistait au concert quotidien.

– Voyons, Juliette, dis-moi pas que t'aimais pas ma musique?

Ils rirent doucement, comme pour se sortir de la torpeur. Henri en rajouta:

– Nous, on pouvait te supporter, mais pas les voisins. Surtout le concierge. Comment il s'appelait déjà? Ah oui, Gendron. Je me souviens. Maman disait tout le temps qu'il avait beau s'appeler Gendron, ça ne rimait pas avec Gagnon. Elle ne l'aimait pas trop.

– C'est normal. Il était toujours soûl.

Le silence retomba. Chacun se rappelait son fils battu, sa fille toujours sale.

– Et alors? demanda Béatrice.

– Rien de spécial. On est revenus de l'école et t'étais là, dans les bras de maman.

Juliette prit l'album de photos et trouva ce qu'elle cherchait.

– Tiens, c'est à ton baptême.

Grégoire était fier avec ses quatre enfants autour de lui et la petite dernière dans ses bras. Lydia était souriante, rayonnante même. Et elle était mince comme une souris. Béatrice le remarqua tout de suite.

– Maman était toujours aussi petite sur les photos de baptême?

Juliette fouilla un peu plus. Il n'y avait pas de photo pour Henri, mais il y en avait une prise à Sorel. Juliette était âgée de quelques jours. Lydia était aussi mince. Avec Albert et Charlotte bébés aussi. Les photos circulèrent. Béatrice les examina attentivement.

— Elle récupère drôlement vite. Perdre tout son ventre en quelques jours, même en quelques heures...

La phrase resta en suspens. Béatrice était décidée à en savoir plus.

— Vous m'avez pas dit où maman a accouché de moi.

Henri la fixa.

— Je te l'ai dit. On est revenus de l'école et tu étais là.

— Et le matin, quand vous êtes partis, maman était correcte?

Henri soupira. Il se rappelait la colère du concierge qui criait à tout le monde que son bébé avait disparu à l'hôpital. Il regarda Juliette et Albert qui semblaient avoir le même souvenir comme si, soudain, un lien invisible se faisait. Béatrice n'aimait pas ce silence.

— Et moi, je suis née à la maison. Avant que tout le monde rentre de l'école.

— Moi, j'étais pas à l'école, dit Charlotte, j'avais trois ans. Mais je suis allée à l'hôpital avec maman. Je me souviens d'avoir vu des bébés à la pouponnière. Après... on est rentrées et là... tu es née. Oui, tu es née dans les toilettes.

Henri se mit à rire, aussitôt imité par Albert et Juliette.

— Tu voulais savoir... eh bien, maintenant, tu sais.

— Ça se peut pas. Voyons, Charlotte, je peux pas être arrivée comme ça. Maman était pas une chatte pour me sortir en quelques minutes.

— Non. Avant, on avait couru en revenant de l'hôpital. Puis maman s'est enfermée dans les toilettes et quand elle a ouvert la porte, tu étais dans ses bras. Que veux-tu que je te dise? J'avais trois ans, c'est tout ce que j'ai vu.

Béatrice regrettait tous ses efforts pour apprendre ce qu'elle n'était plus sûre de vouloir savoir. Mais elle nota quand même l'adresse de l'appartement de Verdun et le nom du concierge.

Charlotte offrit du vin que tout le monde refusa. Il était temps de partir. Béatrice fit un dernier effort.

– J'ai appris plein de choses ce soir et j'ai l'impression que c'est encore plus embrouillé qu'avant. La seule façon de tout démêler, c'est avec des tests. Voulez-vous me donner une mèche de cheveux?

Ils la fixèrent tous un moment en silence, persuadés qu'il valait mieux ne pas savoir. Béatrice pouvait lire dans leur regard de la compassion, de la tristesse, de la pitié.

– Ça ressemble à un non. J'ai compris. On reste quand même une belle famille et je vous aime tous.

Un soupir de soulagement accueillit ces mots. Ils s'embrassèrent, souhaitèrent un bon voyage à Henri et se dirent tous bonne nuit.

Béatrice avait remarqué la tuque de Grégoire sur le sac de vêtements. Pendant que tout le monde s'agglutinait dans l'entrée, elle la glissa dans son sac. Avec un peu de chance, il resterait des cheveux à l'intérieur.

Charlotte referma la porte derrière eux. Elle ramassa les verres vides et les emporta à la cuisine. Elle ne pouvait pas oublier cette dame immigrante et le malaise de Juliette. Elle espérait qu'Henri avait raison, que c'était une simple histoire de violence conjugale. Mais elle avait plutôt l'impression que le drame qui avait fait sangloter Lydia la concernait aussi. Et les photos de Lydia lors des différents baptêmes l'avaient étonnée autant que Béatrice. Qu'est-ce que leur mère cachait si bien depuis des années?

Henri descendit du taxi et prit son unique bagage. En voyageur expérimenté, il voyageait léger. Les portes de verre s'écartèrent à son arrivée. Il marcha vers le comptoir de la compagnie aérienne. Il était en avance, mais sa rencontre avec Béatrice lui avait enlevé le goût de se rendre dans un bar du centre-ville. Il attendrait dans celui de l'aéroport.

Ses pas résonnaient dans les corridors presque déserts. Cela lui plaisait. Il y avait quelque chose d'impersonnel et de gigantesque dans un terminal d'aéroport, surtout la nuit. Henri se sentait comme dans un film de science-fiction, partant vers des mondes inconnus de métal et de verre. Mais ce soir la magie n'opérait pas aussi bien. Il aurait peut-être mieux valu qu'il aille s'étourdir en flirtant avec de jolies femmes.

Béatrice avait semé le doute dans son esprit. Et l'histoire qu'avait racontée Charlotte sur l'arrivée de bébé Béa ne tenait pas debout. Mais elle n'avait que trois ans. Heureusement qu'elle ne se rappelait pas la colère du concierge. Et tante Hélène qui avait disparu du jour au lendemain avec Thomas. Henri se rappelait avoir dessiné un avion pour lui, puis plus rien. Il sentait qu'il avait besoin de quelque chose de plus fort qu'un verre de vin blanc.

Sa carte d'embarquement en main, il alla s'asseoir dans un des profonds fauteuils du bar V.I.P. L'endroit était pratiquement vide à cette heure de la nuit. Il aurait semblé désolé à beaucoup de gens, mais Henri le trouvait parfait pour essayer d'oublier ces histoires de naissances.

Il faisait tourner le glaçon dans son verre de whisky et essayait d'imaginer le corps séduisant de Michelle, sa taille fine, la courbe de son dos, son cou délicat. Elle était venue lui souhaiter un bon voyage avant son départ du bureau. Il aurait aimé la serrer dans ses bras, mais elle avait gardé une distance polie. Ses yeux étaient pourtant rieurs. Henri était certain qu'elle jouait avec lui comme une chatte avec une souris. Pur amusement. Il préférait penser à elle, mais le visage de Michelle disparaissait dans l'alcool ambré.

Il revoyait ses frères et sœurs. Les yeux si bleus de Juliette, le teint caramel et les cheveux si noirs de Charlotte, la blondeur de petite fille de Béatrice, les doigts et le talent étonnant d'Albert. Comment Lydia et Grégoire auraient-ils pu adopter ces enfants si différents sans laisser la moindre trace ? Des déménagements, bien sûr, mais pas de papier, pas de médecin, pas de complice connu. Seulement une femme qui accouchait rapidement comme une souris et un bon géant qui prenait soin des petits. Cela n'avait aucun sens.

Il but une gorgée. Le liquide réchauffa sa bouche, puis sa gorge. Henri ferma les yeux. Il n'avait pas à se sentir concerné. Il était né à Montréal, ce n'était pas un secret. Pendant que son père était dans un camp de bûcherons pour l'hiver, sa mère était partie s'occuper de la femme du notaire durant des mois. Comment s'appelait-elle déjà ? Lydia avait mentionné son nom quelques jours plus tôt, à la clinique… Simone. Il entendit tout à coup la voix de sa mère lui déclarer : « C'était une femme bien, tu l'aurais aimée. » Pourquoi avait-elle dit ça ? Qu'est-ce que cette femme avait à voir avec lui ? Avait-elle permis à Lydia de rencontrer un amant en cachant leur amour ? C'était complètement absurde. Plus d'une fois, Lydia l'avait appelé François en lui répétant que c'était le prénom qu'elle avait choisi pour lui. Et si c'était plutôt le prénom de son père biologique, le rival de Grégoire. Non, Grégoire était un homme droit, il n'aurait jamais accepté d'élever l'enfant d'un autre sous prétexte qu'il ne pouvait pas le faire lui-même. À moins que Lydia ne lui ait caché son aventure avec ce François. Elle avait alors découvert que ce n'était pas elle, mais son mari qui ne pouvait pas avoir d'enfant. Elle n'avait plus qu'à répéter l'expérience pour élever une famille. Et elle avait choisi des hommes si différents que ses enfants ne se ressemblaient pas. Ce n'était pas très brillant de sa part. Comment avait-elle réussi à faire accepter ça à Grégoire? Ou plutôt comment avait-elle réussi à le lui cacher?

Henri cala son verre et en commanda un autre. Il avait horreur du doute qui se glissait dans son cerveau. Il était né au début de la Seconde Guerre mondiale. Les mœurs n'étaient pas comme dans les années soixante, au temps de sa jeunesse. On ne pouvait pas cacher une aventure amoureuse ou sexuelle si facilement. Tout le monde devait se surveiller à cette époque. Surtout dans les villages. Lydia n'aurait pu avoir un amant sans que ça se sache.

Le barman déposa un autre verre de whisky devant lui. Henri le remercia d'un signe de tête. La nuit serait longue avant d'arriver à Jakarta.

La chambre était dans l'obscurité ; seul le lampadaire de la rue créait des ombres chinoises sur les murs. Juliette avait marché lentement pour revenir chez elle. Elle avait l'impression que sa tête était grosse comme un ballon qui allait se dégonfler d'un moment à l'autre et partir dans tous les sens. Elle n'avait pas vu les rares passants la croiser, elle n'avait même pas entendu le bruit de ses pas sur le trottoir. Tout avait été irréel.

Elle avait revu en boucle ses frères et sœurs assis autour de la table du salon. Béatrice, la têtue, avec ses tests et sa science. La bonne foi d'Henri qui était certain de trouver une explication rationnelle. Le calme feint d'Albert qui avait presque sursauté devant la photo de tante Hélène. Et la curiosité de Charlotte pour la dame immigrante du journal. Juliette avait espéré reprendre ses esprits avant de rentrer à la maison. Mais quand elle était arrivée dans le salon, elle s'était jetée dans les bras de Michel.

– Serre-moi.

Il l'avait gardée dans ses bras un long moment, attendant qu'elle se calme assez pour lui raconter ce qui n'allait pas. Elle s'était ensuite assise sur le canapé et avait parlé de sa soirée et du questionnement de Béatrice. Michel avait écouté en silence, se contentant de lui caresser la nuque pour la détendre. Quand elle avait terminé son histoire, il lui avait pris la main et l'avait entraînée dans la chambre.

– Il y a certainement une explication à tout ça. Une bonne nuit de sommeil nous aidera à la trouver.

Juliette l'avait suivi. Elle n'avait pas voulu allumer les lampes. Elle avait quitté ses vêtements dans la pénombre et, contrairement à son habitude, elle les avait laissés par terre. Elle s'était simplement glissée entre les draps. Ils regardaient maintenant tous les deux l'ombre de l'arbre devant leur fenêtre. Michel se tourna vers elle.

— Ça se peut pas. Lydia peut pas avoir trompé ton père. Ils s'aimaient tellement, ces deux-là. C'est ce dont je me souviens le plus d'eux. La première fois que tu rencontres les parents de ta blonde, ça marque. Et quand j'avais croisé leur regard, c'est ça qui m'avait frappé. Ils s'aimaient comme des jeunes, à leur âge. Tu peux pas aimer si longtemps quelqu'un sans que ça paraisse.

— Et si elle ne l'a pas trompé, ils ont pu adopter.

— Et pourquoi ils auraient menti? C'est pas une honte d'adopter des enfants. Mais cinq fois sans laisser de papiers, de preuves… Je vois pas comment. Même dans le bois, en 1943. Elle accouche vite, c'est vrai. Mais tu es infirmière, tu sais que ça arrive parfois. Juste hier, il y a une femme qui a accouché dans l'auto de son mari en se rendant à l'hôpital.

— Elle accouche vite et se remet aussi vite.

— Ta mère est une petite souris.

— Et personne n'a hérité de son physique. Il y a peut-être juste moi et Henri qui n'avons pas été adoptés.

— Toi, avec tes yeux, tu as toujours cru que tu l'étais. Mais, cet accouchement en forêt, ça prouve que Lydia est ta mère. Vous allez trouver des raisons pour les autres.

Juliette s'assit soudain dans le lit. Elle avait un étrange pressentiment.

— Et si on n'avait pas été adoptés, mais plutôt donnés, volés ou abandonnés. Le concierge hurlait à papa qu'on avait volé son bébé à l'hôpital.

— Mais ta mère était enceinte. Tu l'as vue avec son ventre. Pourquoi elle aurait volé le bébé d'une autre?

— Tu as raison. Je suis toute mêlée. Je comprends pas.

– Moi, je comprends que tu peux toujours affronter ta mère si tu penses que ça va aider. Mais, pour le moment, il vaut mieux que tu dormes.

Michel passa doucement la main dans son dos. Elle se tourna vers lui. Elle avait retrouvé le sourire.

– Heureusement que tu es là.

Juliette se blottit dans les bras de son mari. Il la serra contre lui et caressa ses cheveux doucement. Il avait l'impression de consoler une enfant et il se demandait pourquoi il n'avait plus d'attirance sexuelle pour cette femme qui était toute sa vie.

Alain avait arrêté son auto dans la rue en revenant de reconduire Béatrice chez Charlotte. Il y avait de la lumière au salon : les enfants ne devaient pas être encore couchés. Il hésitait à rentrer chez lui. Il ne saurait pas quoi répondre s'ils demandaient pourquoi leur mère n'était pas avec lui. Nicolas leur avait souhaité un bon souper d'amoureux en riant. Peu importait ce que son fils connaissait d'un repas d'amoureux, il savait que le retour devait se faire à deux.

Alain coupa le moteur et appuya sa tête sur le dossier. Il avait trop bu. Il essayait de trouver une façon pour se rapprocher de Béatrice, mais, à n'importe quel moment, tout pouvait voler en éclats. Elle était si fébrile en entrant chez sa sœur, beaucoup plus qu'en entrant dans le restaurant avec lui. Elle avait évacué l'aventure de Toronto en quelques mots et elle n'avait parlé que de cette histoire d'adoption, d'enfant naturel. Pas un regard amoureux, pas un sourire, sauf au serveur, un sourire de pourboire, un merci pour service rendu.

Il n'était plus certain que son aventure de Toronto ait pesé si lourd pour Béatrice. Elle ne l'aimait peut-être plus depuis un moment. Elle avait trouvé normal de s'être éloignée de lui avec le temps. Lui aussi, il devait l'admettre. Il avait longtemps détesté toutes ces rencontres et ces congrès qui servaient surtout de salles de jeu. Et il essayait maintenant de ne pas rater les meilleurs, ceux qui se déroulaient dans le Sud en hiver ou dans des villes effervescentes. C'était devenu des soupapes à sa vie routinière.

Alain ouvrit les yeux en sursaut. Il s'était assoupi. Il regarda vers sa maison. Il n'y avait plus que l'écran de télévision qui éclairait le salon. Les enfants étaient couchés. Il mit le moteur en marche, gara l'auto dans le garage et entra chez lui. La jeune gardienne, fille d'un voisin, était absorbée par un film. Elle avait sans doute cru qu'ils rentreraient plus tard. Alain la paya jusqu'à minuit. Elle le remercia et sortit. Il resta un moment devant l'écran. Un homme et une femme, bien sûr jeunes et beaux, se juraient un amour éternel. Il ferma le poste et ramassa le bol de chips et la canette de boisson gazeuse sur la table du salon. Il alla ensuite voir les enfants qui dormaient paisiblement.

Il se demandait comment attendre sa femme. Au salon comme la dernière fois ? Ce n'était pas une bonne idée. Au lit ? Il risquait de s'endormir. Il prit une douche et s'assit dans le fauteuil de la chambre avec un livre. Après avoir relu quatre fois la première phrase, il abandonna. Il était trop fatigué. Il alla à la cuisine se verser un verre de lait. Il vit à ce moment-là un taxi s'arrêter devant la maison. Il arrivait au salon quand Béatrice entra.

Elle s'immobilisa soudain en le voyant. Il portait un pantalon de pyjama avec un t-shirt, pieds nus, un verre de lait à la main. Cette image la réconforta. Il était là, il l'attendait. Pourquoi se tourmentait-elle ainsi ? Elle lui sourit. Il leva son verre.

— Tu en veux ou tu as besoin de quelque chose de plus fort pour terminer ta soirée ?

— Je serais tentée de te dire plus fort, mais j'ai déjà bu beaucoup de vin. Un grand verre d'eau fera l'affaire.

Elle s'affala sur le canapé. Alain revint avec le verre d'eau. Béatrice lui fit le compte rendu de sa soirée, les accouchements rapides de Lydia et son goût pour Montréal. Quand elle arriva à l'histoire qu'avait racontée Charlotte sur sa naissance, elle resta un moment silencieuse.

— Les toilettes, c'est ridicule…

— Il y a des femmes pour qui c'est rapide. C'est pas ça qui me surprend dans l'histoire… c'est la visite de la pouponnière.

Pourquoi Lydia est-elle allée la visiter avec Charlotte? Elle n'avait pas encore accouché à ce moment-là.

– Peut-être pour faire voir à Charlotte comment serait le bébé qui allait arriver, lui montrer où il irait après l'accouchement. C'est arrivé à la maison plus vite que prévu.

– En revenant de l'hôpital… Si tu as des contractions à l'hôpital, est-ce que tu retournerais chez toi?

– Seule non, mais avec une petite fille de trois ans… j'irais la faire garder… mais il n'y avait personne à la maison.

– Une voisine comme madame… j'ai oublié son nom. La marraine de Juliette.

– Guévremont… C'est possible. Mais personne n'a parlé de voisins, seulement de la famille du concierge, le genre de famille qui fait partie de ma clientèle. Clientèle! Je parle comme une fonctionnaire maintenant.

– Viens, tu as besoin de te reposer.

Alain entraîna sa femme dans la chambre. Béatrice ne pouvait chasser de son esprit les photos de baptême avec Lydia. Alain lui rappela une photo d'elle et de Nicolas âgé de quelques jours.

– Tu étais mince.

– Je portais une gaine.

– Et pourquoi Lydia n'aurait pas porté de corset? C'était même la mode à son époque.

Béatrice se disait qu'Alain avait raison, elle avait trop d'imagination. Elle n'allait pas se fier au souvenir d'une petite fille de trois ans.

Elle enleva ses vêtements et se coucha. Elle réalisa alors qu'elle n'avait pas mis sa robe de nuit comme d'habitude. Depuis la naissance des enfants, elle faisait attention de ne pas se promener nue dans la maison. Elle allait se relever quand elle vit le sourire d'Alain. Il semblait fort heureux de sa nudité qu'il prenait pour une invitation. Il éteignit les lumières et la rejoignit sous les draps.

Béatrice ferma les yeux et sentit la main de son mari la caresser. Elle revoyait le visage de Patrice, l'intensité de son regard. Elle voulait chasser cette image. Elle ne serait pas comme sa mère, une femme qui trompait tout le monde. Elle ouvrit les yeux et regarda Alain à peine éclairé par la lumière de la rue que les rideaux laissaient filtrer. Il était le père de ses enfants, un homme sur qui elle pouvait toujours s'appuyer. C'est pour ça qu'elle l'avait choisi et c'est pour ça qu'elle devait le garder. Elle se blottit contre lui. Il était son rempart contre le monde absurde qui l'entourait trop souvent.

Albert tenait encore dans ses mains la photo des enfants à la plage avec tante Hélène. Émilie apporta un plateau avec une théière de tisane et deux tasses. Elle le déposa sur la table basse et remplit les tasses. Albert n'avait pas levé les yeux de la vieille photographie.

— Tu penses que j'aurais pu hériter des dons de ce père biologique, le mari d'Hélène?

— Le mari de la voisine? Je pense que ça ne tient pas debout.

— Comment ça?

— Grégoire n'aurait rien vu, la femme du voisin non plus, ni personne. Et ta mère qui se fait engrosser comme ça. Quelqu'un quelque part aurait dû voir quelque chose. Les enfants auraient pu les surprendre, d'autres voisins. Surtout dans une petite ville. Et puis, ta mère en chaleur, j'arrive pas à l'imaginer comme ça.

Émilie tendit la main et prit la photo. Elle l'examina un bon moment.

— Je reconnais bien Lydia, Henri aussi, même Juliette. Et cette femme…

Elle la regarda de plus près. Il y avait quelque chose dans les yeux. Mais c'était sans importance. Le père potentiel était le pianiste, pas sa femme.

— Je ne vois pas de ressemblance avec toi. C'est normal. Tu n'as pas de photo de Thomas?

– Je vais demander à Juliette de regarder plus attentivement le vieil album. Mais je ne pense pas que Lydia aurait gardé une photo de lui. Elle avait même jeté tout l'album à la poubelle.

– Comment a-t-elle pu jeter les photos de ses enfants ?

– Elle l'a fait à la mort de papa. Il est parti si subitement, on a pensé un moment qu'elle devenait folle. Elle avait passé toute sa vie avec lui. Elle a jeté plein de souvenirs, remplissant des sacs de plastique de tout ce qui lui tombait sous la main. Juliette a réussi à récupérer de petites choses, mais le reste a disparu. Et Lydia a déménagé dans son petit appartement qu'elle ne veut plus quitter.

Émilie rendit la photo à Albert. Elle n'avait pas osé lui dire qu'il ne ressemblait pas non plus à Lydia. Mais tous les enfants Gagnon le savaient.

– Tu m'as dit que ce Thomas était pianiste dans un hôtel à Sorel. Il doit bien exister une photo promotionnelle de lui. Peut-être qu'il y a dans les archives du journal régional une publicité avec sa photo.

– Peut-être… mais je n'ai ni le temps ni l'énergie pour la chercher. Et ça servirait à quoi ? Il est sans doute mort aujourd'hui. Et cette femme… J'ai l'impression de l'avoir déjà vue. Mais je ne sais pas où…

Albert prit une gorgée de tisane et alla s'asseoir au piano. Émilie se détendit. Elle se sentait si bien quand il jouait. C'était comme ça qu'il l'avait séduite. Elle faisait partie depuis peu du Conseil des arts de la ville. Elle l'avait entendu en répétition et elle avait été subjuguée par sa musique. Elle était pourtant une habituée des concerts de l'Orchestre symphonique. Mais ce pianiste était différent, il avait su aller la chercher au plus profond d'elle-même. Elle avait senti sa tristesse, sa douleur et aussi son bonheur infini de jouer.

Il l'avait saluée poliment comme tous les autres et il était parti. Elle aurait voulu lui dire à quel point il l'avait touchée avec son interprétation, mais elle n'en avait pas eu le temps. Elle avait appris qu'il était particulièrement sauvage, jaloux de son intimité que personne n'avait réussi à percer. Surtout depuis la mort de son fils et l'éclatement de son mariage avec une chanteuse célèbre réfugiée en Europe.

Émilie avait alors senti le besoin de le ramener à la vie. La douleur de cet homme la touchait. Elle ne pouvait pas le laisser à cette mort lente qu'il s'infligeait. Elle avait passé des mois à se retrouver sur son passage jusqu'à ce qu'il la remarque. Elle avait vingt-huit ans, il en avait quarante-deux. Il s'était laissé apprivoiser lentement, incrédule d'abord, puis méfiant. Il ne comprenait pas qu'une femme si jeune puisse s'intéresser à lui. Il avait cherché la faille et n'avait trouvé qu'admiration et amour. Il avait finalement cédé au bonheur qui frappait avec insistance à sa porte. Le point culminant de leur félicité avait été la naissance de Guillaume.

Albert ferma les yeux et joua un bon moment. Il était heureux que la musique le transporte encore. Il revoyait le visage de cette vieille dame élégante qui lui avait demandé un autographe après un concert. Il accompagnait à cette époque sa femme à une série de récitals à New York. Il eut soudain l'impression que cette femme était peut-être Hélène. Elle l'avait regardé avec intensité, mais il ne lui avait pas beaucoup prêté attention, pris dans le tourbillon des fans de sa femme. Il se rappelait pourtant son regard passionné. Avait-elle reconnu l'enfant de son mari? Impossible! À moins que Thomas ne se soit confessé. Pourquoi l'aurait-il fait? Albert sentit qu'il divaguait. Il était vraiment fatigué.

Il jeta un regard à Émilie. Elle semblait toujours si heureuse quand il jouait. Il avait la chance d'avoir cette jeune femme merveilleuse à ses côtés et voilà qu'il se préoccupait d'une vieille photo jaunie et des souvenirs décousus de ses frères et sœurs. C'était idiot de fouiller le passé. Il avait bien assez du présent pour s'occuper.

Béatrice regardait souvent le téléphone sur son bureau. Elle se retenait depuis plus d'une heure d'appeler Patrice. Ils s'étaient vus deux jours d'affilée. Elle avait l'impression que son appel sonnerait comme du harcèlement. Elle ne voulait pas s'attacher à cet homme, elle sentait qu'elle perdrait facilement le contrôle : elle avait tellement envie de lui. Mais elle ne pouvait pas effacer Alain et les enfants de sa vie. Son appel, cependant, était d'ordre professionnel.

Elle se demanda si elle se mentait à elle-même. Oui, elle avait une question médicale à poser à Patrice, mais elle avait aussi terriblement envie de le voir, de l'embrasser, de frissonner dans ses bras. Elle se rappelait très bien la déception de la veille, le manque de désir, les petits cris ridicules qu'elle s'était sentie obligée de lancer pour ne pas blesser Alain dans son amour-propre.

Béatrice tendit la main et saisit le combiné. Elle appela la clinique et demanda à parler au docteur Legendre d'une voix qu'elle s'efforça de garder neutre. Patrice répondit tout de suite. Il parlait fort.

— Bonjour, docteur Gagnon. Que puis-je faire pour vous ?

Elle comprit qu'il y avait quelqu'un dans son bureau.

— Bonjour, docteur. Je voulais savoir si ma mère a vu un gynécologue à votre clinique.

— Un instant, s'il vous plaît.

Béatrice entendit Patrice congédier la personne qui était dans son bureau. Elle entendit aussi la porte se fermer. Il prit l'appareil avec une voix souriante.

— C'est une façon originale de demander un rendez-vous au resto.

— Non, Patrice, je veux vraiment rencontrer le gynécologue de ma mère.

— Ah bon ! Les tests ici ne passent pas par la gynécologie. Va voir le médecin traitant de Lydia. Qu'est-ce qui se passe ?

— La rencontre d'hier soir avec les autres a été… difficile. Il semble que Lydia ait trompé papa au moins cinq fois. Et moi… je suis née dans les toilettes.

Béatrice se tut, elle détestait être aussi émotive. Elle avait beau se répéter qu'elle n'avait aucune raison logique de vouloir aller plus loin, il y avait une partie d'elle qui souffrait vraiment de cette naissance rapide dénuée de sentiments. Lydia n'y était cependant pour rien.

Patrice attendait au bout du fil. Il ne comprenait rien à cette histoire. Il avait envie de l'entendre tout lui raconter, mais ça ne semblait pas être le bon moment.

— Tu veux qu'on prenne un café ? Tu pourras m'en parler mieux.

— Je te remercie, mais je ne peux pas aujourd'hui. Ça va aller.

— Je ne te crois pas. Raconte-moi…

Béatrice prit une profonde inspiration et résuma la naissance de chacun des enfants Gagnon selon les souvenirs d'Henri. Patrice avait du mal à suivre tous ces accouchements alors que Lydia était seule et loin de sa famille. Il sentait très bien cependant l'agitation de Béatrice, ses émotions à fleur de peau. Comme il aurait aimé l'avoir devant lui pour la prendre dans ses bras ! C'était le meilleur langage dans une telle situation.

Béatrice lui parla alors de la tuque de Grégoire. Elle avait retrouvé quelques cheveux qu'elle voulait apporter au laboratoire de l'hôpital. Patrice frissonna.

— Tu es certaine que c'est une bonne idée ? J'ai l'impression que ça va tourner à l'obsession. Grégoire est mort, les pères potentiels ont de fortes chances de l'être aussi. Et tu te fies aux souvenirs d'une enfant de trois ans pour partir en guerre contre des moulins à vent. Je ne pense pas que rencontrer le gynécologue de ta mère va t'avancer à quelque chose. Je pense que tu es bouleversée par ce qu'on vit, nous deux, et tu cherches des balises pour te raccrocher. Fais le ménage dans ta vie avant de faire celui de ta mère.

— Tiens! Tu es devenu psychologue maintenant. Mais tu as raison, je devrais faire le ménage dans ma vie.

— Je ne voulais pas te blesser, Béa.

— En faisant le ménage, la dernière chose que je vais jeter, c'est mes enfants. Et comme Alain fait partie d'eux, c'est toi qui devras sortir de ma vie.

— Béa, je t'aime. C'est possible, nous deux. Et je ne te demanderai jamais de sacrifier tes enfants.

La ligne se coupa. Patrice se demanda si Béatrice avait entendu le début de sa phrase. Celle-ci regarda sa main posée sur l'appareil. Ses doigts tremblaient. Il avait prononcé les mots interdits: «je t'aime». Elle n'avait pas le droit de l'aimer en retour. Les enfants ne le lui pardonneraient jamais et leur stabilité dépendait d'Alain.

Béatrice se leva et se dirigea vers la salle d'examen. Elle était en avance à son rendez-vous, mais elle avait peur, si elle restait à son bureau, de rappeler Patrice et de perdre le peu de contrôle qu'il lui restait. La salle avait l'air d'une salle de jeu comme on en trouve dans les garderies, modules colorés, tapis de mousse, ballons et glissade. La seule différence, c'était les miroirs sans tain qui permettaient aux différents intervenants d'observer les enfants.

Elle regarda ceux qui se trouvaient là jouer un moment. En quoi connaître leur géniteur était-il si important? La trace génétique était utile pour certaines maladies mais, dans la vie quotidienne, la qualité des parents n'avait rien à voir avec les gènes.

La journée se déroula sans incident. Béatrice réalisa qu'à sa connaissance sa mère n'avait jamais vu de gynécologue. Elle se fiait à Juliette et à elle pour les divers examens et pour les prises de tension artérielle. Béatrice appela Alain pour lui dire qu'elle allait passer voir sa mère quelques minutes. Elle serait là pour le repas du soir. Elle lui demanda de s'occuper des devoirs des enfants. Alain était si heureux d'avoir retrouvé sa femme qu'il était prêt à dire oui à tout.

Béatrice sonna à la porte de sa mère. Elle n'avait pas téléphoné et voulait la prendre par surprise. Lydia ouvrit. Quand elle vit sa plus jeune, son visage s'éclaira d'un large sourire et elle la prit dans ses bras.

– Comme je suis contente! Une belle visite-surprise.

Béatrice sentit ses résistances fondre dans les bras de Lydia. Elle était sa mère, elle avait pris soin d'elle, elle l'avait veillée quand elle avait été malade, elle l'avait encouragée à l'école, l'avait soutenue jusqu'à l'université, puis elle l'avait aidée avec ses enfants, les gardant régulièrement pendant une période de travail intense en internat. Béatrice avait envie de pleurer et de crier: «Maman, aide-moi.» Mais elle ne le fit pas et passa au salon.

– Je resterai pas longtemps, les enfants m'attendent pour souper…

Lydia tira le bras de Béatrice pour qu'elle s'assoie sur le canapé à ses côtés. Elle sentait que quelque chose d'important allait se produire.

– Qu'est-ce qu'il y a, ma petite fille?

Béatrice se dit que la meilleure chose était d'être directe.

– Maman, est-ce que c'est vrai que tu as accouché de moi dans les toilettes?

Lydia ne put s'empêcher de rire de soulagement. Elle avait eu peur que son secret ait été dévoilé. Elle caressa l'épaule de sa fille.

– Oui, Béatrice. Ça doit être Charlotte qui t'a raconté ça. La pauvre petite était si jeune, elle pouvait pas comprendre. J'ai toujours accouché rapidement. Je me plains pas. Il y a des femmes qui sont en travail pendant des heures et des heures.

Béatrice fixait le tapis. Elle n'avait pas envie de parler au nom des autres, des accouchements dans le bois ou à Montréal. Sa mère débiterait les mêmes justifications que par le passé. Lydia commença à s'inquiéter.

— C'est ça qui te dérange, les toilettes? On choisit pas, tu sais. Mais la salle de bain de l'appartement de Verdun était mieux que ben d'autres places. Qu'est-ce qui va pas, ma petite Béatrice? Ça va pas avec Alain?

— Pourquoi tu dis ça?

— Comme ça. Je te sens si tendue, j'ai l'impression que tu vas exploser. Si c'est pas le travail, c'est les amours… à moins que ce soit les enfants.

— T'en fais pas, ils vont bien. Alain aussi.

— Et toi?

Béatrice sentait le regard de sa mère posé sur elle. Comme elle aurait aimé lui parler de ses angoisses, de sa querelle avec Patrice qu'elle ne reverrait sans doute jamais, de sa vie programmée avec Alain! Mais elle ne pouvait pas. Lydia gardait le silence et lui caressait le bras. Béatrice s'efforça de lui sourire.

— Je suis fatiguée, c'est tout.

— C'est pas facile de voir des enfants souffrir. Des innocents maltraités, abandonnés…

C'était au tour de Lydia de devenir mélancolique. Béatrice se pencha et embrassa sa mère sur la joue.

— Je vais rentrer. Je vais rester plus longtemps la prochaine fois.

Elle se leva et alla à la salle de bain. Elle regarda son visage blafard dans le miroir. Sa mère avait raison de s'inquiéter. Béatrice se lavait les mains quand elle vit la brosse à cheveux de Lydia. Elle ne put s'empêcher de prendre un papier-mouchoir et d'y mettre le plus de cheveux possible.

Il était rentré chez lui après avoir passé des heures à son bureau à attendre un appel de Béatrice. L'appartement vide le torturait. Patrice cherchait des traces du passage de son amante. Même les draps avaient perdu son odeur. Il tournait en rond. Il n'avait pas le choix, il allait revenir à sa vie de célibataire.

Il prit une douche, se rasa, se parfuma, enfila un jean et prit son blouson de cuir. Il allait faire sa tournée des bars. Il préférait les soirs de semaine. La clientèle était un peu moins jeune, mais bien décidée à s'éclater. Patrice entra dans son antre préféré. La musique emplissait l'espace; l'éclairage rendait les gens plus beaux en gommant un peu leurs traits. Il s'accouda au bar et demanda une bière pression.

Il y avait au fond quelques tables occupées par des groupes de jeunes femmes qui riaient très fort en croisant et décroisant les jambes. Patrice les regarda attentivement, choisissant sa proie parmi ces petites madames de banlieue qui sortaient avec des copines. Elles allaient manger au restaurant après le travail, buvaient trop et terminaient la soirée dans un bar avant de rentrer dans leurs villes-dortoirs. Elles portaient des blouses à épaulettes et de nombreux bijoux de pacotille à la mode. Elles se trémoussaient sur la petite piste de danse comme si elles étaient encore des adolescentes à la recherche d'excitation. Leur vie semblait en avoir si peu.

Après une gorgée de bière, Patrice quitta son tabouret pour se diriger vers la piste de danse. Il la traversa lentement en regardant quelques femmes dans les yeux. Leur parfum bon marché lui emplissait les narines. Celles qui soutenaient son regard avaient droit à un frôlement des seins. Il en choisit une, lui sourit et glissa lentement sa main sur son bras. Elle le suivit tout en continuant à danser.

Il l'entraîna dans un recoin discret. En quelques minutes, il avait une main sur un sein de la jeune femme, qui elle palpait son jean. Ces femmes s'animaient en jouant les allumeuses comme dans les films, prenant la pause, arrondissant la bouche et battant des paupières. Plusieurs lui avaient dit ne pas tromper leur mari. Il avait bien le droit, lui, d'aller aux danseuses avec ses amis. Ce n'était pour elles qu'un jeu inoffensif, puisque ça n'allait pas plus loin.

Patrice les connaissait bien mais, ce soir, il trouvait le spectacle pathétique. La femme avait des yeux globuleux trop maquillés, des cheveux gonflés qui puaient la laque et elle aspirait l'air entre ses dents comme si l'extase allait lui tomber dessus d'un moment à l'autre.

Qu'est-ce qu'il faisait là avec une femme pareille, mauvaise comédienne en plus? Il aurait bientôt quarante ans, sa vie se résumait à travailler et à lever des oies affamées et insatisfaites. Dans quelques années, il serait un triste mâle qui devrait payer pour avoir un peu de tendresse. Cette idée lui était insupportable, mais elle ne le quittait plus. Il fut incapable d'avoir un sourire pour celle qui se demandait pourquoi ses charmes n'avaient plus d'effet. Il se détourna et sortit du bar.

Il marcha un peu. La rue était pleine de gens qui s'interpellaient, qui riaient fort ou étaient simplement trop ivres pour passer inaperçus. Des filles le regardaient parfois avec plus d'insistance. Il détournait les yeux. L'envie n'était pas au rendez-vous. Il aurait préféré être dans les bras de Béatrice toute la nuit, sentir son corps près du sien au réveil. Il se disait qu'il ne connaîtrait sans doute jamais cette sorte d'intimité, d'être capable de se laisser aller en toute confiance à dormir avec quelqu'un. Ce monde lui était interdit. Personne ne dormait dans son lit. Il allait donc continuer à passer des nuits blanches et à avoir des cernes sous les yeux.

Béatrice regardait la fenêtre de la chambre. Un coin de ciel apparaissait dans l'interstice entre les rideaux. Une mince ouverture entre les barreaux de sa prison. Elle avait réussi à avoir un souper familial agréable, suivi d'une émission de télévision avant de mettre les enfants au lit. Alain était souriant, dévoué aux siens. Elle ne se rappelait plus quand cela lui était arrivé la dernière fois. La soirée aurait été même plaisante si Patrice ne lui avait pas tant manqué. L'heure du coucher approchant, elle commença à se sentir nerveuse et elle essaya de se calmer avec une tisane.

Elle n'avait pas osé aborder le sujet des tests d'ADN avec Alain. Elle se décida à le faire pour reporter le moment de se mettre au lit. Il l'écouta raconter comment elle avait trouvé la tuque de Grégoire et pris des cheveux de Lydia. Alain ne comprenait pas pourquoi elle se donnait tant de mal.

– Personne ne demande des tests de maternité. Les tests se font sur le chromosome Y. Jusqu'à maintenant, les filles n'en ont pas.

– Très drôle!

– J'essaie juste de comprendre pourquoi tu y tiens tant. Qu'est-ce que tu vas dire au directeur du labo? À moins que tu ailles voir un médecin légiste. Le test est admis en cour. Il manque juste le crime pour le justifier. Pauvre Lydia, accoucher rapidement ne fait pas d'elle une criminelle.

Béatrice sursauta en entendant ce mot.

– Je sais bien qu'elle n'a pas eu le choix. Mais je veux comprendre pourquoi j'ai pas le même groupe sanguin que les autres. Tu connais bien le directeur du labo?

– Pas vraiment. On dit qu'il est efficace et pas jasant. Je ne sais pas si tu réussiras à le charmer. Ça va te prendre une histoire solide pour qu'il autorise ta demande.

Béatrice enfila sa robe de nuit et se coucha. Alain la rejoignit. Elle fut contente de le voir se retourner et s'endormir rapidement. Elle n'avait plus qu'à essayer d'en faire autant. Mais son cerveau cherchait à inventer une histoire solide pour les analyses du laboratoire, tout en chassant le visage de Patrice.

Elle se réveilla en sursaut. Le soleil filtrait entre les rideaux. Béatrice entendit Sophie rire. Elle se leva aussitôt et alla à la cuisine. Les enfants déjeunaient, Alain faisait des crêpes. Elle se serait crue un dimanche si l'heure n'avait pas été si matinale. Alain lui tendit un verre de jus d'orange.

– Je voulais te laisser dormir encore un peu.

– Merci. Je veux aller au labo avant de recevoir mes patients au bureau.

Elle prit une gorgée de jus et se précipita sous la douche. Quand elle fut habillée, elle retrouva les enfants prêts à partir pour l'école. Alain nouait sa cravate.

– Je vais les reconduire. Je suis en salle d'opération après dix heures. Mais, demain, je dois me lever à l'aube.

– Pas de problème, je m'occuperai des enfants.

Béatrice embrassa Alain, Sophie et Nicolas, leur souhaita une bonne journée et partit affronter le directeur des laboratoires de l'hôpital.

Les laboratoires étaient enfouis au sous-sol et on les trouvait au bout d'un dédale de corridors anonymes. Béatrice frappa finalement à la porte du directeur. Elle avait enfilé une blouse blanche et mis les échantillons dans des sacs de plastique. Elle s'était arraché quelques cheveux qu'elle avait aussi mis dans un sac. Quand elle entendit : «Entrez», elle prit une bonne inspiration. Elle se devait d'avoir l'air d'une professionnelle. Elle ouvrit la porte et vit un petit homme chauve enterré sous des piles de dossiers. Il leva la tête et lui sourit.

— Vous désirez?

Béatrice ouvrit la bouche tout en s'avançant vers le bureau. Aucun mot n'en sortit et elle s'arrêta. Elle regarda les sacs dans sa main. Le biologiste l'observait attentivement. Il se rappela l'avoir déjà vue et put lire son nom sur le badge d'identification épinglé à sa blouse.

— Que puis-je pour vous, docteure Gagnon?

Béatrice referma la porte. Toutes les histoires qu'elle avait concoctées avaient disparu. Il ne lui restait plus qu'à dire la vérité. Elle voulait un test de paternité. Elle tendit le sac avec les cheveux de Grégoire. Le médecin l'examina.

— Les cheveux n'ont plus de bulbes. Ça date de combien de temps?

— Plusieurs années.

— Je ne peux pas faire de test PCR avec ça. L'échantillon est dégradé et en petite quantité. C'est un homme?

— Oui.

— Et les autres?

Béatrice tendit les deux autres sacs en essayant de calmer sa main.

— C'est ma mère et moi.

L'homme s'efforça de ne pas la regarder dans les yeux. Il ne voulait pas ajouter à son embarras.

— Il va falloir faire un test d'ADN mitochondrial. Ça va prendre quelques jours. Je suppose qu'aucun formulaire d'autorisation n'a été signé.

— Mon père est décédé… Je n'ai pas d'autorisation.

— Et vous voulez vous en servir en cour?

— Non, pas du tout. Vous voulez que j'aille voir un légiste?

Le directeur du laboratoire la regarda pour la première fois dans les yeux.

— Non, rassurez-vous. Je ferai moi-même le test. Je pense que vous préférez qu'il n'y ait pas de papiers.

Elle soupira et fit signe que oui. Il lui sourit.

– La prochaine fois, faites un prélèvement de salive. Ça nous facilite la tâche.

– J'espère qu'il n'y aura pas de prochaine fois… Je vous remercie beaucoup.

– Revenez dans cinq jours.

Il se leva et lui tendit la main. Elle la serra avec joie. Elle avait apprécié le tact du biologiste et elle retourna à son bureau le cœur léger.

Charlotte avait été occupée pendant plusieurs jours. Les chambres avaient été repeintes, les meubles, replacés, les pièces, aérées. Tout était prêt pour recevoir Nelson et les enfants. Elle avait négligé le sac-poubelle de sa mère qui était resté dans l'entrée. Elle sortit tous les vieux vêtements et fit le tri. Elle choisit de garder l'ensemble de baptême en dentelle et remit le reste dans le sac. Elle remarqua alors un papier froissé entre deux robes. Elle le déplia. C'était une facture à l'en-tête d'un hôtel de la rue Saint-Hubert. Le numéro de téléphone de l'hôtel avait été encerclé. Un numéro de chambre y était noté. Suivait un numéro de téléphone commençant par RI3. La note se terminait par trois lettres : Tom. Le cœur de Charlotte se serra. Elle reconnaissait l'écriture fine de sa mère. Et Tom, n'était-ce pas le nom de ce pianiste qu'Henri appelait « oncle Thomas » ?

Elle fixa la note pendant un moment. Elle ne savait pas trop quoi en faire. Elle pensa appeler Albert et lui dire que c'était probablement le numéro de téléphone de son père. Mais le pauvre avait assez de problèmes comme ça. Et rien ne prouvait que Tom était son père.

Charlotte prit l'appareil et composa le numéro commençant par le chiffre 3. Il n'y eut aucune tonalité. Elle repensa au téléphone de son enfance. Les lettres se traduisaient en chiffres. Elle composa de nouveau, mais en faisant le RI. Une voix préenregistrée lui dit de composer le 1 pour un interurbain. Elle le fit et une voix lui répondit :

— Pharmacie, bonjour.

— Excusez-moi, j'appelle où ?

— Vous êtes à la pharmacie Guérin, madame. En quoi je peux vous aider ?

— Et vous vous trouvez où ?

Il y eut un bref silence, puis la voix demanda :

— Ça va bien, madame ? Voulez-vous que j'appelle de l'aide ?

— Non, non, ça va. Je veux juste savoir dans quelle ville vous êtes.

— On est à Sorel depuis vingt-deux ans, madame.

— Je vous remercie… Je m'excuse de vous avoir dérangée.

Charlotte s'empressa de raccrocher. Le numéro de Tom à Sorel. Lydia l'avait écrit sur une facture d'hôtel. Et elle l'avait gardé toutes ces années. Charlotte n'avait plus qu'une chose à faire. Elle mit la note dans son sac et quitta l'appartement.

Elle était sortie à la station Berri-UQAM et marchait dans la rue Saint-Hubert. Elle essayait de se représenter cette rue à la naissance d'Albert. C'était à la fin de la guerre. Dupuis Frères existait encore, remplacé maintenant par le centre commercial de la Place Dupuis et l'hôtel des Gouverneurs. Le terminus d'autobus n'était pas loin. Ce devait être pratique pour Lydia et cette mystérieuse tante Hélène de loger tout près. Charlotte traversa la rue Sainte-Catherine et continua vers le sud. Elle s'arrêta devant le numéro de l'hôtel. La bâtisse était devenue une maison de chambres.

Charlotte décida de faire le tour du quartier. Qu'est-ce que Lydia venait donc faire à cet endroit alors qu'elle était enceinte ? Visiter son amie Hélène qui habitait à cet hôtel ? Étrange. Elle traversa le boulevard René-Lévesque qui s'appelait auparavant Dorchester et se dirigea vers l'ouest. Un centre hospitalier de soins de longue durée occupait une série de vieux bâtiments de pierre. Un peu plus loin, il y avait la Maison du Père qui accueillait les itinérants et, plus au sud, l'Accueil Bonneau qui servait des repas aux sans-abri. Charlotte connaissait ces organismes pour y avoir offert de son temps quand elle était étudiante. Elle avait choisi d'aider les démunis d'ailleurs, et la visite de ce quartier lui rappela les souffrances d'ici.

Charlotte se disait que tous ces organismes n'existaient pas à l'époque où Lydia était venue là, sauf l'Accueil Bonneau qui aidait déjà les pauvres pendant la Grande Dépression. Elle revint sur ses pas et entra au Centre hospitalier Jacques-Viger. Elle regarda attentivement autour d'elle. C'était un vieil hôpital qui était certainement là quarante ans plus tôt. Elle essayait de se rappeler le nom de cet endroit qu'elle avait sans doute vu des centaines de fois sans le remarquer.

Une vieille femme avec une marchette lui fit signe. Charlotte s'approcha. La dame espérait des visiteurs qui ne venaient jamais et elle s'inquiétait pour eux. Charlotte revoyait Lydia à son retour de la clinique, entourée des siens, heureuse. Peu importe ce qu'elle apprendrait sur sa mère, elle ne pourrait jamais l'abandonner. Elle parla un peu avec la vieille dame, jusqu'à ce qu'un préposé vienne la chercher.

Charlotte en profita pour partir. Elle repensa à la nouvelle du journal qui avait tant fait pleurer Lydia. Elle se dirigea vers la rue Saint-Denis et entra dans le vieil édifice de la bibliothèque Saint-Sulpice où étaient gardées les archives nationales. Elle monta le large escalier de pierre et passa les lourdes portes. Elle reconnut les hauts plafonds, les longues tables avec leurs lampes vertes diffusant une lumière douce, le silence portant à l'étude et à la concentration. Elle avait toujours préféré aller sur le terrain, mais entrer dans ce lieu feutré l'apaisa. Elle s'approcha du comptoir de bois sombre et demanda à la jeune femme qui se trouvait là à voir les archives des journaux. Celle-ci l'envoya à la banque d'archives sur microfilms située rue Viger.

Charlotte refit le chemin inverse et se retrouva devant l'ancien édifice des HEC. Elle avait faim, elle était fatiguée, mais elle entra quand même. Elle était déjà sur place et ça ne lui prendrait pas beaucoup de temps. Elle obtint assez rapidement une visionneuse et les microfilms couvrant le mois de mai 1948. Henri avait parlé de la une du journal. Elle trouva facilement la une du lendemain de sa date de naissance. «Crime passionnel» écrit en rouge. Fernando Herrera avait été arrêté chez lui. Il revenait de son travail au petit matin. Il jurait avoir frappé sa femme pour se défendre. Elle était décédée à son arrivée à l'hôpital.

Charlotte frissonna. Une histoire de violence conjugale comme il en existait tellement. Mais ses yeux se fixèrent sur ces mots : «Le bébé qu'elle portait avait disparu.» Le journal du lendemain confirmait que la jeune mère décédée avait bel et bien accouché quelques heures avant d'être frappée à mort par son mari. Le bébé demeurait introuvable. Tout accusait le mari d'avoir fait disparaître son enfant. Il avait pu le jeter au dépotoir, dans le fleuve. Mais il clamait qu'il n'aurait jamais fait une chose pareille. Il attendait son procès en prison. Charlotte avait envie de vomir. Son estomac vide se retournait. Lydia aurait donc été une voleuse d'enfant? Invraisemblable. Une histoire insensée, impossible à soutenir.

Charlotte sortit de l'édifice en se demandant comment elle pouvait encore marcher sur ses jambes molles. Elle ne voulait qu'une chose : rentrer chez elle. Elle héla un taxi et eut de la difficulté à prononcer son adresse. Elle entra dans son appartement et s'adossa à la porte. Elle avait fui si vite qu'elle n'avait même pas fait de photocopie du microfilm. Elle se demandait maintenant si elle avait simplement mal lu. Au fond d'elle-même, elle savait que les mots étaient pourtant gravés en lettres rouges.

Elle alla à la cuisine boire un verre d'eau et prit le téléphone. Elle composa le numéro de Béatrice à l'hôpital. Une voix posée lui répondit que la docteure Gagnon était absente pour le moment.

– Voulez-vous dire à Béatrice que sa sœur Charlotte veut lui parler d'urgence, s'il vous plaît. Elle a mon numéro, je suis à la maison.

Charlotte raccrocha, se coucha sur le canapé du salon et resta immobile. Comment Lydia avait-elle pu la prendre? Et pourquoi cet homme ne l'avait-il pas dénoncée? Il l'avait peut-être donnée pour s'en débarrasser. Le jour du drame correspondait à sa date de naissance. Pourtant, Henri et Juliette étaient formels. Lydia était enceinte et elle avait accouché sur le lit. Mais la femme morte était d'origine mexicaine. Une Indienne. Avec sans doute le même visage qu'elle. Charlotte se mit à pleurer. C'était trop d'émotions.

Béatrice avait passé la semaine à essayer d'avoir une vie normale selon les normes établies. Elle avait réussi à éloigner le souvenir de Patrice, du moins pendant la journée. Elle s'efforçait d'être attentive à son travail, elle s'occupait de ses enfants, elle souriait même plus souvent à son mari. Ce sourire s'était figé rapidement en une forme de remerciement. Alain était devenu collant, mielleux, attentif au moindre détail, généreux en bisous de toutes sortes. C'était son interprétation d'un mari chaleureux. Béatrice se répétait chaque jour qu'elle devait mettre les choses au clair avec lui, mais elle reportait au lendemain toute décision. Même si son existence avait repris ses allures de normalité, elle attendait les résultats des tests pour fixer sa vie.

La façade commençait à s'effriter. Béatrice s'était retenue toute la journée d'aller rencontrer le directeur du laboratoire. Elle ne voulait pas avoir des patients à recevoir après avoir appris ce qu'elle savait pourtant : Grégoire n'était pas son père. Quand son dernier patient fut sorti, elle se précipita au laboratoire, prête à recevoir la confirmation de l'infidélité de sa mère.

Le biologiste lui proposa immédiatement de s'asseoir. Elle lui sourit.

— J'ai une bonne idée de ce que vous allez m'annoncer.

Il la regarda, intrigué.

— Permettez-moi d'en douter, docteure Gagnon.

Le visage de Béatrice se transforma.

303

— Vous allez m'annoncer que mon père n'est pas mon père, non ?

L'homme tendit la main vers la chaise. Béatrice s'assit sur le bord, mal à l'aise. Sa nervosité augmenta.

— Vous avez raison, les tests démontrent que cet homme n'est pas votre père… Et il n'y a aucun lien génétique entre les trois personnes testées.

Béatrice entendait en écho les paroles du biologiste. Aucun lien génétique entre Grégoire, Lydia et elle ! Elle n'arrivait pas à y croire. Que Grégoire ne soit pas son père, elle s'y attendait, mais que Lydia ne soit pas sa mère, comment était-ce possible ?

Le directeur la regardait, compatissant.

— J'ai refait les tests deux fois pour être sûr… Voulez-vous un verre d'eau, ou que j'appelle quelqu'un ?

Béatrice fit signe que non. Elle se leva et lui tendit la main.

— Je vous remercie.

— Vous êtes certaine que ça va aller ?

— Oui, ne vous en faites pas pour moi.

Elle sortit du bureau et essaya de se repérer. Les corridors se brouillaient devant ses yeux. Elle réussit à sortir de l'hôpital. Rendue dans la rue, elle chercha la direction de la clinique et se mit à courir. Elle portait encore sa blouse blanche de médecin. Les gens qui la voyaient passer se disaient qu'il devait y avoir une urgence quelque part.

Béatrice poussa la porte de la clinique et emprunta les escaliers sans attendre l'ascenseur. Son cœur battait dans ses oreilles. Elle sortit à l'étage du bureau de Patrice. Elle l'aperçut au loin avec une infirmière et une vieille dame qu'ils essayaient de ramener à sa chambre. Patrice s'immobilisa en la voyant. Elle avança vers lui à grands pas et se jeta dans ses bras.

Il la serra contre lui et ferma les yeux. Elle était revenue, il était si heureux. L'infirmière et la vieille femme leur souriaient. Quel beau couple ! Patrice prit conscience des tremblements de Béatrice et s'inquiéta. Elle restait collée à lui comme à une bouée. Il caressa son dos et sentit le corps de son amante se détendre.

Béatrice vit soudain la vieille femme qui lui souriait, puis l'infirmière. Elle se redressa en s'excusant. La vieille dame rit.

— Faut jamais s'excuser d'être amoureux.

L'infirmière entraîna la patiente vers sa chambre et Patrice fit entrer Béatrice dans son bureau. Il avait envie de l'embrasser, mais il comprit que quelque chose d'important venait de se produire. Il la fit asseoir, remplit un verre d'eau et le lui tendit. Elle le but d'un trait, les mains tremblantes.

Il attendait en la caressant des yeux. Il avait vécu une semaine de solitude insupportable. Il était même allé jusqu'à se garer devant chez elle pour épier le bonheur de la petite famille. Il essayait encore de se persuader qu'elle ne viendrait jamais plus le retrouver. Et voilà qu'elle accourait pour se jeter dans ses bras.

Béatrice prit une grande respiration et résuma le résultat des tests. Patrice écouta attentivement. Il ne comprenait pas plus qu'elle. Comment Lydia avait-elle pu accoucher d'un enfant qui n'était pas le sien? Il n'y avait pas de mère porteuse à cette époque, pas d'implantation d'embryon.

— Il va falloir refaire les tests. Ça ne tient pas la route.

— C'est ce que je me répète… mais je sais au fond de moi que les tests sont exacts.

Il s'accroupit à ses côtés. Elle tendit la main et lui caressa les cheveux.

— Je ne sais pas qui je suis, mais je dois avouer que tu m'as manqué. Ma vie est en morceaux. Je ne me décide même pas à aller voir mon thérapeute.

— Tu m'as manqué aussi. Je me sens trop bien avec toi, je ne peux plus supporter de ne plus te voir.

— Je ne serais pas de bonne compagnie ce soir. Mais demain midi…

Elle réussit à lui sourire. Elle se leva et l'embrassa. Ils restèrent enlacés un moment. Il n'osait pas lui dire qu'il l'aimait, de peur de la voir prendre ses distances. Il n'avait pas à le lui dire de toute façon, elle le savait.

Charlotte tournait en rond dans son appartement. Béatrice l'avait finalement rappelée en fin de journée. Elle était bouleversée, elle aussi. Une histoire compliquée que tous les Gagnon devaient connaître. Comme Nelson arrivait le lendemain, Charlotte voulait crever l'abcès tout de suite. Elles avaient tellement de choses à se dire que Béatrice avait accepté de passer la voir chez elle. Charlotte avait ensuite appelé Juliette et Albert. Émilie avait répondu au téléphone. Albert avait un concert ce soir-là et il ne pourrait pas être là. Face à la nervosité de Charlotte, Émilie s'était invitée à la réunion. Elle voulait connaître les nouveaux malheurs qui risquaient de s'abattre sur son mari.

Béatrice s'était munie de sacs de plastique et de tiges montées pour les tests de salive. Elle faillit les sortir avant de frapper à la porte. Elle se sentait mieux depuis qu'elle avait vu Patrice, elle avait eu l'impression de retrouver un peu d'équilibre. Elle avait également réalisé combien son absence de quelques jours seulement l'avait marquée. Elle ne pouvait plus nier qu'elle l'aimait, mais elle devait d'abord régler cette histoire de naissance.

Elle avait avisé Alain qu'une urgence l'empêchait de revenir à la maison pour le souper. Elle avait aussi promis de tout lui raconter. Elle passerait la soirée chez Charlotte. Alain n'avait rien répliqué. Il savait qu'il n'avait rien à ajouter quand Béatrice prenait ce ton autoritaire. Il ne pouvait que céder et attendre pour connaître le fin mot de l'histoire.

Charlotte ouvrit la porte avant que Béatrice ne sonne. Elle la fit entrer. Juliette et Émilie s'étaient rencontrées sur le trottoir et arrivaient ensemble. Elles s'installèrent au salon en silence. Charlotte avait déposé une assiette de hors-d'œuvre et des verres sur la table avec un pichet de limonade et une bouteille de vin blanc frais. Personne ne se servit, attendant les révélations de Charlotte. Elle alla directement au but.

— J'ai retrouvé mon père dans les archives des journaux. Il a tué ma mère et Lydia m'a enlevée à eux.

Le silence accueillit ces mots. Juliette finit par se secouer un peu.

— Allons donc, c'est impossible. Henri te l'a dit, maman a accouché à la maison.

Béatrice croyait Charlotte, mais elle voulait mieux comprendre ce qu'elle avait découvert.

— Tu sais qui est ton père ? Tu as photocopié le journal ?

— J'étais trop sous le choc, je me suis enfuie comme une voleuse. Mais j'ai bien lu que Fernando Herrera avait frappé sa femme qui est morte dans l'ambulance. Il a déclaré qu'elle l'avait attaqué. Les journaux du lendemain disaient que le bébé dont elle avait accouché demeurait introuvable. C'est sans doute Lydia qui est venue le chercher… me chercher.

Le silence retomba. Juliette secouait la tête, incrédule.

— Elle t'aurait volée et aurait simulé l'accouchement à la maison ? Mais elle était enceinte. Où est passé son bébé ?

— Elle a fait semblant d'être enceinte. C'était plus que prémédité. Des mois de préparation.

Charlotte sortit la facture froissée de l'hôtel et la tendit à Émilie.

— Comme elle a caché Albert.

Elle résuma son après-midi rue Saint-Hubert.

— J'ai tourné cette histoire dans ma tête pendant des heures. Je ne vois qu'une explication. Hélène était enceinte et célibataire. Pour garder l'enfant, elle a accouché à Montréal et Lydia a déclaré le bébé comme le sien, sans papier d'adoption. Pas de trace, pas d'enfant bâtard.

– Elle aurait aussi caché une fausse grossesse pendant des mois à tout le monde?

– Grégoire devait être complice. Les autres n'ont rien vu.

Juliette repensait à sa propre naissance.

– Elle a fait ça pour son amie Hélène qui a préféré voir son fils grandir avec Lydia et Grégoire plutôt que d'en faire un bâtard. Henri a dit qu'elle était partie pour New York pas long-temps après l'arrivée d'Albert. Ça se tient. Mais ma naissance est différente.

Béatrice n'avait pas encore ouvert la bouche. Elle regarda Juliette dans les yeux.

– Toi aussi, elle t'a prise quelque part. Comme moi.

– Qu'est-ce que tu racontes?

– J'ai pris des cheveux de la tuque de… Grégoire et de la brosse de Lydia. J'ai reçu le résultat des tests d'ADN. Je ne partage aucun de leurs gènes.

Juliette se leva d'un bond.

– C'est impossible.

Charlotte se versa un verre de vin, donnant le signal à toutes de se servir.

– Au contraire, ça se tient. Je me souviens du retour de l'hôpital. Le ventre de ma… Lydia bougeait et elle l'a tenu à deux mains en me demandant de courir vers la maison. C'était toi, tu étais cachée sous sa robe… Elle t'a prise à la pouponnière.

Béatrice ferma les yeux et essaya d'imaginer cet étrange duo. La femme qui tenait son gros ventre comme une boîte de déménagement et la fillette qui essayait de courir vite avec ses petites jambes. Une femme réussissant à placer un nouveau-né sous ses vêtements sans se faire prendre par le personnel hospi-talier. C'était très risqué, mais faisable. Plus crédible en tout cas que des résultats erronés de tests d'ADN. Elle sortit ses sacs de plastique avec les tiges montées pour recueillir la salive. Elle en tendit un à Juliette.

– Tu vas être fixée une fois pour toutes.

– Je vais en parler à Lydia. Je n'arrive pas à le croire.

— Fais le test avant. Si tu es vraiment sa fille, tu n'auras pas à la confronter.

Juliette prit le sac. Charlotte tendit la main.

— Je connais déjà les résultats, mais ce sera une preuve scientifique de plus.

Émilie avait été silencieuse depuis le début, mais elle n'en avait pas moins suivi la conversation. Elle tendit la main à son tour.

— Je vais obtenir la salive d'Albert. J'ai regardé souvent la photo des enfants à la plage. Je trouvais qu'Albert avait un peu les yeux d'Hélène. Je me disais que c'était impossible. Tom était peut-être son père, mais je n'ai jamais douté de la maternité de Lydia. Maintenant, je me dis qu'Hélène est peut-être sa mère, après tout.

Béatrice regarda le sac restant.

— Il ne reste qu'Henri. Peut-être le seul vrai Gagnon de la famille. Mais pourquoi Lydia a-t-elle fait tout ça?

Le coucher de soleil était magnifique avec ses filaments roses et jaunes comme des bonbons acidulés. C'était une des raisons pour lesquelles Lydia avait choisi cet appartement. Elle voyait le ciel se perdre au loin vers l'ouest. Du balcon, on avait une belle vue au-dessus des arbres et des toits avoisinants.

Lydia avait une impression de plénitude quand elle s'assoyait avec une tasse de thé et admirait ce spectacle. Mais, ce soir, elle ne voyait rien. Elle était préoccupée par le silence de ses enfants. Elle n'avait pas reçu une visite d'eux depuis des jours. Même pas un simple coup de fil pour prendre de ses nouvelles. Ils l'avaient visitée plusieurs fois par jour quand elle était à la clinique et, maintenant, rien, le silence total.

Lydia savait que Nelson était revenu d'Amérique centrale avec Audrey et David. Charlotte était venue manger chez elle une semaine auparavant. Elle l'avait même invitée à habiter dans son appartement quand la famille repartirait en mission. Lydia avait refusé poliment. Est-ce que ce refus l'avait fâchée? Charlotte semblait contente quand elle était partie. Que s'était-il donc passé depuis ce soir-là?

Lydia retournait le tout dans sa tête. Elle avait téléphoné à quelques reprises. Seul le répondeur semblait vouloir l'écouter. Charlotte ne la rappelait pas. Lydia avait réalisé que Juliette et Béatrice ne lui donnaient pas de nouvelles non plus. Albert préparait une série de concerts et veillait son fils. Il lui avait simplement annoncé au téléphone que l'enfant devait recevoir une greffe de cellules souches bientôt. Lydia n'avait pas osé lui parler des autres. Il avait assez de préoccupations comme ça.

Lydia commençait à réaliser qu'une seule chose pouvait expliquer leur silence. Ils connaissaient la vérité sur leurs naissances. Les tests sanguins qu'ils avaient subis pour savoir s'ils pouvaient donner de la moelle osseuse à Guillaume avaient tout révélé.

Lydia constata que son thé avait refroidi. Le soleil avait disparu, la peur était revenue. Et Grégoire n'était plus là pour la protéger.

Charlotte avait beau avoir repeint les chambres, elle continuait de s'attaquer avec férocité à la poussière. Elle avait besoin de bouger sans cesse pour s'étourdir, pour empêcher son cerveau de penser à ce qu'elle avait découvert sur ses parents biologiques. Nelson ne l'avait jamais vue si tendue. Il avait pourtant retrouvé sa femme avec une telle joie. Les deux semaines passées sans elle au Honduras avaient été difficiles. La fin des classes, les enfants qui avaient hâte de rentrer et surtout le peu de nouvelles de Charlotte qui ne lui avait donné que quelques coups de fil concis, parlant davantage de la couleur des murs que de sa mère en clinique et du clan Gagnon.

Nelson essayait de se faire tout petit en se disant que le temps calmerait sa femme. Il aimait se promener dans son quartier de Montréal, il se sentait comme en Europe avec toutes ces boutiques et cette nourriture savoureuse et abondante. Les croissants chauds, le café bien torréfié, les fruits variés venant du monde entier. Il partait tous les matins chercher le petit-déjeuner chez le boulanger. Il s'attardait un peu ici et là pour écouter les gens parler français. C'était pour lui des plus dépaysant. Il était bien loin de sa terre natale.

Il avait grandi dans l'Utah à la géographie si variée, passant du ski dans les Rocheuses aux courses en tous genres dans le désert de sel de Bonneville, des nombreux canyons et des arches de pierre aux paysages hollywoodiens de Monument Valley, des dunes de sable corail aux descentes en rafting sur la rivière

Colorado. Il était étudiant en agronomie à l'Université de l'Utah à Logan quand il avait réalisé que la seule chose qu'il ne connaissait pas était la jungle. Un programme du Peace Corps lui avait permis, en échange de deux ans de travail, d'obtenir neuf crédits à l'université et de découvrir les terres variées du Honduras. C'était là qu'il avait rencontré Charlotte, au début des années soixante-dix.

Il avait d'abord visité les bananeraies de la côte nord entre Puerto Cortez et La Ceiba. La compagnie américaine qui possédait ces plantations n'avait pas besoin de son aide. Elle payait déjà grassement le dictateur militaire au pouvoir, et ses travailleurs étaient nombreux à devoir survivre en récoltant des régimes de bananes. Elle invitait les étudiants à constater l'efficacité du travail et à se méfier grandement des serpents *barba amarilla*.

Nelson avait ensuite été envoyé à l'intérieur du pays pour aider les paysans de petits villages accrochés à flanc de montagne à améliorer le rendement de leurs lopins de terre dont dépendait la survie de plusieurs familles. Il n'était plus dans l'humidité étouffante de la côte nord. Il aimait le climat tempéré des hauts plateaux formés de volcans éteints et recouverts d'une végétation aussi verte que dense.

Quand la nuit arrivait, la forêt s'emplissait de bruits de toutes sortes, de cris d'animaux, de frôlements dans les feuilles, de regards lumineux entre les branches. Nelson avait l'impression que la vie s'animait quand les hommes rompus de fatigue allaient se coucher. Il pouvait passer des heures à écouter ce monde insaisissable. Il s'endormait avec ces murmures et n'avait pas encore réussi à trouver sympathiques les coqs des villageois et leurs cris matinaux.

Nelson était tombé amoureux de la région et de ses habitants. Il avait beau être constamment entouré de gens, il se sentait libre pour la première fois de sa vie. Et il était devenu un jeune homme à conquérir. La plupart des jeunes paysannes qu'il rencontrait ne rêvaient que d'épouser un gringo et de vivre dans le confort et l'aisance qu'elles imaginaient au nord du continent. Nelson n'avait donc aucune difficulté à avoir des femmes autour de lui, mais il restait méfiant. Le samedi soir, au bal du village, il dansait avec plusieurs jeunes filles pour ne pas faire de jalouses et surtout de jaloux qui avaient la machette facile quand ils étaient ivres.

Un samedi soir, à une fête organisée pour des travailleurs du Peace Corps qui retournaient aux États-Unis, Nelson avait rencontré une belle Indienne aux yeux magnifiques. Cette jolie femme l'avait regardé un long moment droit dans les yeux. Elle souriait tout en buvant un rhum avec du coca. Il ne l'avait jamais vue avant et il se demandait de quel village elle venait avec sa peau à peine cuivrée, ses cheveux joliment attachés. Elle n'avait pas les mains noueuses de celles qui travaillaient aux champs, ni la peau brûlée par le soleil. Et elle l'avait regardé sans jouer les timides et les soumises.

Armé de son sourire immaculé, il l'avait invitée à danser, dans son espagnol rudimentaire. Elle lui avait répondu dans un anglais fluide que danser avec un grand blond suédois aux yeux si bleus n'était pas son sport préféré. Nelson avait ri. Son cœur avait bondi de joie. Il venait de découvrir avec Charlotte le meilleur des deux mondes. Une femme qui avait grandi dans sa culture, qui connaissait les mêmes films, les mêmes chansons et les mêmes émissions de télévision que lui. Et une femme qui aimait le dépaysement, l'aventure de l'ailleurs comme lui. Il avait alors ajouté une troisième langue à ses connaissances. Et il adorait habiter à Montréal entre deux missions pour pratiquer « la joie de vivre », comme il aimait le dire en français. Là aussi, c'était le meilleur des deux mondes, les cafés à l'européenne et l'efficacité nord-américaine.

Nelson déposa les croissants sur la table de la cuisine. Audrey et David se précipitèrent sur l'assiette. Charlotte allait leur rappeler de se laver les mains avant, mais elle y renonça en les voyant manger de bel appétit. Nelson se pencha vers elle. Elle se serra contre lui, heureuse de sa présence, de son soutien, de son amour.

– Je sais plus quoi faire.

– Oublie.

– Je peux pas.

Audrey regarda sa mère du coin de l'œil. Depuis qu'ils étaient revenus à la maison, ses parents tenaient des conversations énigmatiques à mi-voix. Quand elle posait des questions, on lui répondait qu'il ne se passait rien. Elle avait treize ans, bientôt quatorze, et elle voyait bien que le mensonge était évident. Il se passait certainement quelque chose, puisque sa mère n'était plus la même et que son père la couvait comme une enfant malade.

Audrey n'y tenait plus. Quand sa mère se mit à récurer la salle de bain, elle entra dans la chambre de ses parents et prit soin de refermer la porte. Elle se mit à fouiller les tiroirs sans faire de bruit. Elle finit par découvrir dans le tiroir de la table de nuit des photocopies de vieux journaux. Elle y vit un homme arrêté pour le meurtre de sa femme. Un autre article parlait d'un bébé disparu, probablement mort. Audrey essayait de comprendre pourquoi sa mère était si bouleversée, puis elle regarda la date sur le journal, la même que l'anniversaire de Charlotte. Le bébé disparu serait donc sa mère. C'était vraiment incroyable. Et comment ces copies étaient-elles arrivées jusqu'à elle?

David se demandait où était sa sœur. Il ouvrit la porte de la chambre de ses parents et la trouva assise sur le lit, des feuilles à la main. Il entra.

– C'est quoi, ça?

Audrey sursauta et tenta de cacher les feuilles.

– C'est rien, t'es trop petit.

– J'ai dix ans et je suis pas petit. C'est toi qui es une grande sauterelle.

Audrey avait hérité de la taille de son père, des yeux et des cheveux noirs de sa mère. «Grande sauterelle» était la nouvelle insulte de son frère qui en changeait tous les six mois. Il avait les yeux bleus de son père, les cheveux châtains et il avait peur de rester aussi petit que sa mère. Audrey allait lui dire de fermer la porte quand Charlotte apparut dans l'embrasure.

– Qu'est-ce que tu fais avec ça?

Elle s'avança pour lui prendre les papiers. Elle s'en voulait d'être retournée faire des copies pour les montrer à Nelson. Elle s'en voulait encore plus de se sentir incapable de les détruire comme si elles étaient une partie d'elle-même. Audrey se leva rapidement et les serra contre elle.

– C'est trop tard, maman, je les ai lues. C'est toi?

Charlotte s'effondra sur le lit. Audrey n'en revenait pas d'avoir vu juste.

– Grand-mère te l'avait pas dit! C'est pour ça que t'es fâchée et que tu veux pas la voir.

– Tu es trop jeune pour comprendre.

– Elle t'a ramassée comme les bébés dont tu t'occupes à l'orphelinat. Elle t'a sauvé la vie. Pourquoi tu lui en veux?

Charlotte lui prit les feuilles violemment.

– C'était prémédité. Elle a joué les femmes enceintes pendant des mois.

Charlotte s'en voulait d'avoir crié ces mots, mais c'était trop tard. Audrey rejoignit David qui était resté bouche bée près de la porte.

– Peut-être que Dolores était d'accord parce qu'elle avait peur de son mari.

Audrey prit son frère par la main et se dirigea vers le salon. David suivit docilement, ce qui était rare. Il se disait qu'il aurait droit à des explications sur cette étrange histoire de bébé et de femmes qui jouaient à être enceintes. Qui était Dolores? La bonne qui s'occupait de lui au Honduras?

En voyant les enfants sortir de la chambre, Nelson alla retrouver Charlotte qui était figée comme une statue, les feuilles à la main. Il l'entoura de ses bras.

– Ça devait arriver tôt ou tard. Tu vas devoir faire la paix, au moins avec toi-même… Retrouve-le si ça peut t'aider.

– Mais il l'a tuée.

– Alors, parle avec Lydia. Il y a certainement une explication. Ça ne peut pas continuer comme ça.

David se tenait près de sa sœur. Les explications qu'elle lui avait données ne l'avaient pas satisfait. Leur mère avait été adoptée par Lydia au décès de sa vraie mère qui s'appelait Dolores. David ne voyait pas où était le problème. Il avait remarqué depuis longtemps que sa mère ne ressemblait pas aux autres Gagnon. Mais il avait bien vu qu'elle était bouleversée par cette nouvelle et il avait promis à Audrey de l'aider à éclaircir cette histoire. Après le repas du midi, il avait demandé à son père s'il pouvait aller au cinéma avec sa sœur. Nelson avait dit oui sans trop réfléchir. L'attitude de Charlotte le préoccupait. Audrey avait alors juré de bien s'occuper de son frère. Ils étaient partis main dans la main et Nelson ne s'était pas méfié de cette si belle entente.

Audrey avait acheté un billet de cinéma pour son frère qui voulait voir la suite des *Gremlins*. David se disait que si aider sa sœur était toujours aussi facile, il le ferait plus souvent. Après s'être assurée qu'il était bien entré dans la salle de cinéma avec son sac de popcorn, Audrey avait pris l'autobus. Elle surveillait le trajet, incertaine de se rappeler l'adresse. Elle descendit un arrêt trop loin et revint sur ses pas. Elle devait faire vite pour retrouver David à la sortie de la projection. Elle reconnut l'immeuble avec soulagement et entra.

Lydia fut transportée de bonheur quand elle vit sa petite-fille à sa porte. Elle la prit dans ses bras, puis recula pour la regarder davantage.

– Ce que tu as grandi ! Et tu es si belle !

Audrey rougit.

– Je peux entrer ?

– Mais oui, bien sûr. Je suis tellement contente de te voir ! Tu es toute seule ?

Audrey ne répondit pas et alla directement au salon. Lydia comprit qu'elle aurait une conversation délicate avec elle, mais au moins quelqu'un acceptait de la visiter et de lui parler. Audrey regarda sa montre.

– Je peux pas rester longtemps. Maman sait pas que je suis ici. J'ai trouvé des coupures de journaux. C'est vrai ?

Lydia s'assit à ses côtés. Il n'y avait que Fernando qui avait fait la une du journal. Charlotte l'avait donc découvert. Cela expliquait son silence et le fait qu'Audrey la visitait en cachette. Lydia se dit qu'elle n'avait plus rien à perdre.

– C'est vrai. J'ai pris le bébé de la pauvre Dolores. Si j'avais pas fait ça, je sais pas ce qui serait arrivé à Charlotte. Mais je sais que Dolores aurait pas dû mourir. Ç'aurait jamais dû arriver

Le silence se fit. Audrey se disait que sa mère avait raison d'être bouleversée. Lydia avait sans doute trop honte de ce qu'elle avait fait et elle avait caché sa naissance. L'adolescente avait une autre question et elle hésitait à la poser. C'était peut-être la plus difficile. Elle regarda l'heure de nouveau. Si elle n'en parlait pas maintenant, elle ne le ferait jamais.

– Est-ce que c'est vrai que tu as joué la femme enceinte ?

Lydia accusa le coup. Comment Audrey avait-elle eu cette information ? Certainement pas par les journaux. Ça devait venir de Charlotte. Et comment celle-ci l'avait-elle su ? En faisant le lien avec la naissance de Béatrice ? Qu'aurait-elle pu se rappeler ? La visite à la pouponnière et le retour à la course ? Si Charlotte avait compris le stratagème par déduction, tous ses enfants le connaissaient maintenant.

Devant le mutisme de sa grand-mère, Audrey la fixa droit dans les yeux.

– Pourquoi t'as fait ça ?

– C'est une ben longue histoire. Je vais avoir à te parler de ton grand-père Grégoire, le grand amour de ma vie. C'était mieux que les contes de Disney. Pis de la douce Simone avec son beau François. Paulette aussi, la fière pet. Il y a aussi mon amie Hélène, sans oublier la pauvre Dolores pis Raymonde la terrible. Le problème, quand on est vieux, c'est qu'on a un cimetière en dedans, avec tous ses morts.

Les yeux d'Audrey s'agrandirent.

– J'ai pas le temps aujourd'hui, mais j'aimerais ça, que tu me parles de ces femmes. Ce sont les mères des autres?

– Comment tu sais ça?

– Par déduction. J'aime bien les romans policiers. Si tu as joué la femme enceinte pour maman, tu as pu le faire pour d'autres. Surtout pour Raymonde la terrible. Est-ce qu'elles étaient d'accord? Pourquoi tu voulais sauver ces enfants-là? C'était comme un orphelinat avant la naissance. Comment tu savais que le bébé serait malheureux?

– Ça fait ben des questions pour une fille qui a pas grand temps. Je veux bien t'en parler, mais à une condition… Tu le dis à personne. Même pas à ta mère. Je t'avertis. C'est un ben gros secret, c'est pesant. Penses-y avant de dire oui.

Audrey sentit un frisson courir le long de sa colonne vertébrale. Connaître la vie secrète des mères de ses tantes et de ses oncles. Extraordinaire! Elle embrassa sa grand-mère.

– Tu peux compter sur moi. Je dirai rien à personne.

Charlotte profitait de l'absence des enfants pour passer des coups de fil à tous les Herrera du bottin téléphonique. Heureusement qu'il y en avait peu. Elle avait lu dans le journal trouvé aux archives que Fernando venait de la ville de Morelia et elle se faisait passer pour une lointaine cousine.

Nelson la regardait faire et se demandait comment tout ça allait finir. Il se rappelait les premiers mois passés avec elle. Ils se voyaient toutes les fins de semaine, tantôt au *campo* où il travaillait, tantôt à la petite maison d'une famille du village où Charlotte logeait avec une compagne. Ils étaient amoureux et tous les villageois les saluaient comme des *novios*, les surveillant aussi du coin de l'œil pour ne pas les laisser seuls trop longtemps. Nelson se croyait revenu chez lui, avec tous ces chaperons.

Ils avaient décidé de faire une escale de quelques jours à Salt Lake City avant de retourner à Montréal pour les fêtes. Nelson voulait présenter Charlotte à ses parents. Ils avaient obtenu quelques jours de congé pour aller à Tegucigalpa. Ils logeaient au Honduras Maya comme de jeunes mariés, monsieur et madame Smith. Nelson avait quitté Salt Lake non seulement pour connaître la jungle, mais aussi pour se libérer de l'emprise de sa famille stricte. Il se disait qu'un autre monde existait et il avait envie de l'explorer. Avec Charlotte, tout s'était déroulé simplement. Pas de longues fiançailles, de discours moralisateurs sans fin, d'obligations en tous genres. Ils s'étaient embrassés, elle lui avait offert de partager son lit et il avait accepté. Ils étaient bien ensemble et ils n'en demandaient pas plus.

Charlotte et lui se serraient dans le lit, heureux de cette intimité enfin trouvée. La radio avait cessé de diffuser de la musique pour annoncer que le général Lopez Arellano venait de reprendre le pouvoir en renversant pour la deuxième fois le gouvernement civil, en poste depuis un an et demi. Charlotte avait frissonné. Pourraient-ils regagner les États-Unis ? Nelson avait ri. Ce brave militaire servait trop bien les intérêts américains ; il ferait de même pour ses citoyens. Nelson avait alors raconté à Charlotte le soulèvement populaire de 1911. L'armée américaine était intervenue pour protéger prétendument les travailleurs américains de la United Fruit, en fait, surtout leurs intérêts économiques. Le Honduras avait eu le privilège de devenir le principal fournisseur des coups d'État télécommandés par les États-Unis dans les années cinquante. Les intérêts de la United Fruit étaient bien gardés. Les citoyens américains n'avaient donc rien à craindre.

Nelson avait invité son amoureuse à se rendre au Parque Central pour voir ce qui se passait. Ils avaient descendu la Avenida de Chile et pris les rues étroites vers la cathédrale. Les nombreux curieux affluaient au Parque de la Merced vers le Palacio Nacional et l'édifice du *Congresso*. Tout était calme. Les soldats étaient fiers et souriants, postés ici et là, attendant presque de se faire photographier. Nelson avait embrassé Charlotte. C'était ça, un coup d'État, ici. Tout changeait en restant pareil. La preuve : malgré le scandale du Watergate, Richard Nixon venait d'être réélu et la guerre du Viêtnam, de plus en plus impopulaire, n'en finissait plus.

Décembre 1972 s'annonçait donc sans nuages. Et il l'avait été. Charlotte avait plu aux parents de Nelson par son sourire, sa modestie et ses principes chrétiens, même s'ils étaient catholiques. Elle avait compris le code vestimentaire et avait laissé ses minijupes dans sa valise. Et Nelson avait été admis dans le clan des Gagnon avec un plaisir évident. Ce clan des Gagnon qui venait d'éclater comme une bulle de savon.

Charlotte venait de raccrocher. Elle regarda son mari.

— Je pense que c'est lui.

— Tu lui as parlé?

— Non, à sa femme. Il travaille dans une station-service à Longueuil.

— Tu vas y aller?

— Je ne sais plus. Ils ont deux garçons qui travaillent avec lui. Elle m'a dit qu'il était retourné une fois à Morelia et que tout avait changé. Il ne connaissait plus personne. Elle a demandé mon nom trois fois pour être certaine de ne pas l'oublier quand elle lui dirait que j'avais appelé. J'ai dit que je m'appelais Dolores.

— Penses-tu que tu as le droit de gâcher sa vie maintenant? Il a fait de la prison, il a perdu sa femme et son enfant. Il a payé, non?

— Sans doute, oui. Je me demande à quoi il ressemble.

— On peut y aller tout de suite, si tu veux. J'aimerais qu'on en finisse rapidement.

— Les enfants vont bientôt rentrer.

— Audrey a sa clé. Viens. Il ne faut pas attendre l'heure de pointe pour quitter l'île.

Charlotte le suivit sans un mot. Elle se sentait vidée de son énergie. Nelson roulait calmement. La circulation était encore fluide vers le pont Jacques-Cartier. Charlotte était nerveuse. Nelson lui caressa le bras.

— Tu as déjà vu un feu de champs de canne à sucre?

Charlotte le regarda avec curiosité.

— Non...

— Je venais d'arriver à La Ceiba. On est débarqués du minibus et, la première chose que j'ai vue, c'est un gros rouleau de fumée grise qui bloquait l'horizon. Le feu semblait avancer vers nous. Je me suis demandé pourquoi on restait là. On aurait dû plutôt fuir. Le coordonnateur souriait à belles dents. Les paysans brûlaient les champs pour faire fuir les serpents et permettre aux coupeurs de cannes de ramasser plus facilement les tiges débarrassées de leurs feuilles mortes.

— Pourquoi tu me parles de ça maintenant ?

— Parce que ces gros nuages de fumée qui faisaient si peur, ils ont disparu rapidement. Comme un feu de paille.

— Et retrouver mon père biologique est un feu de paille, c'est ça ? Je suis en train de faire un *show* de boucane !

— C'est… Non, enfin… Je veux dire qu'on s'en fait souvent pour des feux de paille. Mais quand on sait comment ils sont faits et pourquoi, on a moins peur. On peut les contrôler et s'en servir. Fernando a un passé violent. Je sais que tu peux dominer ça. Tu es forte et je veux juste te dire que je suis là.

Charlotte regarda de nouveau son mari. Elle s'était sentie bien avec lui la première fois qu'elle l'avait rencontré. Elle avait su qu'il était l'homme de sa vie, comme Lydia avait raconté souvent que Grégoire était son grand amour depuis le premier jour. Elle n'avait eu aucun doute.

— Je sais que tu es là, Nelson. Je t'aime aussi.

Nelson sourit et ralentit en arrivant à la station-service. Charlotte se cala dans le siège. Un jeune homme dans la vingtaine vint vers eux. Nelson demanda le plein. Charlotte regarda autour d'elle. Elle vit un homme derrière un comptoir, il s'occupait de la caisse. C'était un homme âgé, un peu voûté, apathique. Des cheveux blancs sortaient de sa casquette crasseuse. Il leva la tête et regarda vers les pompes à essence. Son regard n'exprimait rien de particulier sauf l'ennui. Il semblait être encore en prison.

Charlotte eut peur de se faire reconnaître. Ce qui était absurde. Fernando devait être certain qu'elle était morte. Son fils avait une belle gueule de petit bandit sans envergure. Un autre jeune homme entra dans le garage avec un pneu qu'il fit rouler vers une voiture. Il ressemblait au pompiste avec ses cheveux noirs et sa barbe de deux jours. Ils devaient plaire aux filles, tous les deux. Charlotte se dit que c'était sans doute ses demi-frères. Les inviterait-elle au repas du dimanche midi avec les enfants ? Pas vraiment. Voulait-elle faire partie de leur vie ? Non plus. Elle se tourna vers Nelson.

— Rentrons.

Émilie caressa le front pâle de son fils. Il avait perdu ses cheveux blonds bouclés et était aussi chauve qu'à sa naissance. Guillaume avait reçu sa greffe de cellules souches. Les médecins étaient confiants. Le petit garçon de deux ans répondait bien aux traitements. Albert entra dans la chambre d'hôpital. Il venait prendre la relève après avoir répété avec l'orchestre. Il avait une série de concerts à donner dans les semaines à venir. Il était soulagé de pouvoir encore jouer. Il se disait qu'il tiendrait le coup tant que son fils irait mieux.

Émilie embrassa son mari.

– On se voit ce soir.

Il la serra dans ses bras. Il était heureux qu'elle soit dans sa vie. Et il était content qu'elle prenne quelques heures pour voir ses amies. Cela faisait des mois qu'elle s'occupait de leur fils sans relâche. Lui avait sa musique mais, elle, elle avait coupé tous les ponts, quittant même son travail.

– Amuse-toi bien, ma chérie.

Émilie sortit de la chambre rapidement. Elle était certaine qu'Albert pouvait voir son mensonge sur son visage. Depuis sa rencontre avec ses belles-sœurs, elle avait essayé de le persuader de faire un test d'ADN pour savoir s'il était bel et bien le fils de Lydia et de Grégoire. Mais il s'y refusait. Il ne voulait pas remuer le passé. Que Lydia soit sa mère naturelle ou adoptive, ça ne changerait rien. Le présent occupait suffisamment de place avec la maladie de leur fils.

Émilie prit un taxi et se rendit au comptoir de la compagnie de location d'autos. Une demi-heure plus tard, elle roulait sur l'autoroute de l'Acier, en direction de Sorel. Elle ne savait pas trop pourquoi elle voulait connaître le fin mot de l'histoire. Ça ne la regardait pas, après tout. Elle savait que la pauvre Charlotte avait été volée et que sa mère avait été tuée par son mari. Et elle n'arrêtait pas de se poser cette question : comment Albert avait-il été confié à Lydia à sa naissance et pourquoi ? Elle avait même pensé aller la voir. Mais, en tant que bru, elle savait qu'elle n'avait pas grand poids pour faire parler sa belle-mère qui avait tout caché à ses enfants. Le mieux était de faire la recherche elle-même. Elle verrait, selon les résultats, si elle devait en parler à Albert.

Après une heure de route, elle traversa la rivière Richelieu et tourna à gauche pour rejoindre le centre-ville. Elle arriva par la rue du Roi au carré Royal. Les noms des rues de la Reine, du Prince, George, Elizabeth, l'amusèrent. Les bâtiments autour du parc n'avaient que quelques étages. Émilie se gara et se promena un peu. Elle se rendit jusqu'à la rivière Richelieu où des bateaux semblaient abandonnés le long du quai. Vers le fleuve, des entrepôts bloquaient la vue. Elle tourna en rond un moment, puis elle repéra dans la rue George le bureau du journal local où elle entra avec le sourire. Une jeune femme à lunettes lui répondit entre deux coups de fil.

– Des archives de 1944 ? On n'a pas ça ici.

Elle semblait désolée.

– Mais peut-être que le bouquiniste en aurait une copie. Il ramasse tous les vieux livres. C'est sur la rue Roi, près de l'ancien marché. J'espère que vous aimez fouiller.

Émilie n'osa pas lui dire qu'elle n'aimait pas ça. Elle trouva facilement la boutique de livres usagés qui était aussi délabrée que les livres écornés emplissant les boîtes déposées sur une longue table de bois. Un jeune homme à la barbe clairsemée et aux cheveux longs sortit de l'arrière-boutique. Il lui sourit.

– Allez-y, fouillez à votre goût. S'il y a quelque chose qui vous intéresse, vous me le dites.

– En fait, je cherche des journaux de l'automne 1944. Des annonces du *lounge* de l'hôtel Saurel. Des photos.

Le jeune homme se déplaça avec aisance dans ce capharnaüm et sortit une grosse boîte de carton.

– J'ai de vieux journaux ici, mais ils datent plus de l'entre-deux-guerres, de la crise et des grèves.

Il fouilla avec délicatesse les feuilles jaunies qui semblaient vouloir s'effriter au moindre geste un peu brusque.

– Je vois rien après 1940. Je vous laisse la boîte pour un dollar.

Émilie sourit. Elle lui tendit deux dollars en le remerciant. Elle ne voulait pas de la boîte.

– Et, moi, je veux pas de votre charité. Mais attendez.

Il repartit dans l'arrière-boutique. Émilie avait envie de s'en aller. Cette quête était stupide au départ. Après tout, cette histoire ne la regardait pas. Mais elle ne voulait pas blesser le jeune homme et attendit. Il revient tout souriant avec une grosse boîte.

– Ça couvre le temps de la guerre jusqu'en 1945. Vous êtes chanceuse. Ils s'en allaient aux poubelles. Le bail est fini et le propriétaire veut pas de mes vieilleries. Les bars sont plus payants. Je ferme dans trois mois. Je vous la laisse.

Émilie lui tendit un billet de dix dollars.

– Tenez, ce n'est pas de la charité. Je vous souhaite bonne chance.

– À vous aussi.

Émilie retourna à l'auto avec sa grosse boîte de carton. Elle la déposa sur le siège passager. Elle n'allait pas retourner à Montréal avec ça. Elle commença à fouiller délicatement, passant rapidement les années. Puis 1944 apparut enfin. La poussière la fit éternuer et elle dut ouvrir la vitre de l'auto. Elle trouva enfin une publicité du *lounge* de l'hôtel Saurel. Elle reconnut Hélène qui chantait devant un gros micro avec un petit orchestre derrière elle. On voyait à peine le visage du pianiste. Mais il ne faisait pas de doute que la chanteuse était la même femme qui posait sur la plage avec Lydia, Henri et Juliette âgée d'à peine un an et demi.

Elle feuilleta d'autres journaux. La même photo apparaissait sur la même publicité. Émilie garda ces journaux et voulut jeter les autres. Elle regarda autour d'elle. Il y avait des poubelles dans le parc. Elle sortit avec sa boîte et alla la déposer dans l'une d'elles. En revenant vers l'auto, elle repéra l'hôtel de ville. Elle se dit que, là, elle aurait plus de chances de trouver ce qu'elle cherchait. Après avoir poussé une lourde porte, elle arriva à un comptoir où une femme lui dit qu'il n'y avait à cet endroit aucune archive concernant l'hôtel Saurel. Devant la mine désolée d'Émilie, la femme lui demanda d'attendre un moment. Elle prit le téléphone, dit quelques mots et raccrocha.

– Essayez donc chez madame Dauphinais. C'est une vieille maniaque qui collectionne tout sur la Deuxième Guerre. Elle habite tout près. Je l'ai appelée pour vous annoncer.

Quelques minutes plus tard, Émilie frappait à une porte coincée entre deux commerces. Une vieille dame aux cheveux blancs bien coiffés vint ouvrir. Après un étroit corridor, elles débouchèrent sur un salon rempli de meubles et de bibelots. La dame était accueillante.

– Je viens de faire du thé. Assoyez-vous donc. Je reviens.

Émilie resta debout et fit le tour du salon. Des dizaines de photographies ornaient les murs. Des militaires, des paysans, des nouveaux mariés, des enfants, des ouvriers posant fièrement à côté de grosses voitures.

La dame revint avec un plateau sur lequel étaient posés une théière, deux tasses décorées de roses rouges, un pot à lait, un sucrier en argent et des biscuits secs.

– Je m'excuse, mais j'ai plus de gâteau. Mon gars est venu hier et il a tout mangé.

– Je veux surtout pas vous déranger.

– La visite, ça dérange jamais. Assoyez-vous donc. Louise m'a dit que vous cherchiez des photos des années quarante.

Émilie se demanda un moment qui était Louise, puis elle se rappela l'appel de la réceptionniste de l'hôtel de ville.

– En fait, je cherche des photos de la chanteuse et du pianiste du *lounge* à l'automne 1944.

Madame Dauphinais versa le thé et tendit une tasse à Émilie.

– Vous voulez voir à quoi ressemblait la chanteuse ? C'est une parente à vous ?

Émilie aurait préféré ne pas en venir aux confidences, mais elle savait qu'elle devait donner un peu pour recevoir.

– Pas vraiment. J'ai une photo d'elle avec ma sœur.

Elle ouvrit son sac à main et sortit la photo de la plage. La vieille la prit d'une main tremblante, déjà excitée. Elle la regarda attentivement.

– Je me souviens d'elle. Elle était un peu plus jeune que moi. Elle avait une voix extraordinaire. Elle réussissait à me faire pleurer, pis il y a pas grand monde qui peut se vanter de ça.

Un long silence suivit. Émilie n'osait pas bouger, essayant de garder sa tasse immobile. La vieille dame lui redonna la photo et se leva.

– Je sais qu'elle est partie pour New York avec le pianiste. Ça jasait pas mal à l'époque sur ce qui se passait entre ces deux-là. Mais les gens ont toujours aimé jaser. Elle voulait la gloire. Je sais pas si elle l'a eue.

Émilie se retrouva seule au salon. Elle entendit des tiroirs s'ouvrir et se fermer. Elle prit une gorgée de thé et attendit en jetant un coup d'œil à sa montre. Pourvu qu'Albert ne s'inquiète pas de sa longue absence.

La dame revint avec une grosse boîte métallique qui portait la marque d'un gâteau aux fruits. Elle l'ouvrit et en inspecta le contenu. Des photos, des cartes postales. Les doigts arthritiques de la femme semblaient retrouver une certaine agilité. Elle sortit du lot une photo d'Hélène en noir et blanc, le visage éclairé finement par un bon photographe. Il y avait aussi une photo de l'orchestre. Puis Émilie vit une photo de Tom en gros plan, avec le même éclairage professionnel que celle d'Hélène. Elle faillit échapper sa tasse de thé qu'elle déposa sur la table en tremblant. Elle prit la photo dans ses mains. Albert était la copie conforme de son père. Sauf peut-être pour les yeux qui étaient ceux d'Hélène.

La vieille dame regardait Émilie et souriait. Elle semblait avoir compris ce qu'elle cherchait.

– Je peux pas vous la donner. Mais vous pouvez aller chez Wilkie en faire des photocopies. C'est pas loin.

– Je vous remercie… beaucoup.

Albert était furieux, déçu, irrité, mécontent et il essayait de garder son calme depuis des heures. Émilie était apparue à l'hôpital avec un sourire accroché au visage. Il n'avait pas su quoi déceler dans son expression. Était-elle contente, surprise, comblée, ennuyée ? Il l'ignorait, mais il savait qu'il n'allait pas l'interroger devant Guillaume. Même un enfant de deux ans peut comprendre que ses parents vont mal. Il avait donc essayé d'agir le plus naturellement possible. Il avait laissé la place à sa femme et était sorti de la chambre en lui disant qu'il allait prendre l'air.

– Ne m'attends pas pour souper.

Émilie avait été surprise qu'il ne mange pas avec elle. Cela n'arrivait que les soirs de concert, et encore. Elle s'était dit qu'il était fâché parce qu'elle avait pris trop de temps seule. Elle avait regardé son enfant dormir et avait soupiré.

Émilie était rentrée au milieu de la soirée et avait trouvé étrange qu'Albert ne soit pas au piano, c'était ce qui le détendait le plus. Elle l'avait trouvé dans la chambre, allongé sur le lit avec un livre à la main. Il était évident qu'il ne lisait pas, ses jointures étaient blanches d'avoir trop serré le livre.

– Tu ne joues pas ?

– C'est ça qui te plaît chez moi, ma musique ?

Le ton était cassant et Émilie ne savait quoi répondre.

– Tu as des problèmes avec le chef d'orchestre ?

Albert lança le livre par terre.

– Quand tu veux te servir d'une de tes amies comme alibi, tu devrais au moins l'avertir.

– Quoi ?

– Joue pas les innocentes. Quand j'ai vu que tu revenais pas, j'ai appelé Julie. Elle savait plus quoi dire, elle a bégayé que tu venais de partir et j'entendais très bien un homme l'embrasser. Je comprends. Tu es jeune et tu en as assez d'un vieux mari comme moi. Mais arrête de mentir. Ça, je peux pas le prendre.

Émilie le regarda et sourit.

– C'est pour ça que t'es fâché?

– Je trouve pas ça drôle.

Émilie sortit de la chambre et alla chercher son sac dans l'entrée. Elle revint avec les photocopies.

– Je voulais pas te le dire tout de suite, je savais pas ce que j'allais trouver. Je savais même pas si j'allais te les montrer.

Émilie lui tendit les copies des photos d'Hélène et de Tom. La ressemblance était frappante. Albert les regarda avec attention. Sa femme sentit le besoin d'expliquer ce qu'elle avait fait.

– J'ai refait le parcours de Charlotte à partir de l'hôtel de la rue Saint-Hubert. Tu savais que la Miséricorde était tout près? C'est maintenant un hôpital pour des soins de longue durée. De la naissance illégitime au mouroir. Les temps changent.

– Pourquoi t'as fait ça? Tu savais que je voulais pas savoir.

– Toi non, mais moi, quand j'ai vu la photo de la plage, j'ai senti que ces gens-là étaient heureux. Alors, je pouvais pas comprendre qu'on laisse son tout petit bébé à une autre. Et qu'on décide ça avant sa naissance.

– Et t'as trouvé pourquoi?

– Tu veux savoir?

Albert se leva du lit et alla vers sa femme qu'il enlaça.

– Pardonne-moi d'avoir douté de toi. Je ne peux pas accepter de te perdre.

Elle se serra contre lui.

– Je t'aime, vieux mari. T'as pas le droit d'en douter. Tu veux que je te parle d'Hélène et de Tom?

– Oui, mon amour.

– Ils ont dû t'aimer beaucoup pour monter ce stratagème avec Lydia. Les filles-mères à l'époque étaient plus que montrées du doigt, elles étaient souvent reniées par leur propre famille et elles ne pouvaient même pas se trouver un travail. Tom et Hélène devaient partir pour New York quand tu es arrivé sans invitation. L'avortement était une option bien risquée. Beaucoup de femmes en mouraient. Mais je ne pense pas qu'Hélène a eu peur de ça. Je pense que tu étais un enfant de l'amour. Elle ne pouvait pas te tuer. Je ne sais pas ce qu'elle a manigancé avec Lydia ni comment elle s'y est prise, mais, après l'accouchement à la Miséricorde, tu t'es retrouvé dans les bras de Lydia. Tu es devenu un Gagnon bien légitime. Hélène et Tom sont partis pour New York. Fin de l'histoire connue.

— Et Grégoire?

— Un complice consentant ou un aveugle. Je sais pas. Seule Lydia pourrait le dire.

— C'est sans importance aujourd'hui. Il a été un père merveilleux. Laissons les morts en paix.

— Comme tu veux. Mais n'oublie pas Lydia. Elle est bien vivante, elle.

— C'est vrai que j'ai pas vu maman depuis un moment. Je vais lui envoyer des billets pour le concert. Mais pour l'instant…

Albert déboutonna délicatement le chemisier de sa femme. Il était si content de l'avoir retrouvée. Émilie sourit.

— Je suis heureuse d'être avec toi. Et je suis certaine que notre fils va s'en sortir.

— Tu penses qu'on peut rêver un jour d'en avoir un autre?

— On peut toujours rêver.

Émilie le renversa sur le lit en riant.

Juliette regardait par la fenêtre de la cuisine. Il pleuvait légèrement et la lumière était particulièrement grise et terne. Elle sortit le poulet grillé du four. Il faisait chaud dans la pièce.

— Chaque fois que je veux faire un barbecue, il pleut.

Sa fille Sylvie coupait des tomates sur le comptoir. Elle avait attaché ses longs cheveux et remonté les manches de son chemisier en jean ouvert sur une camisole immaculée.

— Il va falloir que papa fasse un abri dans la cour arrière.

— Il y a déjà pas beaucoup de soleil là. Avec une toiture, on verra pas le jour dans la salle à manger.

— Elle ne sert pas souvent. Vous mangez à la cuisine.

— Maintenant que vous êtes partis, Vincent et toi, je cuisine moins aussi.

Elles entendirent un cri de joie. Juliette sourit.

— On dirait que les Expos ont marqué un point.

— Je suis contente qu'Alex aime le baseball comme papa. Au moins, il est pas obligé de se forcer pour faire plaisir au beau-père.

Juliette lavait la laitue. Elle s'arrêta et regarda sa fille.

— Je me demandais… Comme tu vas finir bientôt en pharmacie… Est-ce qu'il y a des médicaments, enfin des fortifiants… je sais pas… des toniques ?

Sylvie se mit à rire.

— C'est pour toi ou papa ?

– On parle pas de ces affaires-là avec ses enfants, mais disons que ton père a une petite baisse de forme. Il avait jamais connu ça avant.

– Je ne connais pas de pilules pour ça. C'est pas une maladie dont on s'occupe beaucoup. Les compagnies pharmaceutiques se concentrent sur des remèdes contre le cancer et les maladies du cœur.

– C'est une maladie pas assez grave?

– C'est pas nécessairement une maladie. Il devrait voir un urologue. Si c'est pas physique, ça peut être… je sais pas.

– Tu veux dire: dans la tête, mais tu te retiens, c'est ça?

– Je suis pas médecin, maman. Et des fois, c'est temporaire. Partez en voyage de noces. Ça casse la routine et, au pire, tu regarderas le paysage. Ou bien appelle grand-mère Lydia, elle doit bien connaître un remède ancestral.

Juliette n'osa pas avouer à sa fille ce qu'elle avait appris de Lydia, encore moins des tests d'ADN. Elle regrettait d'avoir laissé sa salive à Béatrice. Michel l'avait rassurée. Elle n'avait rien à craindre, elle était sortie du bois dans les bras de Lydia. Henri n'avait pas menti là-dessus. Elle ne pouvait quand même pas avoir été prise à un elfe. Juliette n'était plus certaine de rien. Tout le monde semblait être capable de mentir.

– Ah noooon!

Juliette sursauta en entendant Michel crier. Il arriva dans la cuisine et ouvrit la porte du frigo.

– Je le savais. Ils vont en perdre une autre. On aurait dû garder Gary Carter.

– Et toi, tu devrais garder tes mains pour toi. C'est pas le temps d'ouvrir une bière, on va manger dans deux minutes.

Michel referma le réfrigérateur.

– Pis Bronfman qui veut vendre le club. On est finis.

Michel retourna au salon. Juliette et Sylvie le suivirent du regard.

– Maman, je pense que j'ai un remède pour son petit problème. Au lit, tu lui murmures « Bronfman » à répétition. Il va voir rouge et le sang va pomper.

Les deux femmes rirent de bon cœur. Au loin, elles entendirent Alex assurer qu'un consortium allait se former pour racheter le club et le garder à Montréal. Sa voix apaisante ne semblait pas avoir d'effet sur Michel. Juliette serra sa fille par les épaules.

— Tu es bien avec lui?

— Oui... Il est facile à vivre. Plus que moi.

— Toi! Allons donc, t'as toujours été une petite fille obéissante.

— Non, maman, t'as toujours cru que j'étais une petite fille obéissante. Vincent et moi, on se retenait pour pas te faire de la peine. Personne ne voulait blesser la bonne Juliette. On a vite appris à marcher sur des œufs. Vincent se défoule maintenant à l'école de police. Je voudrais pas être là quand il va ramasser un bandit par la peau du cou.

Juliette n'en revenait pas des confidences de sa fille. Ils se retenaient pour ne pas la blesser. La « bonne » Juliette la poursuivait encore. Comment avait-elle fait pour ne jamais voir le volcan intérieur de ses enfants?

— Et toi, tu te défoules comment?

— Je joue au squash au Cepsum deux fois par semaine, pis je fais de la boxe thaï. Le méchant sort... On met le poulet sur la table?

Le repas avait été agréable. Alex était un jeune homme vif et intelligent. Il finissait sa maîtrise aux HEC. Sylvie le regardait avec fierté. Elle avait confié à sa mère qu'ils avaient le projet d'avoir une pharmacie à eux, dès qu'elle aurait obtenu son diplôme. Juliette était contente de voir sa fille heureuse et de savoir qu'elle se débrouillait très bien toute seule. Elle se disait qu'elle avait perdu ses deux enfants ; ils étaient maintenant de jeunes adultes indépendants. Il lui restait un mari bougon qui semblait avoir les nerfs à fleur de peau.

Après le départ de Sylvie et d'Alex, Michel s'installa au salon devant la télévision. Juliette remplissait le lave-vaisselle et entendait les nouvelles du sport. Depuis l'arrivée récente du réseau des sports, Michel passait beaucoup de son temps devant la télé. Juliette bousculait les assiettes. Elle n'en pouvait plus. Elle referma le lave-vaisselle et prit un torchon pour essuyer le comptoir. Elle entendit son mari pousser un cri de joie. Elle alla au salon. Michel ne la voyait même pas, pris par la liste des gagnants donnée par le commentateur. Juliette s'approcha de lui et le fouetta avec le torchon. Il leva les bras pour se protéger.

– Qu'est-ce qui te prend ?

Michel riait. Elle continuait de le frapper avec le torchon humide.

– J'en peux plus, d'être la bonne Juliette. La « bonne » est morte, je l'ai enterrée. Tu m'entends ? Pis si tu veux plus de moi, tu peux coucher sur le divan.

Michel ne riait plus.

– Voyons, Juliette, qu'est-ce que tu racontes ? Tu sais que je t'aime. Il faut que je te le répète tous les jours ?

– Il faut que tu me le prouves.

– Tu penses que ça se contrôle comme ça.

Elle leva la main pour le frapper encore. Il saisit le torchon et tira fort. Juliette perdit l'équilibre et tomba sur le canapé. Son mari se pencha vers elle et s'arrêta à quelques centimètres de son visage. Ils étaient tous les deux essoufflés.

Du coin de l'œil, Michel vit par la fenêtre du salon un vieil homme arrêté qui les regardait, tirant sur la laisse de son chien qui voulait partir. Michel sentit une excitation l'envahir. Il se glissa près d'elle. Juliette souriait.

– Il va falloir que je me fâche plus souvent.

Michel était heureux que sa panne de désir soit surmontée.

– Il va falloir qu'on fasse ça ailleurs que dans le lit.

La suite alla très rapidement. Ils se retrouvèrent nus, éclairés par l'écran de télévision. Juliette avait une jambe par-dessus le dossier du canapé, la tête sur l'accoudoir, l'autre jambe autour de la taille de Michel. Il embrassait ses seins. Elle caressait ses cheveux, puis elle vit l'homme au chien qui les regardait. Elle chercha ses vêtements pour se cacher. Michel l'arrêta.

– Et si on lui montrait de quoi on est capables ?

– T'es fou.

– De toi.

Juliette regarda du coin de l'œil l'homme qui n'avait pas bougé, tirant plus fort sur la laisse du chien. Elle sentit l'excitation la gagner. Comment pouvait-elle faire une chose pareille à son âge ? Pouvait-elle vraiment enterrer la bonne Juliette et libérer la cochonne ? Qu'avait-elle à perdre à essayer ? Au pire, une voisine se plaindrait et la police débarquerait pour l'accuser de grossière indécence. Elle, la bonne mère, la bonne infirmière, la bonne épouse, la bonne tout, quoi ! Qui pourrait croire qu'elle venait de mettre du piquant dans sa vie ?

La minuscule chambre du petit hôtel discret était devenue un rendez-vous bihebdomadaire. Patrice avait perdu ses cernes sous les yeux. Fini le tour des bars à la recherche d'un peu d'excitation. Il était épanoui, détendu et dormait en rêvant à son amante. Tous les employés de la clinique l'avaient d'ailleurs félicité pour sa bonne mine. Depuis qu'une infirmière avait vu la docteure Gagnon se jeter dans les bras de son patron, la nouvelle avait fait le tour de la clinique. Le docteur Legendre n'avait pas commenté les ragots et il était certain qu'aucun de ses employés ne connaissait l'existence du modeste hôtel au-dessus du restaurant. Il s'y rendait donc en toute confiance rejoindre Béatrice le mardi et le jeudi. Et il prenait soin de ne prendre aucun rendez-vous avant quatorze heures.

Béatrice faisait de même. Alain et elle étaient redevenus des époux attentionnés et sages, s'occupant de leurs enfants, veillant à rester civils et polis. Elle était heureuse dans les bras de Patrice à murmurer à son oreille une tendresse qu'elle n'aurait jamais cru posséder. La rationnelle et froide Béatrice s'éclipsait au moins quelques heures par semaine pour laisser place à l'amoureuse passionnée.

Ils étaient assis sur le lit défait à manger un sandwich. Béatrice se pencha et déposa un baiser sur l'oreille de Patrice.

— Le patron doit trouver qu'on est de bons clients.

— Cet homme est la discrétion même. Il doit plutôt me prendre pour un obsédé qui saute ses infirmières.

— Ce cliché marche encore ?

— C'est pour ça que ça s'appelle un cliché. Mais s'il t'a vue monter ici, il sait maintenant que je suis avec la plus belle femme qui soit. Et toujours la même.

— Tu joues au charmeur de serpent maintenant, Patrissse.

— Je l'ai fait tellement longtemps quand on était étudiants et tu ne l'as jamais remarqué.

— Je l'avais remarqué… mais je me disais que tu étais trop beau pour faire un bon mari.

— C'est gentil pour Alain qui doit se trouver parfait comme mari et comme père.

— On avait promis de ne pas parler de lui… J'ai reçu les résultats d'analyse du labo. Juliette et Charlotte sont comme moi, elles ne partagent aucun gène avec Lydia et Grégoire. Pas de surprise de ce côté-là.

— Et l'hôpital de Verdun ?

— Des huîtres. J'ai dû m'y rendre personnellement et insister. Je suis remontée jusqu'au directeur des archives et je lui ai concocté une histoire digne de figurer dans les annales de la psychiatrie. Un bébé a bel et bien disparu de la pouponnière et il n'a jamais été retrouvé. Le directeur m'a finalement confié que l'hôpital avait payé très cher pour le silence de Paul Gendron et de sa femme. Il comptait sur ma discrétion. J'ai pu lui promettre qu'elle était inconditionnelle, top secret médical.

— Tu ne veux pas les voir ?

— Avec le dossier que j'ai trouvé sur eux à la DPJ, certainement pas.

— C'est si pire que ça ?

— Je vois pire dans mon bureau, mais… ce sont quand même des vampires. Je pense qu'ils me suceraient à l'os pour tout me prendre.

Patrice la regarda avec étonnement.

— Ils ont eu beaucoup d'argent, non ?

— Ils ont tout dilapidé rapidement. Une Cadillac, un hiver en Floride, bijoux, fourrures, jeux et alcool, drogue aussi probablement. Une série de clichés, quoi! Paul et Raymonde vivent maintenant dans un deux et demie miteux.

— Et les enfants?

— Le fils est dans la cinquantaine et vit d'expédients, de combines louches, de vols de dépanneurs. Plus minable que ça, tu voles les sacoches des petites vieilles.

— Je vois que tu l'as en grande estime…

— Attends le rapport sur la fille. C'est une alcoolique sur le BS et elle a trois enfants. Elle fait ses petits avec des repris de justice qui la quittent à la première occasion. Chaque bébé augmente ses chèques d'aide sociale et d'allocations familiales. Juste à penser à eux, j'en ai des frissons.

Patrice se pencha vers Béatrice et l'embrassa tendrement sur la bouche.

— Je ne sais pas comment Lydia a pu t'enlever à la pouponnière, mais tu lui dois beaucoup. Grâce à elle, tu n'as pas grandi dans ce milieu difficile. Tu ne serais probablement jamais devenue médecin.

— Je sais.

— Pourquoi t'appelles pas Lydia?

— Je sais pas, j'ai peur… j'ai peur qu'elle me dise que tout ça est vrai.

Patrice serra Béatrice dans ses bras. Il sentit son corps frissonner.

La ville venait d'apparaître sous la couche nuageuse teintée de rose par le soleil couchant. À part les édifices du centre-ville, ce n'était que toitures et taches de verdure traversées ici et là de bandes grises parsemées de feux rouges ou blancs d'automobiles. Henri regarda par le hublot. Montréal lui apparaissait comme un village bien loin de Jakarta et de ses gratte-ciel effilés. Il ne s'était arrêté que quelques heures à Los Angeles, pressé de rentrer.

Le voyage s'était bien passé. L'essor économique de l'Indonésie, grâce au pétrole, attirait les investissements et les investisseurs étrangers. Mais son rôle de *businessman* ne l'amusait pas autant que celui d'ingénieur. Des cocktails, des jolies filles souriantes, des chauves bedonnants et des loups infatigables, toutes ses journées et ses soirées se ressemblaient. Venaient ensuite les visites touristiques en petit groupe qu'il essayait d'éviter tout en restant poli.

Henri avait pu échapper à la visite de Borobudur organisée en plein week-end alors que la foule serait considérable. Il avait bien fait de suivre le conseil d'un homme d'affaires allemand. Il était plutôt parti en train pour Yogyakarta où il avait logé. Avant l'aube, un chauffeur était venu le prendre pour le conduire plus au nord. Quatre-vingt-dix minutes plus tard, il arrivait devant l'immense temple bouddhiste. Le lever du soleil était aussi spectaculaire que promis et les touristes n'avaient pas encore commencé à affluer en grand nombre. De petits groupes ici et là se perdaient dans l'immense enceinte. Henri avait admiré cette construction extraordinaire et il se demandait encore pourquoi il n'avait pas été plus bouleversé.

Comme le train d'atterrissage touchait la piste de Montréal, une idée lui vint comme une évidence. Il n'avait vu que des groupes ou des couples visiter Borobudur. Chaque personne avait partagé avec une autre son admiration, son plaisir, ses commentaires sur l'histoire et l'architecture. Il venait aussi de comprendre pourquoi il avait refusé de se rendre à Bali. Il n'avait pas eu envie de se promener seul sur une plage, peu importe le sable blanc et l'eau turquoise. Il n'avait rien à partager avec qui que ce soit, même pas avec de jeunes et jolies Australiennes. Il n'avait pas envie d'être un homme trop mûr cherchant la chair fraîche.

Il commença à s'inquiéter en réalisant qu'il n'avait eu aucune aventure pendant son séjour. Il se faisait vieux ou… non, pas amoureux ? Le visage de Michelle lui apparut au même moment.

Henri sauta dans un taxi et rentra chez lui. Il prit une douche et changea de vêtements. Il avait envie de partir aussitôt pour le bureau, mais il n'y trouverait personne en milieu de soirée. Ne voulant pas aller dans un bar, il se contenta de boire un whisky en admirant la ville presque endormie à ses pieds. L'agitation du Sud asiatique bourdonnait encore un peu à ses oreilles. Avec le décalage horaire, c'était l'aube qui s'amorçait là-bas avec son animation coutumière et ses bruits de circulation mêlant klaxons et cris dans l'humidité matinale. Il y avait un embouteillage permanent plusieurs heures par jour sur les grandes artères de Jakarta. Même les petites rues étaient prises d'assaut très tôt le matin.

Henri regarda son téléphone à quelques reprises. Non, il ne l'appellerait pas ce soir. Il allait la voir au bureau le lendemain matin. Comme il se dirigeait vers la chambre, le téléphone se mit à sonner. Son cœur s'accéléra et il décrocha immédiatement.

— Salut, grand frère ! Je me demandais si tu étais revenu de voyage. Je ne te dérange pas ? Je me suis dit que tu ne devais pas dormir si tôt. À moins que tu ne sois pas seul…

La voix de Béatrice résonnait comme une blessure.

– Henri, tu es là?

– Oui, je viens d'arriver de l'aéroport. Je suis encore sur le décalage. Qu'est-ce qu'il y a d'urgent?

– Je dois te voir. Il y a de nouveaux développements depuis ton départ. J'ai pas envie de parler de ça au téléphone.

Henri se demandait de quoi parlait sa sœur. Puis des bribes de la dernière rencontre familiale lui revinrent. Une histoire de test d'ADN qu'il avait totalement oubliée.

– Écoute… je viens de rentrer, je vais avoir une grosse journée de réunion au bureau demain. Ça peut pas attendre?

– Je te prendrai pas dix minutes. Je peux me libérer vers onze heures, demain matin.

– J'ai pas mon horaire pour la journée…

– Ce sera pas long, je t'assure. Si tu préfères, on peut se voir avant huit heures. J'ai un patient à huit heures trente.

Henri avait envie de lui raccrocher au nez, mais il sentit une certaine détresse chez sa sœur et soupira.

– D'accord pour huit heures.

– On se voit demain. Bonne nuit.

Il raccrocha en se demandant s'il réussirait à dormir. Il se sentait frais et dispos, prêt à entamer sa journée. Il regrettait déjà d'avoir promis à sa sœur d'être au bureau pour huit heures. Son patron n'était jamais là avant dix heures. Henri s'allongea sur le lit et sourit. Il aurait le temps de parler un peu avec Michelle.

La réceptionniste venait à peine de déposer son sac à main sous son bureau quand Henri entra dans l'édifice.

— Bonjour, monsieur Gagnon. Matinal! Vous avez l'air en forme.

— J'ai pourtant onze heures de retard. Bonne journée.

La jeune femme le regarda entrer dans l'ascenseur et réalisa que les onze heures étaient le décalage horaire. Elle allait s'asseoir à son bureau quand une jolie blonde se présenta.

— Je viens voir Henri Gagnon. Je suis pressée. Il est arrivé?

— Oui, il vient de monter à son bureau.

— Merci.

Béatrice courut immédiatement vers les portes de l'ascenseur. La réceptionniste n'eut pas le temps de lui demander son nom que la visiteuse avait déjà disparu derrière les portes qui se refermaient. Elle appela au bureau d'Henri pour l'aviser. Il lui répondit qu'il attendait ce rendez-vous et la remercia. Il raccrochait quand la porte de son bureau s'ouvrit sur sa sœur qui avança vers lui à grands pas.

— Je t'ai dit que j'avais pas beaucoup de temps et c'est pas des blagues. Tu as l'air en forme. Tu as fait un bon voyage? Tant mieux.

Henri sourit sans pouvoir placer un mot. Il s'assit. Béatrice prit place en face de lui. Elle lui résuma comment Charlotte avait appris la mort de Dolores aux mains de Fernando. Henri ne comprenait pas où elle voulait en venir.

— Et alors ?

— Le bébé de Dolores a été pris par Lydia.

Henri se pencha vers elle.

— Qu'est-ce que tu racontes ? Maman aurait volé Charlotte à Dolores ? C'est absurde.

— Pas tant que ça. J'ai pris des cheveux de Grégoire et de Lydia. Les tests d'ADN sont formels. Je n'ai aucun lien génétique avec eux. Charlotte non plus, bien sûr. J'ai reçu les résultats pour Juliette. La même chose.

Henri s'adossa à son fauteuil. Il essayait de digérer les dernières paroles de sa sœur. Celle-ci regarda sa montre. Elle ouvrit son sac et sortit un sac de plastique avec un coton-tige.

— J'ai pas encore reçu la salive d'Albert.

Béatrice tendit le sac à son frère.

— Veux-tu que je fasse des tests ?

Henri était abasourdi. Toute cette histoire était impossible. Il avait vu sa mère enceinte quatre fois. Elle ne pouvait pas avoir volé tous ses enfants. Et comment aurait-elle pris Juliette dans les bois ? Il n'arrivait pas à le croire. Et pour sa propre naissance, y aurait-il un rapport avec cette femme de notaire malade pendant des mois à Montréal ? Lydia aurait donc commencé là sa carrière de fausse femme enceinte.

Il ne voulait pas retourner dans le passé, mais, devant la tension manifeste de Béatrice, il accepta finalement de laisser sa salive sur le coton-tige. Les résultats n'avaient pas d'importance pour lui. Béatrice se leva, prit le sac et contourna le bureau. Elle embrassa son frère.

— Tu restes mon grand frère, tu le sais bien.

On frappa légèrement à la porte et Michelle entra avec plusieurs dossiers dans les mains. Elle regarda Béatrice penchée au-dessus d'Henri.

— Excuse-moi, je pensais que tu étais seul.

Béatrice se releva.

— Je m'en vais, je suis déjà en retard. On se voit bientôt pour parler de tout ça.

Henri n'eut pas le temps d'ouvrir la bouche que Béatrice était sortie de son bureau. Michelle le regardait avec des fusils à la place des yeux.

— Tu viens de te lever ou tu ne t'es pas encore couché?

Henri sourit et fit le tour de son bureau pour s'approcher de Michelle.

— Est-ce que tu me fais une petite crise de jalousie?

— Tu peux toujours rêver. Bernard t'attend.

— À cette heure-ci?

— Ça brasse. Tu as manqué le meilleur, cette semaine.

Henri accompagna Michelle le long du corridor. Il la trouvait toujours aussi séduisante. Elle s'efforçait de ne pas le regarder.

Bernard était incapable de rester assis à son bureau. Il marchait de long en large en gesticulant. Henri entra avec Michelle. Bernard sembla soudain soulagé.

— Content de te voir, Henri. Comment ç'a été?

— Investir là-bas est peut-être prématuré. Ils ont du pétrole, mais la crise économique va les rattraper eux aussi.

— De toute façon, même si c'était l'affaire du siècle, on pourrait pas se le permettre. Michelle t'a mis au courant?

— Pas vraiment, je viens d'arriver.

— On manque de liquidités, on a ouvert beaucoup de filiales, et les banques…

Bernard serra les poings avant de continuer:

— Elles ont sorti le garrot et sont prêtes à nous étrangler. Je veux pas déposer le bilan.

— On est rendus là?

— Pas encore. Le ministre est favorable à une fusion.

— Un rachat?

— Non, ça non. Le ministre a peur qu'une compagnie étrangère mette la main sur nos actifs. Une fusion avec un partenaire d'ici solide peut nous amener à mieux déployer notre expertise dans le monde. On serait parmi les plus gros. Encore faut-il éviter de se faire avaler tout rond.

Bernard fit signe à Michelle qui ouvrit des dossiers. Henri avait hâte de sortir de là. Il ne pensait qu'à Lydia et aux propos de Béatrice. Lydia était sa mère et le resterait. Il irait la voir le soir même.

Audrey serrait son sac à dos contenant son cahier. Elle ne voulait pas que sa grand-mère le voie. C'était la deuxième fois qu'elle venait chez elle pour l'écouter raconter sa vie. En retour, elle lui parlait de sa mère et essayait de la tenir au courant de ce qui se passait dans la famille.

Quand elle retournait chez elle en autobus, Audrey transcrivait l'histoire de Lydia. Elle avait promis de ne pas en parler, pas de ne pas la mettre sur papier. Elle avait écrit la longue histoire de la rencontre de sa grand-mère avec Grégoire et de leur grand amour. Audrey se disait qu'aujourd'hui une fille de seize ans n'attendrait pas un an avant d'être dans les bras de son amoureux. Puis il y avait eu une autre histoire d'amour, impossible celle-là, entre la femme d'un vieux notaire et un jeune homme qui fuyait l'armée pendant la guerre. Ça, c'était plus intéressant. Les interdits, cacher son amour dans un chalet délabré, fuir un vieux mari. Lydia avait passé rapidement le passage de la passion, mais Audrey pouvait deviner ce qui s'était passé. Elle avait vu beaucoup de films d'amour dans sa jeune vie. La fin, cependant, était triste. L'amoureux était chassé et l'amoureuse mourait. Comme Roméo et Juliette. Et l'oncle Henri se retrouvait orphelin. Heureusement que Lydia et Grégoire étaient là pour l'aimer.

Lydia déposa un grand verre de lait avec une pointe de tarte aux pommes sur la table du salon. Elle s'était remise à cuisiner depuis que sa petite-fille la visitait. Audrey prit une gorgée de lait.

— Maman est beaucoup mieux maintenant. Elle a changé, elle est plus calme.

— Tu sais pourquoi ?

— Je suis pas sûre, mais j'ai trouvé un bout de papier avec l'adresse d'un garage à Longueuil et un nom écrit dessus. Fernando. C'est le même que celui du journal ?

— C'est possible. Ta mère l'a rencontré ?

— Je sais pas, mais quand je suis revenue à la maison avec David, ils n'étaient pas là. Maman était de bonne humeur au dîner... non au souper. J'ai de la difficulté avec «souper» et «dîner». À l'école française de Tegucigalpa, si je dis «dîner» le midi, tout le monde rit. En fait, les profs seulement. Les élèves ne comprennent pas tous aussi bien le français que moi. Mon anglais n'est pas trop mal grâce à papa, mais mon espagnol... On m'a dit que je parlais l'espagnol de la rue. C'est vrai que c'est avec la bonne que je parle le plus espagnol.

— J'espère que ta mère ne l'a pas rencontré.

— Qui ? Ah ! Fernando. Pourquoi ?

— C'est un homme violent. S'il savait que Charlotte n'est pas morte, je ne sais pas ce qu'il ferait.

— Il a été accusé d'avoir tué le bébé. Il ne sait pas que c'est toi qui l'as sauvée. Pourquoi tu lui as jamais dit ?

— Pour qu'y vienne me la voler en sortant de prison ? Jamais ! Dolores était si douce, si naïve. Elle croyait qu'il l'aimait, mais il passait sur elle sa colère pis ses frustrations. Si leur vie avait été plus facile, peut-être qu'ils auraient été un couple heureux. Mais Fernando voulait l'argent vite fait, la grosse vie, l'alcool, les danseuses. Et il buvait pour pas voir son rêve devenir impossible. Je pouvais pas laisser Charlotte grandir avec lui.

Audrey commençait à mieux connaître l'histoire de son grand-père biologique. Elle avait lu et relu les articles de journaux. Elle était contente de ne pas avoir grandi avec lui et Dolores, même si c'était une femme douce et gentille. Elle prit une grosse bouchée de tarte aux pommes.

— Et tante Juliette, tu l'as eue comment ?

Lydia hésitait. Elle ne savait plus comment embellir son crime, très loin du partage amical d'un enfant illégitime avec Simone.

– C'est arrivé à la campagne… Je suis un peu fatiguée aujourd'hui. On peut en parler la prochaine fois ?

– Oui, comme tu veux.

Audrey accepta cette excuse sans trop croire à cette fatigue soudaine. Le malaise de Lydia était évident. Qu'avait donc fait la mère de Juliette pour se faire prendre son bébé ? Sans doute quelque chose de terrible.

Charlotte avait compris qu'elle devait parler avec Lydia, faire la paix avec elle. Nelson avait raison. C'était la seule façon d'aller de l'avant avec sa vie et de ne pas priver leurs propres enfants de leur grand-mère. Peu importe le sang qui coulait dans leurs veines, Lydia était leur grand-mère.

Charlotte avait donc pris l'auto pour se rendre chez sa mère. Elle venait de se garer dans la rue et ne se décidait pas à sortir de la voiture. La nervosité la tenaillait. Elle finit par ouvrir la portière et marcha lentement vers le domicile de Lydia. Une crampe à l'estomac la fit s'arrêter. Non, elle était mieux de revenir un autre jour. Elle fit demi-tour. Comme elle arrivait près de l'auto, elle vit Audrey sortir de l'immeuble. Celle-ci leva la tête et salua de la main Lydia sur le balcon. Charlotte les regarda toutes les deux, stupéfaite. Sa fille lui mentait pour aller retrouver sa grand-mère.

Audrey se retourna et constata qu'elle n'avait pas d'autre choix que d'affronter sa mère qui avait pâli et s'appuyait sur la voiture. Elle s'approcha d'elle avec précaution.

– Maman... tu devrais aller la voir. Elle avait une bonne raison pour faire ce qu'elle a fait.

– Elle t'en a parlé ? Vous avez parlé de ça dans mon dos ?

– J'ai promis de rien dire, maman. Mais va voir grand-mère, je t'en prie.

Charlotte reprit contenance. Elle ne savait pas si c'était le fait de voir Lydia détourner sa fille d'elle ou l'histoire de la mort de Dolores qui la fâchait le plus. Mais une chose était certaine : elle devait affronter Lydia sans attendre. Elle se dirigea vers l'entrée de l'immeuble. Audrey la suivit. Charlotte l'arrêta.

– Tu m'attends dans l'entrée ou dans la voiture.

– Tu ne veux pas de témoin?

– C'est une histoire entre elle et moi.

Audrey accepta à contrecœur. Elle se disait qu'elle aurait la version de sa grand-mère plus tard. Charlotte n'eut pas besoin de frapper à la porte, Lydia l'attendait et la fit passer au salon. Charlotte remarqua le verre de lait vide et le bord de la croûte de tarte qu'Audrey n'aimait pas manger.

– C'est comme ça que tu achètes ma fille?

– Je comprends que tu sois fâchée.

– Je pense que tu pourras jamais le comprendre assez. C'est toi qui as causé la mort de Dolores?

– Je sais pas. Dolores vivait tout le temps dans la peur. Fernando entrait au petit matin ivre, parfois elle ne le voyait pas pendant deux jours. Il la trompait, la frappait. Je pouvais pas rester les bras croisés.

– Et jouer les femmes enceintes était pour toi la solution aux problèmes de Dolores?

– J'avais décidé d'annoncer une fausse couche à Grégoire si la vie de Dolores s'arrangeait. Mais quand j'ai vu comment elle vivait… je pouvais pas la laisser toute seule avec un bébé naissant. Quand je suis retournée chez elle le lendemain, c'était trop tard.

Charlotte n'arrivait pas à la croire innocente. Lydia fit une pause et regarda vers la fenêtre.

– Je regrette ce qui est arrivé à cette pauvre Dolores, mais je regrette pas de t'avoir enlevée à Fernando. Je le regretterai jamais.

– Si Dolores n'était pas morte, elle n'aurait jamais donné son bébé.

– Sans doute. J'aurais essayé de l'aider. Mais est-ce que Fernando aurait été un bon père? Je sais pas.

– Je l'ai vu. Il s'est remarié en sortant de prison. Il a deux fils qui travaillent avec lui dans un garage. Ils n'ont pas l'air d'être des saints, mais ils n'ont pas l'air d'avoir eu une vie trop pénible non plus.

– Tu les aurais préférés aux Gagnon?

Lydia s'en voulut de cette question brutale. Elle n'arrivait pas à croire que Fernando ait pu changer de vie. Puis elle réalisa que des années de prison l'avaient sans doute marqué à jamais.

Depuis sa tendre enfance, Charlotte avait toujours su qu'elle était différente. Elle avait rêvé, toute petite, qu'un prince venait lui annoncer qu'elle était la fille disparue d'un roi qui la faisait chercher par tout le royaume. Un roi fou de joie à l'idée de la retrouver. Et elle avait eu une vie de princesse grâce à Lydia et à Grégoire. Une enfance heureuse dans une famille unie. Voulait-elle vraiment perdre tout ça? Et le faire perdre aussi à ses enfants? Tout ça au nom d'une justice illusoire?

Charlotte s'approcha de Lydia qui la serra très fort dans ses bras. Quel bonheur de retrouver son enfant!

Henri rangeait les papiers encombrant son bureau. La réunion s'était éternisée, des chiffres, des projections, des recherches de contrats. Tout ce qu'il n'aimait pas. Il décrocha le combiné du téléphone pour inviter sa mère au restaurant. Michelle passa la tête par la porte entrouverte. Henri raccrocha. Elle entra.

— Tu allais appeler ta grande blonde?

Henri s'approcha d'elle.

— La grande blonde est occupée avec son mari et ses enfants... Mais je vais peut-être te la présenter un jour... si tu es gentille.

— Mais qu'est-ce que tu veux? Un trip à trois.

— Pas avec ma sœur.

— Ta sœur?

— Oui, Béatrice, le bébé de la famille.

Michelle rougit et se sentit particulièrement ridicule. Henri était content de l'effet obtenu.

— Tu peux te faire pardonner...

— Je pense que je sais comment.

— Alors, allons-y.

— Je te rejoins dans le stationnement.

Henri acquiesça. Il comprenait que Michelle ne veuille pas être vue sortant des bureaux en sa compagnie. Il savait que les ragots au travail pouvaient être désagréables et parfois redoutables. Comme il voyageait beaucoup, il avait rarement l'occasion de les entendre, mais certains venaient à ses oreilles pendant les partys du temps des fêtes. Il avait alors l'impression d'assister à un épisode crucial d'un roman-feuilleton, sans trop comprendre qui couchait avec qui et qui voulait sa vengeance.

Henri venait d'atteindre son auto quand il entendit les talons de Michelle battre le béton. Il ouvrit la portière et elle se glissa sur le siège passager. Il sortit de l'immeuble et se dirigea vers un petit centre commercial près de chez lui. Michelle était silencieuse et souriante. Elle osait enfin s'avouer qu'il lui avait manqué. Henri gara l'auto.

— Mon frigo est vide. Tu viens avec moi ou tu m'attends?

— Je pensais qu'on irait au restaurant.

— Je veux te montrer mes talents de cuisinier. Mais si tu as peur que je t'empoisonne, on va au resto.

Pour toute réponse, Michelle ouvrit la portière de l'auto. Ils se promenèrent dans les allées du supermarché comme des touristes allant d'un comptoir à l'autre. Ils évaluaient leurs goûts alimentaires, leurs recettes, leurs saveurs préférées. Ils avaient l'air d'un couple qui vient d'emménager et pour qui tout est une occasion de s'amuser. Henri sortit les bras chargés de saumon, de pâtes fraîches, de sorbet au thé vert, de salade et de fromages, sans oublier le pain, le lait, les céréales et les œufs. Michelle riait en l'aidant à porter les sacs.

— On a oublié le vin.

— Il y en a toujours à la maison, mais il faudra le mettre au frais en arrivant.

Henri n'avait pas invité une femme à manger chez lui depuis bien longtemps. Il préférait les bars et les restaurants, plus anonymes. Même les invitations à dormir avaient été peu nombreuses dans sa vie. Il aimait mieux se rhabiller au petit matin et rentrer chez lui. Il se sentait bien avec Michelle. Pour la première fois, tout semblait aller de soi. Pas de compétition, pas de conquête, pas d'épreuve de force.

Henri déposa les sacs sur le comptoir de la cuisine et Michelle quitta ses hauts talons avec soulagement. Il apprécia ce geste de liberté. Il rangea les provisions et mit le vin au frais. Michelle voulut l'aider, mais la cuisine était petite, elle alla donc mettre la table dans la salle à manger. Elle admira le bon goût d'Henri, le raffinement des verres et de la vaisselle. Elle le rejoignit ensuite à la cuisine.

– C'est toi qui as tout choisi ce qui est ici?

Henri fit signe que oui en jetant les pâtes dans l'eau bouillante.

– Tu as bon goût.

– Attends de goûter mon saumon à la crème épicée venue directement de La Nouvelle-Orléans. Je vais tellement avoir bon goût que tu vas vouloir me manger.

– Tu ramènes tout au sexe.

Henri se tourna vers elle.

– Non, pour le sexe seulement, je t'aurais amenée au resto, je t'aurais fait boire et je t'aurais étendue sur mon lit comme je l'ai déjà fait. Ce soir, je veux un souper vraiment intime. Tu penses que c'est possible?

Michelle sourit et battit des paupières pour chasser les larmes qui venaient chatouiller ses yeux.

Le repas était délicieux, digne d'un chef. Michelle était surprise des talents culinaires d'Henri. Elle avait toujours cru qu'il était ce genre d'homme ne pouvant même pas faire bouillir de l'eau, habitué aux restaurants et abonné au service de traiteur.

— Où as-tu appris à cuisiner comme ça? Ne me dis pas que ta mère cuisinait cajun.

— J'ai appris à cause de l'orgueil des chefs. Quand je voyage et que je mange dans un restaurant dont j'aime la cuisine, je me fais ami avec le chef. Les cuisiniers adorent les compliments et comme je ne travaille pas dans leur domaine, ils se sentent rassurés. Je ne suis pas un concurrent, mais un touriste à épater. Alors, ils me donnent leurs trucs. La curiosité a fait le reste.

— Et tu dois savoir qu'un homme qui cuisine est séduisant.

— Je ne l'ai pas expérimenté souvent. Peu de femmes ont connu ma cuisine.

— Alors, je devrais être flattée… Je le suis.

Henri sentit l'émotion le gagner. Il avait rêvé de cette femme et, maintenant, il hésitait. Il alla à la cuisine avec les assiettes vides et revint avec la salade et les fromages.

— Je voudrais comprendre… Pourquoi tu veux un enfant à tout prix?

La question étonna Michelle, elle ne pensait pas avoir à parler de cela à ce moment-là. Elle s'était dit qu'elle passerait la soirée avec Henri, ferait l'amour et rentrerait gentiment chez elle, sans engagement quel qu'il soit. Cet homme lui plaisait, il l'attirait, mais elle ne pensait pas vivre quelque chose d'important avec lui.

— Tu passes tout de suite aux choses sérieuses.

— Tu m'as fait peur quand tu m'as parlé d'avoir un enfant et je me demande encore pourquoi ça m'a tellement effrayé. Je me suis senti pris au piège, manipulé.

— C'était pas mon intention. Je cherchais à être sincère. Je devrais savoir, depuis le temps, que c'est rarement une bonne tactique. J'ai l'impression que tout le monde veut entendre des mensonges, des flatteries, des compliments. La sincérité est un peu rugueuse.

— Ça provoque des crises de lucidité. C'est ton horloge biologique qui fait tic-tac?

— Pas vraiment ça. Je sens le besoin de m'accomplir autrement. Après mes études en gestion, j'étais persuadée que j'arriverais à défoncer le plafond de verre, que je me retrouverais à la tête d'une grande entreprise. Ça m'a pris du temps, mais j'ai fini par comprendre que ce monde-là est fait par et pour les hommes. Être le bras droit qui voit à tout sans avoir la gloire ou la honte des résultats ne me dérange plus.

— Tu as fait ton deuil de ta carrière?

— Non, c'est pas ça. Je sais que j'ai atteint mon sommet, et le travail me plaît. Je veux simplement revenir à l'essentiel, au contact humain.

— Et un enfant va te donner ça? Tu veux un enfant jouet pour l'affection inconditionnelle qu'il va te donner ou un enfant roi à qui tu devras passer tous ses caprices comme une sainte martyre?

Henri avait dit ça en souriant, mais Michelle s'était crispée.

— Je ne veux pas d'un jouet, mais d'un être avec qui penser l'avenir. Ce serait bien aussi s'il venait avec un père, mais j'en ai assez d'attendre qu'un homme se mouille vraiment sans y être obligé. Et je n'ai pas envie de forcer la main à qui que ce soit, de jouer la femme enceinte par accident. Tu vois, tu n'as pas à avoir peur de moi. Mais, toi, pourquoi tu ne veux pas d'enfant?

– Je ne me suis pas vraiment posé la question. Je vis ma vie, je voyage, je fais de belles rencontres. Tout va de soi. J'ai vu mon père se dédier corps et âme à sa famille, à ses enfants. J'avais parfois l'impression que c'était un père esclave. J'ai découvert plus tard qu'il était simplement heureux comme ça, entouré de ses enfants et de la femme qu'il a aimée toute sa vie.

– C'est une belle image de bonheur familial. Qu'est-ce qui te fait peur là-dedans?

– On dirait que c'est l'heure des confidences…

– Tu voulais de l'intimité, tu en as.

Il la regarda avec douceur. Il avait envie qu'elle le connaisse mieux. C'était la première fois qu'il allait si loin dans les confidences.

– J'ai peur d'être enchaîné à une femme qui se transformera en marâtre, en Germaine, en surveillante de prison. Café et dessert?

– Volontiers.

Il se leva et alla mettre la cafetière espresso en route. Michelle le suivit dans la cuisine et prit le sorbet qu'elle mit dans des coupes à dessert. Henri appréciait son aisance à agir comme si elle était déjà un peu chez elle. Ils retournèrent à la salle à manger. Henri sortit un vieux cognac. Michelle salua son sens de l'hospitalité puis elle reprit la conversation où ils l'avaient laissée.

– Est-ce que tes sœurs sont des surveillantes de prison?

– Non, j'ai des sœurs formidables. Elles semblent s'en sortir assez bien avec leur vie. Je pense que je pourrais pas faire mieux que mes beaux-frères. Nelson, le mari de Charlotte, est d'une souplesse désarmante. Je sais pas comment il fait. Alain, le mari de la belle blonde que tu as croisée, est pour sa part d'une mollesse étonnante. Je veux pas savoir comment il fait. Et Michel est un bloc de granit auquel ma sœur Juliette s'est accrochée comme une étoile de mer.

– Ça ne me semble pas traumatisant.

– Ça ne l'est pas non plus. Les filles de la famille s'en sortent assez bien. Les gars, nous, on est moins chanceux.

Henri se leva et mit un disque d'Albert dans le lecteur de CD. Il rejoignit ensuite Michelle.

— Mon frère Albert a trouvé l'amour à deux reprises. La première fois, son bonheur a éclaté quand son fils de deux ans s'est noyé dans la grosse piscine du château de sa femme. Tu connais la chanteuse Annie?

— Oui. Je me souviens de la noyade de son enfant. Tous les magazines en ont fait leurs choux gras. Je ne savais pas que c'était la femme de ton frère. C'est terrible.

— Il n'a jamais compris comment Olivier s'était noyé alors qu'il était entouré de nounous, de bonnes, de jardiniers. Personne n'a rien vu. Ils étaient tous occupés à embellir le château pour une fête quelconque.

— Je comprends qu'ils se soient séparés. Il n'a pas voulu d'autre enfant?

— Il n'en voulait pas, le chagrin était trop grand. Mais il a rencontré une femme plus jeune que lui. Une femme charmante, jeune, intelligente.

— Et ils ont eu un bébé?

Henri termina son sorbet et prit une gorgée de cognac.

— Ils veillent présentement leur petit garçon qui se bat pour survivre à la leucémie.

Michelle en eut des frissons. C'était aussi ça, avoir un enfant, courir le risque de souffrir pour lui. Quel terrible destin!

— C'est lui qui joue?

— Oui, il a repris les concerts. Ça te plairait d'aller l'entendre?

— Oui, beaucoup. La musique est essentielle à la vie.

— Et la peinture et les voyages loin des plages bourrées de gens.

— Et l'Italie sans les touristes. J'adore Venise tard l'automne. La lumière, même un peu grise, est magnifique et les places ne grouillent plus d'étrangers. Les Vénitiens reprennent vie jusqu'au printemps.

— Et la Provence, même s'il y a trop d'Anglais. Au moins, ils rénovent avec goût.

– Tu oublies la Corse avec ses durs au cœur tendre.

Henri l'écoutait avec ravissement. Il avait envie de partager plus qu'un lit avec elle. Il avait toujours voyagé seul et, soudain, cela ne l'intéressait plus autant.

– J'aimerais aller voir le monde avec toi.

Michelle sourit et lui caressa la main. Elle avait l'impression que son cœur allait s'arrêter de battre.

– Merci pour cette belle soirée. Je vais rentrer.

– Tout de suite ? Tu ne veux pas rester pour la nuit ?

– La soirée a été trop belle, j'ai besoin d'être seule.

– J'ai dit quelque chose qui t'a déplu ?

– Non, pas du tout. Tu es un homme fort séduisant, Henri. Et tu sais très bien que j'ai envie de toi. Mais il y a beaucoup de choses qui trottent dans ma tête. Laisse-moi faire le point.

– J'apprécie ta sincérité.

Arrivée près de la porte, Michelle se tourna vers lui et l'embrassa passionnément. Henri la retint un moment dans ses bras. Il savait qu'il passerait la nuit à rêver de cette femme merveilleuse.

Michelle paya le taxi et monta les quelques marches qui la séparaient de son immeuble. Quand elle ouvrit la porte de son appartement, elle crut entendre de nouveau le miaulement d'excitation de son chat à son arrivée. Mais il était mort des mois auparavant. Elle alluma et regarda autour d'elle comme si elle n'était pas venue là depuis des jours. Pourtant, l'appartement qu'elle avait quitté le matin était le même.

Elle enleva ses souliers, déposa son sac sur la table de l'entrée et alla au salon. Il y avait des plantes vertes un peu partout, des livres, des disques, des gravures et des eaux-fortes sur les murs, quelques sculptures. Elle avait toujours vu cette pièce comme un désordre artistique. Elle sourit en se disant que c'était l'opposé du condo d'Henri, sobre, épuré, presque zen. Un pied-à-terre d'homme qui voyageait beaucoup.

La soirée avait été magnifique, peut-être trop. Michelle ressentait encore un malaise. Elle ne savait pas si c'était à cause des confidences partagées ou simplement parce qu'elle avait eu envie de passer la nuit avec Henri et qu'elle avait eu peur soudain de cette intimité. Offrir son corps était une chose, ouvrir son âme était plus difficile.

Cette histoire d'enfant la dérangeait. Elle réalisa que ce besoin était apparu après le décès de sa mère, l'année précédente. Elle avait passé des mois à s'occuper d'elle, la regardant dépérir semaine après semaine jusqu'à ce que le cancer crie victoire. Elle avait pris conscience qu'il n'y aurait personne pour la soutenir dans la même situation. Un enfant semblait une suite logique. Maintenant, elle en doutait.

Si Henri lui demandait de vivre avec lui, de partager librement sa vie, d'être sa compagne, mais sans enfant, elle serait peut-être tentée de dire oui. Tout à coup, vivre avec un homme qui l'aimerait vraiment lui paraissait un bel avenir. Et son invitation à voir le monde avec lui l'avait bouleversée.

Le téléphone sonna et elle sursauta. Elle remarqua alors qu'il y avait des messages sur son répondeur. Elle décrocha et entendit la voix de son père.

– T'étais où ? Tu retournes même pas tes appels.

Elle ne put retenir un soupir. Elle avait espéré un moment qu'Henri l'appelait pour s'inviter chez elle. Elle regrettait déjà de l'avoir quitté.

– J'ai eu une grosse journée au bureau, suivie d'un souper d'affaires. Tu sais comment c'est, papa. Ça n'arrête pas. Tu as un problème ? Tu es malade ?

– Je voulais juste avoir des nouvelles. Qu'est-ce que tu fais samedi prochain ?

Michelle chercha rapidement une activité importante. Son père avait le don de l'inviter à des épluchettes de blé d'Inde de l'âge d'or ou à des compétitions de pétanque. Depuis son veuvage, il était devenu super actif dans toutes sortes d'associations. Michelle se disait que c'était sa façon à lui de compenser la perte de sa femme. Mais elle n'avait pas envie de se retrouver avec tous ces inconnus à qui son père la présenterait comme une importante femme d'affaires.

– Il y a une partie de golf organisée avec de gros clients du Japon.

– T'es même pas bonne au golf.

– C'est pas important. L'important, c'est de distraire les clients, de les faire se sentir si bien qu'ils vont avoir envie de signer des contrats avec nous et non avec nos concurrents.

– Ben, c'est dommage. Mon chum m'invite à un gros party à son camping. Il m'a dit qu'il y aurait plein de célibataires. Je me disais que tu pourrais rencontrer du monde intéressant. Te faire un chum peut-être?

Michelle faillit lui rappeler que les hommes qu'il avait voulu lui présenter étaient tous ennuyeux à différents degrés. Des campeurs, des chasseurs, des pêcheurs. De bons gars. Mais elle ne comprenait pas ce qu'elle aurait pu faire avec eux à part baiser. Et encore. La truite et le chevreuil devaient leur paraître plus sexy.

– C'est dommage, mais je pourrai pas y aller. T'en fais pas pour moi, papa. Ma vie est pas plate du tout. On se reprendra une autre fois.

Son père lui souhaita une bonne nuit et elle raccrocha. Elle regarda autour d'elle. Elle avait parlé de sincérité avec Henri. Elle n'appliquait pas toujours ce joli principe. Elle essayait de se persuader que sa vie n'était pas ennuyeuse. Elle savait qu'elle n'était pas excitante non plus. Et un étranger qui l'aurait vue affalée sur le canapé à ce moment-là aurait eu pitié d'elle.

Lydia sortit le gâteau aux carottes du four. Elle espérait qu'il refroidirait suffisamment pour y mettre le glaçage au fromage à la crème avant l'arrivée de son fils. Son appel l'avait surprise et réjouie. Il l'avait invitée au restaurant. Elle lui avait offert de venir plutôt chez elle : elle allait lui préparer son plat préféré. Henri avait accepté avec plaisir. Il n'avait pas mangé de pâté chinois depuis une éternité.

Après le silence des dernières semaines, Lydia avait retrouvé Charlotte avec une joie infinie. Elles avaient pleuré et ri dans les bras l'une de l'autre. Lydia avait parlé de Dolores, de sa candeur, de sa beauté dont avait hérité sa fille. Charlotte regrettait d'avoir appris d'une manière si brutale le destin de sa mère biologique, mais elle comprenait le silence de Lydia. Elle n'aurait pas supporté d'apprendre toute jeune la mort cruelle de Dolores.

Un coup à la porte les avait fait sursauter. Audrey était entrée en se plaignant d'être fatiguée de faire les cent pas dans l'entrée. Lydia et Charlotte avaient ri en lui tendant les bras. L'adolescente avait soupiré. Encore une effusion de mamours. Elle n'était plus une enfant. Elle avait quand même embrassé sa mère et sa grand-mère, heureuse de les voir réconciliées.

Lydia mit le pâté chinois au four. Et maintenant, son aîné venait la visiter. Elle ne savait pas s'il avait fait un test d'ADN lui aussi. Étant donné qu'il était en voyage depuis un moment, il ne savait peut-être rien de tout ça.

Henri avait à peine croisé Michelle dans la journée. Elle faisait des va-et-vient constants entre le bureau de Bernard et les différents chefs de service. Elle lui avait souri, mais Henri n'avait pu évaluer ce sourire. Il n'osait pas aller la voir à son bureau avant de partir et décida de l'appeler. Sa secrétaire répondit. Il raccrocha comme un gamin pris en faute. Réalisant qu'elle avait sans doute vu son numéro sur l'afficheur, il rappela pour s'excuser de son erreur. Il entendit la voix de Michelle et demanda à lui parler.

Michelle lui dit qu'elle avait un papier pour lui et qu'elle le lui apportait tout de suite. Il se sentit heureux comme un enfant attendant son cadeau le jour de son anniversaire. Elle entra dans son bureau avec une feuille blanche. Ils restèrent un moment sans bouger, se regardant. Henri rompit le charme en disant qu'il allait manger avec sa mère. Michelle lui souhaita une belle soirée. Henri s'approcha d'elle.

— J'aime beaucoup ma mère, mais je doute que la soirée soit aussi agréable que celle d'hier.

— Je pense qu'on a un problème… Dès que je t'aperçois, j'ai envie de te sauter dessus.

— Et moi, j'ai envie de t'embrasser.

Ils entendirent des voix dans le corridor. Ils restèrent immobiles un moment, puis Henri prit la feuille des mains de Michelle. Elle chuchota :

— Tu peux passer chez moi après ton souper avec ta mère.

Michelle reprit la feuille et y nota son adresse et son numéro de téléphone. Henri caressa ses doigts en reprenant la feuille. Ils étaient redevenus des adolescents dont le cœur palpite au moindre frôlement.

Henri monta chez sa mère tout joyeux. Quand elle ouvrit la porte, Lydia ne vit d'abord qu'un gros bouquet de fleurs multicolores avant de pouvoir embrasser son grand garçon. Elle trouva un vase pour les mettre et ils passèrent à table. Henri admira le gâteau assez gros pour nourrir une armée. Lydia sortit le pâté chinois. Henri se dit qu'il aurait l'estomac bien plein pour rencontrer Michelle. Pourvu qu'il ne s'endorme pas trop vite avec toute cette nourriture.

Lydia le trouva changé, plus reposé. Le voyage lui avait été bénéfique.

— C'est pas le voyage, maman.

— Alors, c'est quoi?

— Plutôt, c'est qui?

Les yeux de Lydia s'allumèrent. Son fils serait-il enfin amoureux, véritablement amoureux?

— Comment elle est?

— Merveilleuse, bien sûr. Elle s'appelle Michelle.

Henri lui résuma sa rencontre dans un bar, sa surprise de la reconnaître le lendemain et de s'apercevoir qu'elle était la nouvelle adjointe de son patron. Ils s'étaient revus à son retour. Il avait cuisiné pour elle. Lydia souriait.

— Et vous avez parlé toute la soirée?

— Oui, je l'ai revue aujourd'hui. J'ai l'impression que ça peut devenir sérieux. Il y a juste un petit problème. Elle veut un enfant.

— En quoi c'est un problème?

Henri n'aimait pas mettre des mots sur son malaise, mais, devant le regard curieux de sa mère, il se confia:

— Ça me fait un peu peur, je suis pas certain d'en avoir envie. Par contre, je vais bientôt avoir cinquante ans, si j'en ai pas maintenant, il sera trop tard pour le voir grandir et être là pour lui.

— Tu sais, les enfants, c'est toujours une aventure. On sait pas comment ça va tourner. Si on pensait à tout pour pas avoir de risques, je pense qu'on ferait pas grand-chose, pis on s'ennuierait pas mal. L'important, c'est que tu l'aimes vraiment. C'est ça qui nous fait passer à travers les difficultés.

Henri approuva de la tête. Il mangeait lentement en se demandant comment il arriverait à finir son assiette. Lydia lui caressa le bras. Elle devait faire les premiers pas.

— Ta mère était vraiment amoureuse, tu sais.

Henri se figea.

— De quoi tu parles?

— Si tu le sais pas déjà, tu vas l'apprendre par Béatrice avec ses tests ou par Charlotte. Elle est venue hier avec Audrey. J'ai raconté comment elle était arrivée dans ma vie avec Dolores. Elle connaissait juste ce que les journaux avaient rapporté et elle était malheureuse… C'est pas facile de parler de ça.

— J'ai donné un échantillon d'ADN à Béatrice hier. Je me fous des résultats. J'ai bien l'intention de continuer à t'appeler maman.

Lydia était émue.

— J'aimerais quand même te parler d'elle. Elle s'appelait Simone.

— La femme du notaire? Tu m'avais déjà dit que c'était une femme charmante.

— Et aussi une amie. Son mari était vieux et sévère. À cette époque-là, les conventions sociales étaient strictes. On pardonnait pas le plaisir, vu que la vie était faite de sacrifices. Quand j'ai vu François regarder Simone pour la première fois, j'ai su que ces deux-là allaient s'aimer avec passion. Ils étaient tellement beaux, ensemble! On avait envie d'être près d'eux juste pour recevoir un peu de leur amour.

— Ils ne pouvaient pas partir ensemble, fuir?

— Le Québec, c'est peut-être un grand territoire, mais tu pouvais pas te cacher nulle part dans ce temps-là. Le divorce était impossible, les curés surveillaient tout, les sœurs aussi. On pouvait t'attraper même à Montréal. Et puis, le beau François avait pas un sou à lui et il était trop beau garçon pour pas se faire courtiser. Simone aurait pas pu le cacher au fond du bois toute sa vie.

— Es-tu en train de me dire qu'il était un coureur de jupons comme moi?

— Les choses sont différentes aujourd'hui. T'as pris beaucoup de choses de Grégoire. Je suis pas sûre que François aurait fait de toi un ingénieur. T'aurais plutôt été un coureur des bois avec une femme pour chaque saison.

– C'est vrai que papa me poussait. J'étais tellement fier de lui montrer que je pouvais en faire plus. Je suis content d'avoir grandi avec lui. Avec toi aussi.

– J'aurais aimé ça que t'aies deux mères. Elle a même pas eu la chance de te voir après être revenue au village… La vie décide autrement, des fois.

– Et lui, François, il m'a vu?

– Non, il a jamais su que Simone était enceinte. Le notaire l'a chassé de la région, le menaçant de le donner à la police militaire. Alors, François a détalé comme un lièvre.

Henri trouvait que la pauvre Simone avait payé bien cher quelques moments de bonheur.

– Merci de me raconter ça, maman. Une chance que t'étais là.

– C'est à ton tour de décider de ta vie. De voir si tu peux te poser avec cette belle Michelle. T'as passé l'âge d'être coureur des bois.

– Je sais. Mais je veux pas être acculé au pied du mur.

– Tu peux pas l'être si tu aimes vraiment. Si tu veux un trophée, c'est autre chose. Moi, je pense qu'on se fatigue de les voir prendre la poussière sur la cheminée.

– J'aime ça quand je te vois allumée comme ça.

Lydia sourit du compliment. Elle se sentait tellement mieux depuis qu'elle avait commencé à se confier.

Henri quitta sa mère le cœur léger. Il avait hâte de parler avec Michelle. Il savait maintenant qu'elle serait aussi sa complice amoureuse. Il sonna à sa porte avec une grosse part du gâteau aux carottes. Michelle rit en le voyant.

– Tu es vraiment décidé à me nourrir.

– On ne refuse pas le gâteau de sa mère. Heureusement, elle ne m'a pas obligé à le manger devant elle. Mais elle était contente de savoir que tu y goûterais.

Michelle était étonnée.

– Tu lui as parlé de moi?

Henri eut peur soudain de l'effrayer en précipitant les choses.

– Tu as l'intention de me laisser dans l'entrée les bras pleins?

Michelle le laissa passer. Il déposa le gâteau sur le comptoir de la cuisine. Elle avait nettoyé et rangé depuis son retour du travail. Elle voulait faire bonne impression. Henri se déplaçait dans l'appartement.

– C'est très chaleureux chez toi.

– C'est plutôt bordélique. Trop de choses et pas assez de place. Il y a beaucoup de souvenirs de ma mère que je n'arrive pas à jeter.

Il se tourna vers elle et la prit dans ses bras.

– Je suis heureux de partager ton intimité.

Tout venait d'être dit et ils ne prononcèrent pas d'autres paroles pendant un long moment. Les confidences d'Henri viendraient plus tard. Ils allaient d'abord s'aimer.

Béatrice et Charlotte étaient attablées au bistrot Au Petit Diable. Cela faisait très longtemps que les deux sœurs n'avaient pas mangé ensemble sans maris ni enfants. Charlotte avait insisté pour sortir sa sœur de l'hôpital au moins pendant une heure. Elle était détendue, volubile. Béatrice était plus nerveuse. Elle s'efforçait de ne pas regarder vers l'escalier du fond pour voir des clients entrer dans les chambres discrètes ou en sortir. Elle savait qu'elle reviendrait au même endroit le lendemain et qu'elle se faufilerait avec bonheur vers l'étage pour rejoindre Patrice. Leurs liens se solidifiaient et ils refusaient d'en parler ouvertement tous les deux. Béatrice sursauta en entendant Charlotte prononcer le nom de Lydia et elle prêta plus attention à ce qu'elle disait.

— Quoi? Tu as revu Lydia avec Audrey?

— Audrey n'a pas assisté à notre tête-à-tête, mais elle est au courant. Elle voyait sa grand-mère en cachette. Je me suis dit que si j'affrontais maman, elle serait bien obligée de me dire la vérité. Comme j'ai vu Fernando, elle ne pouvait pas raconter qu'il n'existait pas. Elle m'a enfin parlé de Dolores. Ça m'a fait du bien.

Béatrice regrettait de n'avoir pas suivi davantage la conversation. Des bribes lui revenaient.

— Et tu as parlé avec Fernando? Il sait qui tu es?

— Non, je viens de te le dire, je ne me vois pas entrer de force dans sa vie. Il a fait de la prison, il a payé. Ça ne ressuscitera pas Dolores. Il me croit morte de toute façon. C'est pas lui, ma famille, c'est Lydia et vous autres. Est-ce que tu penses qu'on n'est plus des sœurs maintenant qu'on sait qu'on n'a pas les mêmes gènes ?

Béatrice regarda sa sœur avec un sourire.

— Je pense que je pourrais jamais me débarrasser de toi comme sœur. On a fait trop de mauvais coups ensemble.

Charlotte rit.

— Tu parles de quoi ? De la bombe puante dans la chapelle du couvent ?

— Tu n'étais pas tenable en dernière année et, moi, je passais pour la pauvre petite sœur qui allait suivre tes traces. Alors, on me surveillait plus pour que je ne tourne pas mal.

— Je faisais rien de bien dangereux. J'avais juste hâte de quitter les cornettes.

— Et moi, je rêvais d'aller voir les garçons de plus près.

— Tu as dû être servie en médecine. Pas beaucoup de filles à ton époque.

— Disons que j'étais loin de la grisaille des sœurs. Mais je savais que maman… que Lydia veillait à tout.

— Tu ne veux pas la voir ?

— Ça servirait à quoi ? Le dossier de la famille Gendron est assez éloquent. Elle m'a sortie de la merde, mais elle m'a quand même volée. Toute une vie de mensonges.

— Eux non plus, tu ne veux pas les voir ?

— Certainement pas. Je vois leurs doubles tous les jours. J'en ajouterai pas une couche.

— J'ai l'impression que ce qui te fâche vraiment, c'est pas Lydia, ce sont les Gendron. Tu voudrais pas avoir leur sang dans tes veines.

Béatrice regarda sa sœur, stupéfaite. Charlotte venait de mettre le doigt sur ce qu'elle refusait elle-même de voir sciemment. Elle ne voulait pas être comme eux et elle avait peur qu'un gène obscur transforme sa vie rangée. Plus aussi rangée depuis que Patrice était son amant. Charlotte s'inquiéta du silence de sa sœur et posa la main sur son bras.

– Ça fait pas de toi une ivrogne. Lydia et Grégoire ont veillé sur nous, ils nous ont aimées et protégées, ils nous ont aidées à devenir qui nous sommes. C'est ça qui compte. Lydia mérite qu'on l'appelle maman.

Béatrice fut tentée de regarder sa montre pour fuir la conversation, mais elle se retint. Elle se dit qu'elle s'améliorait en devinant ses propres petits mécanismes de défense. Elle savait très bien que Charlotte avait raison.

– Je vais passer la voir. J'espère que ça me fera autant de bien qu'à toi.

Béatrice venait de ranger le dernier dossier. Des phrases de Charlotte lui revenaient en mémoire. Les deux sœurs s'étaient quittées en s'embrassant. Cette rencontre avait été une pause salutaire pour Béatrice. Elle avait l'impression d'avoir aéré un peu son cerveau. Mais elle hésitait encore à voir Lydia. Elle essayait de s'expliquer sa peur face à elle, et elle ne trouvait rien de particulier. Elle regarda l'heure. Elle pouvait tergiverser un long moment et se dire qu'il était trop tard, que les enfants l'attendaient à la maison. Elle pouvait aussi partir tout de suite et passer quelques minutes avec Lydia, le temps de la remercier de l'avoir sortie de la famille Gendron. Elle pencha pour la deuxième option et sortit vite de son bureau.

Béatrice sauta dans un taxi et elle fut surprise d'arriver si rapidement chez Lydia. Elle sonna à la porte. Un moment passa. Elle allait s'en retourner avec soulagement quand la porte s'ouvrit. Lydia lui tendit les bras. La cuisine embaumait le gâteau au chocolat. Béatrice hésitait. Lydia comprit que sa cadette ne venait pas faire la paix. Elle lui demanda d'entrer et de passer au salon, le temps qu'elle sorte le gâteau du four. Béatrice s'avança.

— Tu t'es remise à cuisiner?

— C'est des brownies pour David et Audrey. Ils ont promis de passer après le match de soccer au centre Claude-Robillard. Nelson va être avec eux autres. Je sais pas si Charlotte va venir aussi. J'en ai fait assez pour tout le monde.

Béatrice s'assit au salon et se demanda ce qu'elle faisait là. Elle se sentait incapable de parler des Gendron et elle ne voulait pas que Lydia lui donne des détails non plus. Elle désirait oublier ce qui s'était passé avant sa naissance.

Lydia savait par Audrey que c'était Béatrice qui avait eu l'idée des tests et elle se demandait ce qu'elle allait lui mettre sous le nez. Elle pourrait lui parler de sa famille biologique jusqu'à la nausée, mais ça n'améliorerait pas ses relations avec elle. Elle alla donc s'asseoir sagement au salon.

— Tu veux boire quelque chose?

— Non merci.

Le silence était pénible. Lydia ne savait plus trop par où commencer. Elle avait compris que sa fille pratiquait son métier : ne rien dire et attendre, écouter.

— Dans ton travail, t'essaies tous les jours de sauver des enfants, des parents aussi. C'est jamais facile. Il faut beaucoup aimer un enfant pour vouloir le sauver, même en risquant de se faire prendre, de sacrifier tous les autres. Je pourrais pas faire ce que tu fais, j'ai jamais pu supporter la souffrance, surtout des petits innocents. Ça m'a fait commettre des crimes, je pense que c'est comme ça qu'un juge appellerait ça.

— Il y a toujours des circonstances atténuantes. On pourrait pas t'accuser de malveillance. Tu as fait tout ça par amour. L'amour, ça nous fait faire toutes sortes de choses, des plus belles aux plus laides comme le mensonge, l'adultère.

— L'adultère? Mais j'ai jamais trompé ton… Grégoire.

— Mais, moi, je le fais. Je trompe Alain.

Béatrice avait de la difficulté à croire qu'elle venait de dire une telle chose. Les mots étaient sortis de sa bouche tout naturellement, comme un simple constat.

— Et quand je suis dans ses bras, j'arrive pas à me sentir coupable.

— Tu es vraiment amoureuse de lui alors?

— J'ai bien peur que oui. En fait, j'aurais dû marier Patrice plutôt qu'Alain. J'ai voulu être raisonnable, ce n'était pas l'idée du siècle.

— Patrice? Le médecin qui m'a fait passer les tests?

Béatrice fit signe que oui. Lydia sourit enfin.

— Vous faites un si beau couple. J'ai vu ça tout de suite… Mais il faut aussi être honnête avec Alain. Tu peux pas lui mentir si tu aimes vraiment Patrice.

— Et les enfants? Ils sont encore jeunes, ils ne comprendront pas, ils vont en souffrir.

— C'est vrai, ça va changer leur monde. Mais les mensonges font tellement mal.

— Ça t'a quand même réussi longtemps.

Lydia sourit tristement.

— La plus grande douleur, ç'a pas été les mensonges, ç'a été de vouloir des enfants et de pas pouvoir en faire.

— Papa savait?

Lydia était heureuse de l'entendre appeler Grégoire «papa».

— Non, mais il n'était pas idiot. À ton arrivée, il a tout compris. Il a remonté le temps. Il m'avait jamais vue accoucher et je lui permettais pas de me toucher quand j'étais enceinte. Quand on a parlé d'un bébé volé à l'hôpital, il a compris que c'était moi. Il a aussi compris son rôle de sauveteur. Il vous aimait trop pour vous retourner à l'expéditeur. Et je lui ai promis de ne plus recommencer.

Béatrice regardait celle qu'elle avait de nouveau envie d'appeler maman.

— Je te remercie, maman.

Béatrice était entrée à temps pour surveiller la fin des devoirs des enfants. Brigitte, la jeune femme qui allait les chercher à l'école, en profita pour partir. Alain remplaçait un collègue à l'urgence et il ne serait à la maison qu'en milieu de soirée. Béatrice avait préparé un repas rapide. L'odeur des brownies de Lydia la hantait. Elle ne cuisinait plus depuis un long moment. Manque de temps, mais aussi manque d'intérêt.

Elle regardait Nicolas et Sophie en se demandant comment leur vie changerait si elle divorçait de leur père. Ils seraient ballottés une semaine sur deux, tantôt chez l'un, tantôt chez l'autre. Ils détesteraient sans doute Patrice pour avoir volé leur mère. Alain referait peut-être sa vie avec une autre femme, et les enfants la détesteraient aussi. Béatrice voyait régulièrement des adolescents en colère contre tout à la suite de la séparation de leurs parents. Comment pouvait-elle protéger ses enfants de ce malheur ?

La seule solution qu'elle voyait était le mensonge, la double vie. Elle ne se sentait pas la force de se passer de la présence de Patrice. Il la nourrissait, l'équilibrait, la soutenait sans défaillance. Les moments passés en sa compagnie lui donnaient du courage. Mais combien de temps accepterait-il d'être l'homme invisible ? Et comment Alain pourrait-il accepter sa présence, même discrète ? Béatrice avait envie de laisser le temps décider de la suite des choses. Elle savait pourtant que ne rien faire était rarement une bonne solution.

Après avoir mis les enfants au lit, elle se promena dans la maison silencieuse. Le bonheur serait que les enfants continuent de vivre entourés de ce qu'ils aimaient et connaissaient. Ils ne devaient pas changer d'école ni perdre leurs amis. Et si c'était elle qui partait une semaine sur deux? Alain pourrait aussi se permettre de telles escapades. Il partait des jours pour des congrès et les enfants n'en souffraient nullement. Pourquoi n'aurait-elle pas droit à des congés de mari? Il y aurait des moments où ils seraient là, les fêtes, les anniversaires, les vacances. Comme des parents aimants.

La double vie de Lydia l'avait inspirée. Elle se rappela soudain qu'elle n'avait pas encore avisé Juliette des résultats des tests. Il serait tard pour se rendre chez elle au retour d'Alain. Elle se décida à lui téléphoner, mais elle raccrocha avant la sonnerie. Ce n'était pas une nouvelle qu'elle pouvait donner comme ça. Elle n'aurait pas le temps de la rencontrer le lendemain, car elle avait rendez-vous avec Patrice. Elle n'irait quand même pas la trouver au travail. Il ne restait que le téléphone. Juliette répondit tout de suite.

— Comment ça va, ma grande sœur?

— Béatrice? Il y a un problème?

— Pourquoi tu penses qu'il y a un problème?

— On se voit plus souvent qu'on s'appelle. Enfin, on se voyait plus quand maman était en clinique.

— C'est vrai. On est tous pris avec nos horaires. En fait, je devrais te voir pour te dire ce que je veux t'apprendre.

— C'est grave?

— Je sais pas si tu vas trouver ça grave, mais c'est sans surprise.

— Tu parles des tests? Je suis comme vous autres. On est une famille d'enfants volés, c'est ça?

— Oui. Je veux te dire que j'ai vu maman tout à l'heure. Je ne peux pas lui en vouloir. Charlotte l'a vue aussi. Elle se sent mieux depuis qu'elle a parlé de Dolores avec elle.

— Elle se sent mieux parce que Lydia a tué sa mère? C'est toute une nouvelle, celle-là.

– Ça s'est pas passé comme ça. Parle avec Charlotte, ça va te faire du bien.

– Mais elle m'a prise où ? Henri a répété qu'elle était sortie du bois avec moi. Je viens d'où ?

– Je sais pas. Il faut parler à Lydia pour ça.

– Parler à Lydia, parler à Lydia. Pour qu'elle me tartine avec d'autres mensonges. Pis, en plus, t'as l'air contente de la nouvelle.

– J'ai fait des recherches et je sais d'où elle m'a sortie. Crois-moi, c'était pire que le bois. Elle m'a sauvée. Je suppose qu'elle t'a sauvée aussi. Comme nous tous.

– Alors, pourquoi Henri a menti aussi ?

– Il a peut-être pas menti…

– …

– Juliette ? T'es là ?

– Où tu veux que je sois ? Toi pis tes histoires de génétique ! Est-ce qu'on avait vraiment besoin de ça dans nos vies ? T'aurais pas pu fermer les yeux devant les groupes sanguins différents ? Ben non, il faut savoir, il faut chercher et, surtout, il faut trouver.

– Je comprends ta colère.

– Ah ! Joue pas au psy avec moi. Viens pas me dire que la connaissance est mieux que le silence. J'ai pas besoin de ça dans ma vie…

– Je suis désolée.

– Vraiment ?

– Oui, vraiment. Quand j'ai découvert ma famille biologique, j'en ai eu des nausées. Je sais que je devrais avoir plus de compassion pour eux. Mais ça me fait froid dans le dos d'avoir leur sang dans mes veines. Heureusement que Lydia et Grégoire étaient là pour moi et qu'ils m'ont donné des frères et sœurs que je vais toujours aimer, peu importe…

En entendant l'émotion percer la voix de sa sœur, Juliette se radoucit. Elle ne l'avait jamais connue ainsi.

– Laisse-moi digérer tout ça, veux-tu ?

– Oui, bien sûr.

Juliette raccrocha. Michel était à ses côtés, un peu inquiet de la conversation qu'il avait entendue. Il serra sa femme dans ses bras. Celle-ci resta silencieuse un moment, puis elle alla s'asseoir au salon. Michel lui prit la main et attendit. Juliette le regarda.

— Tu as compris que je suis un bébé volé aussi.

— Je sais que tu veux pas parler avec Lydia. Mais si tu veux savoir, appelle donc les autres. Henri va peut-être se rappeler quelque chose. Ou alors tu oublies tout et on n'en parle plus jamais. C'est ton choix.

— Comment je pourrais oublier ce que je viens d'entendre. Elle m'a volée dans le bois. Comment est-ce qu'on peut faire ça?

Michel n'avait pas plus de réponse qu'elle. Il aurait volontiers dit que ce n'était pas vraiment important, mais, à voir le visage dévasté de sa femme, il préféra se taire. Le clan Gagnon serait sans doute mieux équipé que lui pour faire entendre raison à Juliette.

Juliette n'arrivait pas à comprendre ce que Lydia et Grégoire avaient pu faire. Elle avait passé une partie de la nuit à se rappeler l'arrivée d'Albert à Sorel, un petit paquet dans une couverture dans les bras de Lydia. Elle se dit qu'Hélène avait sans doute offert son enfant à la famille Gagnon parce qu'elle devait partir pour New York. Le souvenir qu'elle avait de Grégoire semblait indiquer qu'il n'était au courant de rien. Mais, elle, comment était-elle sortie du bois? Elle prenait la tension d'une patiente quand une voix retentit:

— Ça commence à serrer pas mal.

Juliette sursauta. Elle desserra aussitôt le brassard. Cette histoire la hantait. Elle rassura la patiente du mieux qu'elle put et alla au poste téléphoner au bureau d'Henri. Elle comprenait maintenant qu'elle devait savoir. Elle voulait un tête-à-tête sans témoin. Henri ne parut pas surpris de sa demande et lui donna rendez-vous chez lui vers dix-sept heures.

La journée s'étira. Juliette fit des efforts pour rester concentrée sur son travail. Elle imaginait une femme de connivence avec Lydia qui accouchait dans le bois et lui confiait son enfant dès la naissance. Mais pourquoi se compliquer la vie ainsi? Et pourquoi le bois? Il aurait été plus simple de faire ça à la maison de Lydia. Mais Grégoire aurait été impliqué. Henri avait dit qu'il avait vu son père inquiet de la disparition de sa femme. Seize heures arrivèrent enfin, au grand soulagement de Juliette. Elle termina ses rapports et se précipita chez son frère.

Henri arrêta sa voiture dans le garage et monta à son appartement. Il trouva Juliette assise par terre à l'attendre. Elle semblait épuisée. Il l'aida à se relever.

— Tu m'inquiètes. Qu'est-ce qui se passe donc ?

— J'ai été volée moi aussi.

Il la fit entrer et elle s'installa au salon.

— Pourquoi est-ce que Béatrice a fait tout ça ?

— Je te rappelle que les prises de sang étaient pour trouver un donneur pour Guillaume. Arrête d'accuser Béatrice d'avoir poussé plus loin.

— T'as fait les tests toi aussi ?

— J'ai pas reçu les résultats et j'en ai pas besoin. Maman m'a raconté comment je suis arrivé dans sa vie. Une belle histoire d'amour entre la jeune femme d'un vieux notaire et un beau coureur des bois. Simone aurait dû me faire passer, comme on disait dans ce temps-là. Lydia a toujours été vive d'esprit, elle a monté un stratagème avec Simone trop heureuse de me sauver.

— Tu la crois ? T'es sérieux ? Elle vous a vraiment sauvés. Tu penses pas qu'elle ment encore ? Et les autres ?

— Chacun a son histoire. Il faut la leur demander.

— Comment j'ai pu sortir du bois ? Ça n'a pas de sens.

— Ta naissance reste un mystère. Tu es tombée du ciel, sainte Juliette.

— Je te trouve pas drôle.

Deux petits coups frappés à la porte redonnèrent le sourire à Henri. Il se leva et alla ouvrir à Michelle. Il l'embrassa doucement.

— Je te présente ma sœur Juliette.

Michelle s'approcha de Juliette qui s'était levée à son arrivée.

— Juliette, c'est Michelle, ma compagne.

Les deux femmes se donnèrent la main en se souriant. Juliette n'en revenait pas. C'était la première fois depuis des années que son frère lui présentait une femme. Et sa compagne ? Henri serait-il devenu sérieux tout à coup ?

Dès le départ de Juliette, Michelle se tourna vers Henri.

— C'est quoi, cette idée de me présenter comme ta compagne ?

– Je ne pouvais pas dire «ma maîtresse», cela aurait été une présentation incomplète. Une collègue de travail? Pas si vrai non plus. Une belle fille que j'ai levée dans un bar? On a dépassé ça.

Il mit ses bras autour de sa taille.

– Il reste: la femme avec qui j'ai envie de passer un long moment, celle avec qui j'ai l'intention de me poser, même avec des plantes vertes et un mini-musée.

– Es-tu en train de me prendre pour une piste d'atterrissage?

– Je suis en train de te dire les mots dont tellement de femmes ont peur et qu'elles veulent entendre en même temps… Tu changes ma vie, Michelle.

Ils restèrent un long moment enlacés. Puis ils décidèrent que le repas pouvait attendre un peu.

Michelle avait les yeux ouverts dans le noir. Ils avaient fait l'amour, ils avaient mangé et refait l'amour. Elle n'en revenait pas de l'histoire qu'Henri venait de lui raconter. Sa naissance d'enfant illégitime donné pour sauver l'honneur d'un vieux notaire. La mort de sa mère et la disparition du beau coureur des bois.

Henri lui caressa le dos.

– Je ne veux plus être coureur des bois. Je veux être avec toi.

Michelle en avait les larmes aux yeux.

– Tu veux vraiment?

– Tu as bouleversé ma vie. Je t'en veux un peu, c'était plus simple avant. Je n'avais jamais ressenti la solitude, même après des jours passés sans voir qui que ce soit.

Elle caressa son visage. Elle avait aimé cet homme au moment où il avait posé les yeux sur elle. Elle avait senti un être sensible derrière son regard de prédateur amusé. Elle avait souhaité qu'il devienne amoureux d'elle. C'était réussi.

– Mon père va te trouver vieux.

– Et il va trouver que je suis poche à la pétanque. Je peux te dire que je t'aime ou ça fait trop ringard?

– Ça va, je suis prête à l'entendre. Enfin, je pense.

Elle l'embrassa.

– Je n'arrive toujours pas à y croire. Ça me fait presque peur. Tout ce que j'ai voulu qui arrive soudain comme un cadeau. Et maintenant, j'ai peur de te perdre, de ne pas être à la hauteur, de ne pas te rendre heureux.

– Et si on arrêtait d'avoir peur et qu'on se contentait de vivre le bonheur présent.

– Tu as des idées géniales. On te l'a déjà dit?

– Je me le répète tous les matins en me regardant dans le miroir.

Ils savaient maintenant qu'ils étaient prêts à partager la vie l'un de l'autre. Et ce bonheur semblait irradier et les envelopper en même temps.

Une jeune femme la guida vers son siège situé dans une loge donnant sur le côté, près de la scène. Lydia avait mis sa plus belle robe et elle passait souvent la main sur ses cheveux pour s'assurer que la coiffeuse n'avait pas oublié une boucle rebelle. Ce n'était que de la nervosité. Les clientes du salon de coiffure l'avaient toutes complimentée. Cette coupe la rajeunissait et ses cheveux blancs brillants et soyeux illuminaient son visage.

Lydia avait reçu cette invitation avec bonheur et soulagement. Après le silence de ses enfants, elle les voyait tous lui revenir, parfois timidement comme Béatrice, parfois avec émotion comme Charlotte ou rempli de curiosité comme Henri. C'était au tour d'Albert de se manifester de la plus belle façon qui soit.

Lydia s'assit et réalisa qu'elle était à proximité du magnifique piano à queue sur la scène. Elle verrait son fils de près. Les gens commençaient à prendre place sur leurs sièges. Un long murmure montait de la salle. La lumière baissa et le silence commença à s'installer entre deux raclements de gorge. Les musiciens s'étaient assis à leur place. Le chef d'orchestre entra sur scène et des applaudissements montèrent de la salle. Ils redoublèrent quand Albert apparut. Celui-ci s'approcha du chef et les deux hommes échangèrent une poignée de main. Albert s'installa ensuite au piano. Un silence respectueux tomba sur la salle.

Les premières notes fusèrent et se répandirent dans l'air. Le cœur de Lydia se serra. Elle ferma les yeux. Albert avait toujours eu le don d'aller la chercher au plus profond d'elle-même. Elle ne connaissait pas grand-chose à la musique, mais elle savait la ressentir, l'aimer et se laisser transporter par elle. Le temps passa trop vite. Le bonheur était aérien et fugace, mais combien intense.

L'entracte arriva comme une déchirure. Lydia fut tentée de faire comme beaucoup de gens et de se rendre dans le hall. Elle se leva, fit quelques pas pour se dégourdir les jambes et sortit de la loge. Quand elle aperçut tous ces gens agglutinés à parler fort et à jouer des coudes pour obtenir un verre, elle retourna à la tranquillité de sa loge.

Comme elle s'assoyait, la jeune placière lui apporta une flûte de mousseux bien frais. Monsieur Gagnon, lui dit-elle, avait pensé que cela lui ferait plaisir. Lydia la remercia et prit une gorgée de vin. Les bulles lui chatouillèrent le nez et elle rit toute seule. Elle n'avait pas l'habitude de boire. Elle apprécia néanmoins la délicatesse de son fils.

La deuxième partie du concert fut à la hauteur de la première. Toute la salle se leva d'un même mouvement pour applaudir le pianiste. Albert salua le public longuement. Il leva les yeux vers Lydia qui s'était levée et applaudissait en essayant de ne pas pleurer. Il lui envoya un baiser de la main et tous les regards se tournèrent vers elle. Elle se sentit rougir et retourna le baiser à son fils. Les applaudissements augmentèrent. Elle pensa soudain à Grégoire. Elle avait l'impression qu'il était à ses côtés en cet instant même, profitant de ce moment merveilleux.

La jeune placière proposa à Lydia de la guider dans les coulisses pour rejoindre son fils. Lydia lui en fut reconnaissante. Elles durent se frayer un chemin parmi les gens qui se bousculaient pour féliciter le pianiste, les journalistes qui voulaient l'interviewer, avoir quelques commentaires, les caméramans qui cherchaient la meilleure image. Albert se présenta pour remercier tout le monde et dire son bonheur de retrouver son public. Quand les questions devinrent personnelles et qu'on parla de la santé de son fils, il remercia de nouveau ses admirateurs et s'éclipsa, laissant son gérant terminer les entrevues. Lydia s'était glissée dans la loge quelques minutes plus tôt. Albert referma la porte et embrassa sa mère.

— Ça t'a plu?

— Tu es toujours aussi merveilleux. T'as failli me faire pleurer.

— Juste failli?

Lydia rit.

— Je suis contente de voir que tu vas bien. T'as retrouvé ta bonne humeur. Guillaume va mieux?

— Il répond bien aux traitements. Il a de bonnes chances de s'en tirer.

— Émilie est pas là?

— Elle a assisté au concert hier. Elle a recommencé à veiller Guillaume et elle a besoin d'un peu de repos.

— Toi aussi.

— Oui, mais moi, ça va. Voir Guillaume reprendre des couleurs, ça m'enlève un peu de fatigue. Viens, je vais aller te reconduire.

— Je veux pas te fatiguer davantage, je peux prendre un taxi.

— Pas question. Et puis, j'ai des choses à te montrer.

Lydia se raidit un peu. Quelles choses? Elle prit le bras de son fils et se laissa entraîner jusqu'au stationnement. Le trajet se fit en silence. Elle n'osait pas demander ce qu'Albert avait à lui montrer. Elle se disait qu'elle le saurait bien assez vite.

Elle alluma et alla vers le salon après avoir déposé son sac. Albert la suivit. Elle s'assit et le regarda en essayant de masquer son inquiétude avec un sourire. Il sortit de sa poche des feuilles pliées en deux. Il les tendit à sa mère. Lydia les prit et découvrit les copies des photos de Tom et d'Hélène. Les larmes lui montèrent aux yeux. Elle caressa un moment les portraits.

— C'étaient des personnes exceptionnelles. Je les aimais beaucoup.

— Tu sais ce qu'ils sont devenus?

— J'ai pas eu de nouvelles depuis des années. Hélène, c'était mon amie. Elle chantait tellement bien. Et elle était belle. Et ils s'aimaient tellement, ces deux-là.

— Je peux parler à mon agent et à des amis de New York pour voir si c'est possible de les retracer.

— Tu peux faire ça?

— Ça te tente de les revoir?

— Oh oui! Je serais tellement heureuse de voir Hélène, et Tom aussi. Je me demande s'ils ont eu d'autres enfants.

— Je pense que j'ai déjà vu Hélène après un concert à New York.

— Je suis certaine qu'elle a suivi ta carrière. Si elle a pas donné de nouvelles, c'est que ça lui faisait trop mal de juste jouer les matantes et de pas pouvoir te dire qui elle était. Elle t'a vraiment aimé, tu sais.

— Comment vous avez fait pour manigancer tout ça?

Lydia ne put réprimer un sourire de fierté.

— Dans ce temps-là, les filles-mères avaient pas beaucoup de choix. Hélène est devenue enceinte avant de savoir qu'elle était veuve de guerre. Les petites villes pardonnent pas. On s'est dit qu'une ville comme Montréal nous cacherait. Je suis allée à la Miséricorde repérer la place. C'était comme dans un film d'espionnage. Hélène a passé les derniers mois dans un petit hôtel à s'ennuyer. Quand le temps est arrivé, elle a appelé Tom qui m'a reconduite au terminus pour que je la retrouve. J'ai dit à la pauvre madame Guévremont que j'allais accoucher.

— Tout le monde croyait que t'étais vraiment enceinte? Même Grégoire?

— Grégoire m'aimait trop pour pousser la curiosité plus loin. Et puis, je m'étais fait un beau ventre avec un espace en dedans pour te cacher.

Albert l'écoutait raconter comment elle s'était faufilée dans la salle d'accouchement pendant qu'Hélène le mettait au monde, comment elle l'avait enlevé des mains d'une religieuse alors que la chanteuse hurlait et frappait le médecin pour faire diversion. Cachée dans une armoire à balais, elle avait glissé le nouveau-né dans son faux ventre et avait couru rejoindre Tom à l'hôtel.

— Tom t'avait dans ses bras et il commençait à t'aimer. J'ai eu peur de te perdre à ce moment-là. On a attendu longtemps

Hélène. On commençait à s'inquiéter, puis elle est arrivée, toute pâle et complètement épuisée. Quand elle t'a vu, elle a repris courage. Elle t'a gardé dans ses bras jusqu'à Sorel.

— C'est une histoire rocambolesque.

— Je sais pas si elle est rocam… comme tu dis. Mais c'est comme ça que c'est arrivé.

— Et Grégoire?

— Le pauvre. Il m'a cherchée à l'hôpital de Sorel. Il était certain que j'étais morte. J'ai appelé au matin pour le rassurer. Il était fâché quand même. Je lui ai dit que je visitais Hélène à Montréal quand t'étais arrivé ben vite. Il m'a plus ou moins crue, mais madame Guévremont a tout avalé. Alors, il avait pas le choix de me croire aussi. Et puis, quand il t'a vu, il t'a tout de suite aimé.

— Il n'a jamais fait le lien avec Tom et Hélène qui te ramenaient de Montréal avec un nouveau-né?

— Il n'a jamais su qu'Hélène était enceinte. Il pouvait pas faire le lien entre toi et eux. Pour lui, c'étaient de gentils voisins qui vivaient peut-être dans le péché, mais il était pas si regardant que ça de la vie privée du monde.

Albert écoutait Lydia avec bonheur. Des pans de son enfance lui revenaient. Le dévouement de Grégoire, la volonté de Lydia d'en faire un pianiste, les cours avec madame Wojas, l'amour inconditionnel qu'ils offraient à tous leurs enfants. Hélène et Tom avaient été sages en le confiant aux Gagnon. Comme il aurait aimé les remercier à présent!

– Sainte Juliette tombée du ciel... J'aurais dû l'étrangler quand il m'a dit ça.

Michel soupira, cette fois sans se cacher. Quand il était revenu du travail, il avait trouvé sa femme en train de brasser les chaudrons avec colère. Il avait essayé de la calmer en la faisant asseoir à la table pour raconter son histoire. Elle n'avait pas grand-chose à dire, à part répéter qu'Henri maintenait sa version. Michel avait fait cuire une pizza surgelée et s'était envoyé plusieurs verres de vin rouge pour ne plus entendre Juliette marmonner et se répéter à l'infini. Il n'avait même pas pu regarder la partie de baseball à la télé. Ils étaient maintenant étendus sur leur lit qui semblait vouloir se convertir en arène. Michel s'assit soudain.

– Ça suffit, Juliette. J'en peux plus. Je te reconnais plus. T'étais pas comme ça avant.

– Avant, je savais pas que j'avais été volée.

– Ça date d'avant ça. C'est depuis que Sylvie est venue avec son chum. Qu'est-ce qui s'est passé? Tu le trouves pas correct, ce gars-là? Moi, je pense qu'il va bien avec notre fille. Et ils ont l'air de bien s'entendre.

Juliette se rappela ce qu'elle cherchait à oublier. Ses enfants obéissants masquaient leur colère pour ne pas déplaire à leur sainte mère, la bonne Juliette. Elle avait été une mère aveugle mais, surtout, elle réalisait maintenant qu'elle avait fait la même chose qu'eux: elle avait refoulé ses colères, sa fureur sous des couches de bonnes intentions.

— Tu savais que notre fils se défoule à l'école de police ?

Michel essayait de suivre son raisonnement. Il parlait de l'ami de Sylvie et voilà que Vincent arrivait sur le tapis.

— Juliette, Vincent a toujours été un petit *tough*. S'il devient pas policier, il va faire un bandit. Aussi bien qu'il les attrape plutôt que de se faire attraper.

— Un petit *tough* ?

— Ben voyons, réveille. Tu te rappelles pas ? Il avait peur de rien quand il était petit, toujours prêt à grimper dans un arbre ou à escalader un mur à mains nues. Heureusement qu'il voulait pas faire Superman, il se serait jeté en bas du garage avec une cape.

— Et j'arrêtais pas de vouloir l'asseoir.

— Ben, tu jouais ton rôle de mère.

— Je jouais la couveuse. C'est ça que Sylvie m'a dit. Ils faisaient semblant d'être gentils pour pas me… Je me rends compte… Moi aussi, j'ai un volcan en dedans. Pis là, je peux plus l'empêcher d'exploser.

— Avant de tout faire sauter, va donc au village où tu es née. Je te dis pas de parler à Lydia, j'ai peur que tu l'étrangles.

— Charlotte lui a parlé, Béatrice aussi. Elles sont contentes maintenant et l'appellent maman à nouveau. Même Henri s'est fait raconter son arrivée.

— Alors, va voir Lydia.

— Comment je vais savoir qu'elle ment pas ? Il faut que je connaisse la vérité avant de l'affronter.

Michel se leva du lit.

— Écoute, fais ce que tu veux. Moi, je vais aller faire une promenade. J'en peux plus. J'espère rencontrer un bandit que je pourrai assommer, ça va me défouler.

Juliette se leva à son tour.

— Je m'excuse, je voulais pas…

— Juliette, arrête de toujours t'excuser. Viens prendre l'air avec moi. Il est pas trop tard. On peut courir au parc.

— Courir ? J'ai pas fait ça depuis longtemps.

— Ça va te faire du bien. Ça laisse échapper un peu de fumée du volcan. Pis si t'es fine, je vais te baiser sur le perron pour que tout le monde voie tes beaux seins.

Juliette força un sourire pas très convaincant.

— Donne-moi deux minutes pour appeler Henri.

— T'as une minute trente, le temps que je me change.

Juliette composa le numéro de son frère en espérant ne pas le déranger au milieu d'ébats sexuels avec sa nouvelle compagne. Il répondit au premier coup de sonnerie. Juliette s'empressa de parler :

— Veux-tu aller avec moi au village ? Je veux comprendre la sortie du bois.

— Tu veux retrouver la maison au bout du rang ?

Henri regarda Michelle qui était allongée à ses côtés sur le canapé. Elle lui souriait. Il caressa sa joue.

— On peut y aller samedi prochain. Juste un aller-retour. Je veux revenir en ville en fin de journée.

— Parfait, on se voit samedi.

Henri raccrocha.

— Je sais pas si j'ai bien fait d'accepter l'invitation de ma sœur. La maison a été démolie depuis longtemps.

— Même si la maison existe encore, elle ne vous apprendra sans doute rien. C'est Lydia, la clé du secret. Elle semble être une femme très spéciale. S'inventer une fausse grossesse cinq fois, faut le faire. Elle doit aimer beaucoup les enfants.

— Comme celui qu'on va faire.

Michelle rit et se colla contre lui.

— Pour un gars qui ne voulait rien savoir, je te trouve bien pressé… Moi, je le suis un peu moins maintenant.

— Comment ça ?

— Je suis bien avec toi. J'aimerais qu'on se connaisse mieux. J'essaie d'y voir clair. Je pense que je voulais un enfant pour compenser la mort de ma mère. Dans le fond, je suis peut-être égoïste, j'ai pas envie de te partager tout de suite.

— Tu ne m'aimes pas assez pour ça ?

– Non, c'est pas ça. J'aime tellement être avec toi. Un enfant, c'est un gros changement de vie. J'aimerais qu'on soit un vrai couple avant.

Henri la serra contre lui. Une partie de lui se sentait soulagée. Il voulait que Michelle partage sa vie. Un enfant serait un bonus ou une cause de rupture.

– On peut attendre. Mais j'aimerais me pratiquer tout de suite quand même.

Michelle rit. Elle avait l'impression d'avoir enfin rencontré l'homme de sa vie.

Béatrice venait de border ses enfants, heureux, confiants en le monde adulte qui les entourait. Elle les embrassa tendrement comme si elle n'allait plus les revoir. Elle se glissa ensuite sous la douche pour remettre ses esprits en place. Elle avait passé un long moment dans les bras de Patrice à lui confier sa rencontre avec Lydia et ses projets d'avenir. Elle insistait pour que non seulement il soit au courant de ses desseins, mais aussi qu'il les approuve. Il était concerné tout autant qu'elle. Elle voulait qu'il ait une plus grande place dans sa vie.

Patrice l'avait écoutée attentivement. Il rêvait depuis long-temps de passer toute une nuit avec elle et elle lui offrait de passer des jours entiers de façon régulière, comme un couple. Ce congé de mari plaisait à Patrice, mais il se demandait comment allait réagir Alain. Les maris jaloux se révélaient trop souvent dangereux. Il ne voulait pas effrayer son amante avec une dure réalité qu'elle entrevoyait sans doute aussi. Il était prêt à la suivre n'importe où. Il osa même lui dire qu'il l'aimait. Elle avait besoin du courage qu'il lui avait insufflé.

Alain écoutait le bruit de la douche et se demandait s'il devait affronter sa femme le soir même ou attendre. Son naturel lui disait d'attendre. Il avait fait ça toute sa vie. Depuis son aveu stupide d'infidélité, ses relations avec Béatrice s'étaient stabilisées. Puis ils étaient redevenus un couple poli qui essayait de se côtoyer sans se heurter. La découverte de la famille biologique de Béatrice était passée comme une nouvelle télévisée. Il avait écouté la voix posée de sa femme lui décrire les Gendron. Quelques jours plus tard, Béatrice lui avait parlé de sa courte visite à Lydia. Une visite polie et civilisée afin de lui exprimer sa gratitude pour l'avoir sortie de ce milieu. Alain avait eu l'impression d'écouter le suivi de la nouvelle à la télé. Le manque de passion, de simple émotion de la part de sa femme l'avait étonné. Il aurait voulu l'entendre crier, la voir pleurer, sentir au moins un trémolo dans sa voix. Rien. Un constat clinique.

Le bruit de la douche cessa. Alain se regarda dans le miroir de la chambre. Il aurait quarante ans dans deux mois. Pouvait-il continuer à vivre ainsi bien longtemps ? Que pouvait-il reprocher à sa femme à part son efficacité ? Sa froideur ? Ce n'était pas une cause de divorce. Elle aimait ses enfants et s'en occupait bien. Mais il n'arrêtait pas de repenser à son aventure d'un soir à Toronto. Il avait connu la passion dévorante. Devait-il attendre un autre congrès pour retrouver une telle exaltation ? Quelle vie serait cette double vie ? Une vie de bâton de chaise où se succéderaient déceptions et plaisirs. Mais comment s'en sortir ? En racontant ses frustrations à Béatrice pour qu'elle joue la psy avec lui ? Ils avaient toujours fait attention de ne pas mêler le travail à leur vie privée. Jouer le rôle de patient serait une erreur de sa part.

Béatrice le surprit en train de se regarder dans le miroir. Elle surprit surtout son regard triste. Alain avait toujours eu le don de l'émouvoir, du moins de lui faire ressentir de la pitié, de la compassion. Elle le fixa et se dit qu'il méritait mieux qu'elle.

— Je dois te parler, Alain.

Il se tourna vers elle.

— Moi aussi. Mais vas-y, je t'écoute.

Enveloppée dans son peignoir, elle s'assit sur le bord du lit. Elle cherchait ses mots. Par où commencer ? Comment le dire ? Alain s'installa dans le fauteuil de lecture. Il attendait patiemment, un peu étonné que Béatrice n'ait pas ses phrases toutes faites. Elle leva la tête et lui sourit.

– C'est pas facile. Je ne veux pas te blesser. Tu n'es pas responsable de la situation. C'est arrivé comme ça. Je ne le cherchais pas non plus…

– Tu es amoureuse ?

Il vit à son air étonné qu'il avait vu juste. Il avait lancé cette question machinalement. L'amour, cette chose qui arrivait comme ça et qu'on ne cherchait pas vraiment, mais qu'on souhaitait peut-être.

– Je vois bien que tu as changé. Et je sais aussi qu'on a une vie de couple plutôt ennuyante. J'ai trouvé dans l'éloignement des congrès un peu d'excitation. C'était évident que tu en chercherais aussi. C'est sérieux ?

– Oui, je crois.

– Et tu veux qu'on divorce ?

– Non… pas maintenant. Ce serait trop pénible pour les enfants.

– Alors, tu te dis que le feu d'artifice va passer. Tu tiens à garder ton feu de foyer.

– C'est pas ça non plus. C'est pas une passade. Je suis amoureuse de lui depuis vingt ans et je n'ai jamais voulu l'accepter.

– Vingt ans ? Mais de qui tu parles ?

– De Patrice Legendre.

Alain ne put s'empêcher de rire.

– Quoi ? L'éternel coureur ! Depuis quand ? Ah oui ! Tu l'as revu quand ta mère… Je peux encore dire « ta mère » ? C'est ça, quand ta mère était en clinique. Et tout à coup, la révélation. Surtout après l'histoire de Toronto, je comprends que la révélation t'ait plu. Combien de semaines, allez, je vais être généreux, combien de mois te sera-t-il fidèle ?

– Tu n'as pas besoin d'être cynique. Je me suis dit la même chose au début. Mais nos sentiments s'épanouissent de plus en plus.

Alain se disait que ça ne durerait pas. Il n'arrivait pas à s'imaginer Patrice en mari et en père de famille. Et puis, il ne lui laisserait jamais ses enfants.

— Alors, si tu ne veux pas divorcer, que veux-tu ?

— Plutôt que de se partager les enfants une semaine avec toi et une autre avec moi, je me suis dit que je pourrais être celle qui part une semaine sur deux. Comme si j'assistais à des congrès. Tu aurais aussi une semaine libre sur deux.

Alain était étonné de son propre calme. Il était soulagé de ne pas être responsable des sentiments de sa femme. Il aimait sa vie avec elle et les enfants. Cette semaine de congé sur deux comportait des points intéressants. Et qui sait ? Il aurait le champ libre pour regarder d'autres femmes, et pas seulement les regarder.

— Je suis d'accord pour ne pas détruire la vie de nos enfants pour un engouement passager. On devra arranger nos horaires. Ce sera parfois un casse-tête, mais je veux bien essayer. Je veux cependant une chose, une seule : il ne passera jamais avant les enfants, la famille.

Béatrice était surprise de la capitulation si rapide d'Alain. Elle fit signe que oui. Il se leva et alla la rejoindre sur le bord du lit.

— Et pour le sexe ? Je suppose que tu veux me faire coucher sur le canapé.

— Les enfants risqueraient de te surprendre et de poser des questions.

— Et tu penses que tu pourrais le tromper avec moi, de temps en temps ?

Béatrice sourit pour la première fois.

— Je ne pense pas. J'espère que tu n'auras pas besoin d'attendre le prochain congrès pour baiser. Il doit bien y avoir une jolie femme à l'hôpital qui se portera volontaire… Et toi, de quoi voulais-tu me parler ?

— De ça, de notre triste vie de couple. Je te voyais si heureuse de partir le matin et si ennuyée de revenir le soir que je me disais qu'on ressemblait à un couple au bord du divorce. J'avais vu juste, moi qui pense ne jamais rien voir… Je t'aime encore, je ne sais pas si je vais cesser un jour. Mais, maintenant, je sais que je peux regarder ailleurs sans me sentir coupable…

Béatrice se détendit. Elle ne pouvait l'empêcher de l'aimer. Elle l'aimait aussi, d'une autre façon. Elle fut tentée de se pencher vers lui et de l'embrasser tendrement. Mais le lieu était trop dangereux.

Michelle avait revêtu une chemise d'Henri. Elle n'était pas retournée chez elle depuis deux jours, plutôt deux nuits. Elle se promettait d'aller arroser ses plantes le jour même. Et aussi de rapporter ses produits de beauté en format voyage et quelques sous-vêtements. Henri et elle n'avaient pas parlé des modalités de leur vie à deux. Michelle n'était pas prête à tout quitter et elle se disait qu'Henri n'était sans doute pas prêt non plus à décorer son intérieur avec un jardin suspendu. La seule chose qui semblait leur convenir était de vivre une journée à la fois. Le seul vrai problème restait le bureau où ils se sentaient obligés de s'éviter.

Henri déposa un baiser dans le cou de Michelle et mit la corbeille de pain grillé sur la table.

— Si je ne m'étais pas levé si tard, à cause de toi, tu aurais des croissants frais.

— À cause de moi? C'est toi qui m'as tenue éveillée.

Ils se regardèrent en riant. Henri glissa sa main sous la chemise. Michelle l'arrêta.

— Ta sœur doit arriver bientôt. Qu'est-ce qu'elle va penser de nous?

— Tu as raison. Pourquoi la rendre jalouse. Elle est mariée depuis plus de vingt ans... Non, plus que ça. Sylvie va avoir vingt-quatre ans. Incroyable comme ça passe vite!

Michelle étendit de la confiture sur une toast et mordit dedans à belles dents. Henri était affamé aussi et il décida de manger avant de s'habiller. La sonnette de la porte le surprit.

– Quoi ? Déjà ! Elle a une demi-heure d'avance.

Il partit avec la toast entre les doigts vers la salle de bain.

– Réponds, mon amour. Faut que je prenne une douche.

Michelle attacha quelques boutons de la chemise. On frappait maintenant à la porte. Elle alla ouvrir. Juliette resta un moment sans bouger.

– J'arrive trop tôt. Je m'excuse.

– Mais non, entrez. Henri finit sa douche. Du café ?

– Non merci. Je suis déjà assez énervée de même.

Juliette restait dans l'entrée. Michelle lui fit signe de passer à la salle à manger. Juliette la suivit avec réticence. Elle aurait voulu être tout de suite dans l'auto de son frère. Elle essayait d'être polie, mais elle ne savait pas trop quoi dire. Elle n'osait pas interroger Michelle qui semblait aussi mal à l'aise qu'elle. Celle-ci lui paraissait si jeune, la trentaine à peine. À peu près l'âge d'Émilie. Les hommes avaient de la chance de pouvoir vivre avec des femmes plus jeunes. Les femmes qui passaient la quarantaine ne pouvaient en espérer autant. Le bruit de la douche cessa et elles soupirèrent d'aise en même temps. Michelle décida de s'asseoir et de prendre une gorgée de café.

– Certaine que vous en voulez pas ?

– Certaine. Mais il sent drôlement bon.

– Henri est passé maître pour le café.

Henri boutonnait sa chemise en marchant vers la salle à manger. Il n'avait pas pris une douche aussi rapidement depuis bien longtemps.

– Pas seulement pour le café. Salut, petite sœur.

Henri but son café et embrassa Michelle sous le regard terne de Juliette. Cette dernière avait envie de rentrer chez elle, de boire du café et d'embrasser Michel. Pourquoi retourner sur les lieux du crime quand on est innocent ? Pourquoi ne pas plutôt téléphoner à Lydia ?

Juliette se posait encore la question en s'assoyant dans l'auto. Elle se répétait qu'elle devait prendre ce moment comme un congé, une sortie à la campagne pour admirer le paysage, une pause dans sa vie.

Henri était silencieux à ses côtés. Il aimait conduire et était attentif à la route. Il n'osait pas s'avouer que Michelle lui manquait déjà. Il n'arrivait pas à y croire. Tout était si simple, si naturel avec elle. Comme s'ils se connaissaient depuis toujours. Et la différence d'âge n'existait même pas. Il savait qu'elle était là, mais il ne la voyait pas dans les yeux de Michelle.

Un peu avant d'arriver à Trois-Rivières, ils bifurquèrent et longèrent la rivière Saint-Maurice. Le panorama était splendide. Henri avait envie de ralentir, mais des voitures et des camions lui collaient aux fesses. Juliette regardait le paysage en se demandant pourquoi elle n'était jamais venue dans cette région. Quand les enfants étaient petits, elle avait loué avec Michel des chalets dans les Laurentides, dans les Cantons-de-l'Est, même dans Charlevoix et en Gaspésie. Mais la Mauricie n'avait jamais figuré sur ses cartes. Était-ce une malédiction de Lydia? Juliette regretta cette pensée aussi réductrice que mesquine.

Henri fut content d'arriver au village et de s'arrêter. Il n'avait pas apprécié la constante pression que lui avaient imposée les autres conducteurs pour se rendre plus vite à destination. Il se souvenait très peu du village. L'église était toujours là, au milieu de la place. Il restait quelques maisons anciennes, mais beaucoup avaient été remplacées par des bungalows de briques et d'aluminium. Henri remarqua une petite maison en bardeaux de bois avec un drapeau à feuille d'érable flottant près de la porte et une grande affiche annonçant Postes Canada. Il avait l'impression que c'était la même que dans son enfance, mais il n'en aurait pas mis sa main au feu. Il se gara près de l'église et se dirigea vers le cimetière à l'arrière. Juliette suivit sans un mot.

Henri chercha les pierres tombales les plus grandes, se disant que le notaire n'avait pas pu enterrer sa femme avec une croix de bois. Il trouva facilement une grosse pierre en granit rose où était gravé le nom de Simone. Il s'arrêta. Juliette le rejoignit.

— C'est ta mère?

— Oui. Elle n'avait pas trente ans. Le vieux notaire a chassé son amant et Lydia a persuadé Simone de ne pas me tuer. Elle m'a accueilli et m'a donné Grégoire comme père. Elle m'a sauvé. Et Simone en est morte.

Juliette regardait les dates inscrites sur la pierre.

— Tu n'avais que quelques jours quand c'est arrivé. Le notaire ne lui a survécu qu'un an. Chagrin d'amour ou culpabilité?

— On ne saura jamais. Mais Lydia m'a dit qu'il connaissait mon existence. J'étais le bâtard à Gagnon pour lui. Mais il n'aurait jamais osé le dire en face de Grégoire. Papa était un costaud.

Juliette écoutait Henri appeler Grégoire « papa ». Elle avait l'impression, elle aussi, que c'était vraiment son nom: papa. Et elle, avait-elle été sauvée d'un avortement?

Ils retournèrent à l'auto. Henri démarra et fit demi-tour. Il s'arrêta devant le bureau de poste.

— Je vais me renseigner. Tu viens avec moi?

Juliette fit signe que non. La visite du cimetière l'avait déprimée. Est-ce que sa mère reposait là? Est-ce qu'il était important de le savoir? Il n'y avait que des questions dans sa tête.

Henri salua le postier qui semblait un peu plus jeune que lui. Il portait une barbe grise bien taillée qui le vieillissait et le sourire joyeux d'un homme qui aimait ce qu'il faisait. Henri lui expliqua qu'il cherchait le rang Croche qui menait à la petite maison de Grégoire Gagnon. Le postier le regarda, étonné.

— Le rang Croche? Il y a personne qui vit au bout de ça. Deux fermes, pis le rang existe plus après.

Le postier se pencha et regarda l'auto d'Henri, une belle allemande racée.

— Pis vous vous y rendrez pas avec ça.

La porte s'ouvrit, faisant tinter la sonnette. Henri insista pour avoir au moins une destination à donner à Juliette.

— Mais le début du rang, c'est loin d'ici?

— Attendez, je vais parler à la spécialiste. Maman, le rang Croche ?

Une vieille femme corpulente aux cheveux trop roux s'approcha d'Henri. Elle le regarda un instant, le détaillant de la tête aux pieds.

— Vous êtes qui ?

— Le fils de Grégoire Gagnon.

— Henri ? Pas Henri ! Le fils de Lydia ? Eh ben ! T'avais promis de revenir. Ça t'en a pris, du temps ! Mais au moins tu tiens parole.

Elle s'approcha de lui et le serra dans ses bras. Henri reconnut son parfum de rose.

— Joséphine !

Il retrouva sa petite enfance faite de parfum de rose et de bonbons au beurre. Joséphine le garda dans ses bras un moment, le temps de reprendre contenance. Elle se dégagea, mais lui tint les mains longtemps pendant qu'elle s'informait de Lydia et de Grégoire. Henri romança la vie de ses sœurs et de son frère. Il lui confia être venu en pèlerinage. Joséphine regarda vers l'auto.

— Tu devrais pas laisser ta femme dans le char.

— Elle est un peu fatiguée de la route. Je voulais lui montrer la maison où j'ai grandi.

— La maison au bout du rang a été démolie, ça fait longtemps. Après votre départ, tout le monde disait qu'elle était hantée. Il y a un loup-garou qui vit dans la forêt. Il y en a qui l'ont vu sortir à la pleine lune. C'est même lui qui aurait enlevé la petite dernière des Tremblay. Il aurait pris le bébé, pis se serait sauvé dans le bois pour le manger.

— Les Tremblay ?

— C'est eux autres qui possèdent presque tout dans la région. Entrepreneurs, menuisiers, cultivateurs. Il y a même un pépiniériste, pis une bibliothécaire. Des mécaniciens aussi avec le gros garage près de Grandes-Piles. Si t'as besoin de quelque chose, y a des chances que ce soit un Tremblay qui te le donne. Ou plutôt qui te le vende.

Cette histoire de loup-garou dans la forêt avait bien sûr allumé une lumière dans la tête d'Henri. Le bébé disparu et sorti du bois. Un beau travail de loup-garou.

— Et c'est loin, la maison familiale des Tremblay?

— C'est de l'autre bord du rang Croche. Gaston est mort l'année passée. La pauvre Paulette a pas supporté. Mais son plus vieux a gardé la maison pour son fils à lui. Ils ont asphalté la route juste pour eux autres.

Henri écouta attentivement les indications de Joséphine. Il la remercia, l'embrassa de nouveau, salua son fils et rejoignit sa sœur. À voir son visage réjoui, Juliette se dit qu'il avait de bonnes nouvelles à lui annoncer.

Audrey terminait d'écrire sa phrase dans son cahier déjà bien rempli. Lydia lui avait parlé des parents d'Albert, elle lui avait même montré les photos du couple que tante Émilie était allée chercher à Sorel. La ressemblance de son oncle Albert avec Tom était frappante. Elle se demandait comment ce dernier avait pu garder le silence toutes ces années. Lydia était convaincue qu'Hélène et lui avaient suivi la carrière de leur fils. Audrey se demandait si c'était du courage ou de la lâcheté. Mais sa grand-mère avait peut-être raison. Pourquoi s'immiscer dans la vie de l'enfant que tu as donné librement ? Sauf que l'enfant avait plus de quarante ans. Raison de plus pour ne pas tout détruire. Audrey était perplexe. Les adultes étaient bien compliqués.

Elle venait de résumer par écrit la naissance de sa tante Béatrice. Celle-là l'avait fait rire. La jeune fille essayait d'imaginer sa tante toute belle, toujours bien mise, avec sa voix posée qui rassurait sans doute ses jeunes patients. Cette belle femme sortie d'un couple d'ivrognes, la fille de Raymonde la terrible ! Audrey ne l'aurait jamais cru. Et la voler dans un hôpital, sous le nez des infirmières, pour en faire un médecin en plus ! L'adolescente se dit que sa grand-mère méritait son admiration. Elle sourit en refermant son cahier.

Il ne restait que les circonstances de la naissance de tante Juliette à découvrir. Lydia avait reporté plusieurs fois cette histoire de Paulette la fière pet. Que cachait-elle vraiment ?

Sans doute quelque chose de pas très glorieux pour l'enrober de silence. Audrey adorait faire fonctionner ses méninges. Elle n'avait pas vu sa tante Juliette et son oncle Michel depuis son retour. Sa tante semblait s'être évaporée. Étrange.

Son père l'appela et elle sortit de sa chambre.

— On va faire un tour de bicyclette jusqu'au mont Royal. Tu viens avec nous?

Audrey regarda David tout souriant avec son casque déjà sur la tête.

— Maman y va pas?

— Elle visite votre cousin Guillaume et après elle va magasiner avec Émilie.

— Ça va faire du bien à tante Émilie de sortir de l'hôpital.

— Oui… Tu viens?

— Non, je vais rester. Je vais peut-être aller au parc.

Audrey se dit que son père verrait, au ton inégal de sa voix, qu'elle mentait. Mais Nelson n'y prêta pas attention. L'adolescente retourna à sa chambre et prit son sac à dos. Elle était décidée à visiter sa tante Juliette. Peut-être qu'en la questionnant subtilement, elle en apprendrait davantage. Elle s'assura que Nelson et David étaient loin avant de sortir et de marcher d'un bon pas vers la maison des Brunet.

Michel venait de ranger la tondeuse à gazon. Le travail du samedi. Il s'apprêtait à nettoyer le barbecue quand on sonna à la porte. Il décida de ne pas s'en occuper. Un colporteur ou un témoin de Jéhovah dont il pouvait se passer. La sonnette retentit de nouveau. Il n'aimait pas cette insistance. Il jeta un coup d'œil vers la porte et vit une jeune fille qui lui envoyait la main. Il alla ouvrir et resta un moment interdit. Audrey! Elle lui sauta au cou comme une gamine. Michel réalisa que cette grande fille aux longs cheveux noirs était bel et bien sa nièce qui ne savait pas encore qu'elle était séduisante.

— Tu… enfin, tu as tellement changé.

— Ben, je grandis comme tout le monde.

Michel voulut ajouter que grandir en beauté n'était pas donné à tout le monde, mais il se tut. Il la fit entrer au salon. Audrey regardait autour d'elle.

— Tante Juliette est pas là ?

— Non, elle est partie avec Henri visiter la maison de son enfance.

— Ah oui ! Quelle maison ?

Audrey essayait de masquer son enthousiasme et sa curiosité, mais elle n'y arrivait pas vraiment. Sa tante cherchait donc aussi ses origines.

Michel se montra vague. En fait, Juliette était arrivée à Sorel quelques jours après sa naissance. Mais elle avait envie de visiter la maison où Henri était né, en Mauricie. Audrey prenait des notes mentalement afin d'avoir des informations pour affronter Lydia. Michel lui offrit une boisson gazeuse. Elle préféra le jus de fruits. Elle le suivit à la cuisine. Elle ne savait pas comment aborder son oncle, comment savoir s'il était au courant des vols de bébés. Le questionner pouvait aussi conduire à tout lui raconter. Et elle avait promis de se taire.

La porte de l'entrée claqua et Audrey sursauta. Michel sortit de la cuisine. Vincent était devant lui.

— Tu devrais pas laisser les portes ouvertes, papa.

Audrey sortit à son tour de la cuisine et regarda ce jeune homme habillé tout de noir. Le t-shirt moulait ses pectoraux et laissait voir ses biceps. Il avait un sourire amusé.

— T'as peur de t'embarrer avec une si belle... Audrey ?

Audrey examina son cousin qu'elle n'avait pas vu depuis près de deux ans. De toute évidence, il allait au gym régulièrement.

— Salut, Vincent. Je t'aurais pas reconnu.

Vincent la détaillait lentement des pieds à la tête, admiratif. Elle avait drôlement changé depuis sa dernière visite. Elle avait maintenant de jolis seins. Et il ne se gênait pas pour les regarder.

— Moi non plus, je t'aurais pas reconnue.

Audrey eut le réflexe de cacher sa poitrine, mais elle se retint. Elle n'était plus une enfant. Et on s'en apercevait enfin. Elle se contenta de battre des paupières doucement.

Michel savait par Juliette que les Gagnon ne partageaient aucun lien génétique. Cela ne le rassurait pas pour autant. Les deux jeunes devant lui se livraient à des manœuvres évidentes de séduction. Il faillit rappeler à son fils que sa cousine n'avait que treize ans et que séduire une mineure était un crime. Vincent gonflait ses muscles pour impressionner cette douce jeune fille. Audrey lui souriait en cambrant légèrement le dos.

– C'est vrai que tu veux devenir policier?

– Ben oui. Il faut du monde pour mettre de l'ordre et attraper les criminels.

Michel refusait d'abandonner:

– Et de la moralité aussi.

Personne ne semblait vouloir l'écouter. Audrey s'approcha de Vincent.

– Tu ressembles pas aux policiers que je rencontre d'habitude. Tu demandes combien, toi?

– Quoi? Combien de quoi?

Audrey rit doucement. Elle aimait bien raconter cette anecdote.

– Au Honduras, il faut toujours avoir de l'argent sur soi. Les policiers sont moins chers que les militaires.

– Tu leur payes la contravention directement?

– Ben non, t'as pas besoin de commettre une vraie infraction. Ils attrapent les étrangers surtout en fin de mois. Même sans raison.

Vincent était indigné.

– Vous les achetez? Ça se passerait pas comme ça, ici.

– C'est normal, vous faites pas un salaire de misère. Quand t'as beaucoup d'enfants à nourrir, t'as pas toujours le choix. C'est un autre monde. C'est pas pareil, ici.

Vincent lui sourit avec fierté.

– Certain. On est là pour le bien du monde.

Michel n'en pouvait plus de les voir se relancer en se regardant droit dans les yeux comme s'ils étaient prêts à se déshabiller mutuellement.

– Le bien du monde veut-tu une bière?

Audrey rit comme une gamine, puis mit la main devant sa bouche. Elle avait chaud, soudain. Vincent lui souriait.

– Pourquoi pas? Je suis majeur, après tout.

Audrey réalisa qu'il était vieux et cela l'excita davantage. Elle avait l'impression d'être nue sous ses yeux. Cela la gênait et la stimulait à la fois. Aucune de ses amies du lycée ne la croirait.

À la sortie du village, Henri n'eut pas à rouler longtemps avant de voir une plaque sale et rouillée annonçant le rang Croche. Le chemin de terre ne donnait pas envie de s'y aventurer. Henri continua tout droit. Juliette avait remarqué la plaque.

— On ne va pas au rang Croche ?

— Non, il n'y a plus rien. La maison a été démolie après notre départ.

— C'est pas la maison que je voulais voir, c'est la forêt.

— Et c'est ce qu'on va voir.

— T'as passé beaucoup de temps à la poste. Qu'est-ce qu'on t'a raconté ?

— Je pense que je connais le secret du bois.

— C'est quoi ?

— J'en saurai plus tout à l'heure. Si mon idée est exacte, la route devrait tourner dans moins d'un kilomètre. On va se retrouver de l'autre côté du bout du rang Croche.

— Arrête de faire de la géographie et dis-moi donc ce qui se passe.

— Je veux percer le secret du loup-garou.

— Henri, si tu continues comme ça, je pense que je vais t'étrangler.

— T'auras pas besoin. On est arrivés.

Henri tourna dans un rang aussi large qu'une route secondaire. Il ralentit et roula lentement sur le chemin bien pavé traversant des pâturages et des champs de céréales. Il raconta l'histoire de la famille Tremblay et de ses douze… non, treize enfants. Puis il arriva à l'histoire du loup-garou qui avait enlevé le treizième bébé. Juliette le regarda un moment. Parce qu'elle sentait son cœur battre très fort, elle se dit qu'elle était encore vivante même si elle ne respirait plus.

— Une petite fille?

— Oui. Une petite fille disparue la veille de ta naissance.

— Seigneur! Pourquoi est-ce qu'elle m'a enlevée à eux? Ce sont des monstres ou quoi?

— Les gens du coin les voient comme une grosse famille prospère.

— Elle trouvait qu'ils en avaient déjà trop?

Henri haussa les épaules et arrêta l'auto à une bonne distance d'une grande maison à deux étages peinte en blanc. Des boîtes remplies de fleurs multicolores ornaient le bas des fenêtres. Des fauteuils de bois étaient alignés sur la grande véranda qui longeait deux côtés de la maison. Tout était propre et fraîchement repeint.

La route s'arrêtait un peu plus loin, près des bâtiments de ferme qui étaient un peu en retrait. De nombreuses vaches se tenaient immobiles dans un grand pâturage. Elles leur jetèrent à peine un œil. Sur la droite, on pouvait voir une porcherie et un poulailler. Henri regarda au loin. La forêt était encore là, dense et sombre. Juliette suivit son regard et comprit qu'il n'était pas très difficile pour un «loup-garou» de parcourir à la course cette étendue, même avec un bébé dans les bras. Le frère et la sœur restèrent un moment silencieux à imaginer Lydia se sauvant dans la forêt avec la nouveau-née. Elle avait dû profiter de la distraction de la famille ou elle avait provoqué une diversion. Elle seule pourrait le dire. Et il était logique de penser que la forêt était la même que celle qui se trouvait au bout du rang Croche.

Un coup frappé à la fenêtre de la voiture les fit sursauter. Une jeune femme vêtue d'une chemise à carreaux et d'un jean les fixait, une pelle à la main. Henri baissa la vitre de l'auto.

— Bonjour.

— Vous êtes perdus?

— Non, enfin, on fait un tour de la région.

— On aime pas les woireux, icitte.

Elle se pencha pour voir la passagère. Celle-ci la regardait avec curiosité. La jeune femme recula comme si elle avait vu un fantôme. Juliette s'avança davantage.

— Ça va?

La jeune femme essaya de reprendre contenance.

— Ah oui! C'est juste vos yeux…

Juliette adoucit encore plus sa voix.

— Et pourquoi?

— Ben, il y en a pas ben gros de même. De cette couleur-là, je veux dire. Comme ceux de grand-mère. Il y en a juste quatre dans la famille qui ont des yeux comme elle.

Juliette se retint de dire : « Il y en a cinq. »

— Et elle est ici, votre grand-mère?

— Non, depuis la mort de pépère, on a été obligés de la placer. Elle a passé proche de mettre le feu à grange deux fois.

— Je comprends ça. On a dû placer ma mère aussi. Mais on a été chanceux, on lui a trouvé un bon centre d'accueil.

— Nous autres aussi. Celui de Grandes-Piles est ben correct. Pis il y a toujours quelqu'un de la famille qui va la voir à tour de rôle.

— On vous dérangera pas plus longtemps. Vous avez un beau coin de pays.

— Ben… promenez-vous ben.

La jeune femme regagna la véranda. Un homme dans la cinquantaine sortit du poulailler et la regarda. Elle lui fit signe que tout était correct.

Henri fit demi-tour dans la grande cour. Juliette réalisa que ses mains tremblaient. Son frère le vit aussi.

— Bravo, ma petite sœur. Tu lui as tiré les vers du nez avec brio.

Pour toute réponse, Juliette fouilla dans son sac nerveusement et mit ses verres fumés.

Le paysage avait beau être magnifique, la route, belle et même un peu tranquille, Juliette se sentait incapable de les apprécier. Henri restait silencieux, jetant des coups d'œil furtifs à sa sœur enfoncée dans son siège. Le temps s'étirait et Henri avait l'impression qu'ils n'arriveraient jamais. Il commençait à avoir faim.

— Veux-tu qu'on s'arrête en chemin pour manger?

Juliette regarda autour d'elle. La rivière Saint-Maurice d'un côté, la forêt de l'autre.

— J'ai pas envie de sandwich d'épinette.

Henri soupira.

— Moi, j'ai faim. Si je trouve un snack-bar, je m'arrête. Sinon on mangera à Grandes-Piles.

— Comme tu veux. Moi, j'ai pas faim.

Ils roulèrent encore un peu et Grandes-Piles apparut, surplombant la rivière. La municipalité adossée à la forêt s'annonçait comme le «berceau de la drave». Henri repensa à Grégoire qui avait été bûcheron pendant des années, au père de Lydia, draveur mort au combat contre la pitoune. À tous ces gens qui avaient vécu cette vie rude remplacée par les camions et les scies mécaniques.

Henri vit un restaurant au bord de l'eau. Il regarda sa sœur qui cherchait des yeux le centre d'accueil.

— On devrait manger. Après, on s'informera sur l'endroit où est logée Paulette.

– Paulette ?

– Oui, c'est son nom. Je te l'avais pas dit ?

– Non, on a juste parlé des Tremblay. Paulette !

Henri gara sa voiture. Juliette sortit et regarda autour d'elle. Remarquant une jeune femme avec un carrosse, elle se dirigea vers elle. Henri vit la jeune mère gesticuler pour indiquer la route : il fallait aller tout droit, puis à gauche et à droite. Juliette alla retrouver son frère qui s'apprêtait à entrer dans le restaurant.

– Vas-y. Le centre est dans une maison privée. Je vais juste aller voir et je te rejoins. J'ai pas faim de toute façon.

– Tu es certaine que tu veux y aller toute seule ?

– J'ai mes super-lunettes, je risque rien.

– Si t'es pas là quand le café arrive, je pars à ta recherche.

Juliette s'approcha de lui et le serra dans ses bras.

– On se voit tantôt.

Elle marcha d'un pas vif. Quand elle vit la maison décrite par la jeune maman, elle s'arrêta. C'était une maison ancestrale toute blanche avec un toit et des lucarnes rouges. Il ne devait pas y avoir beaucoup de pensionnaires. Juliette vit une femme sortir et un homme entrer peu de temps après. Elle fut surprise du va-et-vient. Elle se décida à traverser la rue et à entrer. Le repas des pensionnaires semblait terminé : des cabarets vides étaient empilés sur des chariots qu'on faisait rouler vers la cuisine du rez-de-chaussée.

Juliette se glissa vers l'escalier et monta à l'étage. Elle aurait bien parlé à une préposée, mais les trois femmes qu'elle avait vues semblaient très occupées. Et puis, elle ne tenait pas tant que ça à ce que l'on sache qui elle cherchait. Aucun nom ne figurait sur les portes des chambres. Seulement des images peintes sur une plaque ovale en bois. Un parapluie rouge, une ombrelle jaune, un bouquet de marguerites, un nuage blanc sur fond bleu. Juliette n'osait pas cogner aux portes. Elle remarqua qu'elles étaient presque toutes entrouvertes. Elle passa la tête dans l'ombrelle jaune. Celle-ci était vide. Le bouquet de marguerites aussi. Le nuage blanc était une chambre plus grande que les autres. Une femme était assise dans un fauteuil et regardait par la fenêtre. Juliette s'avança. La vieille dame se retourna. Elle avait des yeux bleus qui avaient dû être jadis magnifiques. Ils étaient maintenant délavés, comme s'ils avaient trop pleuré.

Juliette approcha une chaise du fauteuil et s'assit. La femme la regarda d'un air indifférent, puis retourna à la contemplation de la fenêtre qui donnait sur la rivière, au loin, et les collines boisées.

— Paulette?

La femme ne réagit pas. Juliette enleva ses lunettes fumées.

— Est-ce que vous pouvez parler?

Paulette la regarda de nouveau. Elle la fixa un long moment. Puis des larmes se mirent à couler sur ses joues. Juliette lui prit la main.

— Soyez pas triste. J'ai une vie heureuse. Je suis mariée à un bon gars depuis presque vingt-cinq ans. On a une grande fille qui va bientôt devenir pharmacienne. Pis notre grand garçon va devenir policier. On est fiers d'eux.

Paulette serra la main de Juliette, mais elle semblait incapable de parler. Juliette lui sourit.

— Moi, je suis infirmière et mon mari est pompier. J'ai pas grandi à la campagne. Je sais pas si j'aurais aimé ça. Mais j'ai grandi dans une belle famille. J'ai appris il y a pas longtemps que mes frères et sœurs avaient été… adoptés. Mais on est tous d'accord, la louve a été une bonne mère.

Le visage de Paulette s'anima soudain.

— La louve… t'a pas mangée?

— Non, elle s'est bien occupée de nous. Avec son grand loup. On a été élevés avec beaucoup d'amour. Je sais que ç'aurait été autre chose avec… vous autres. Mais c'est comme ça. Je saurai jamais comment ma vie aurait pu être, mais je regrette pas la vie que j'ai eue.

— T'es pas morte? T'es un fantôme, c'est ça? Gaston voyait des fantômes, pis après il est mort. C'est correct. Je suis prête… pis je suis si fatiguée.

– Voulez-vous que je vous aide à vous coucher ?

Paulette fit signe que non.

– Je préfère mourir assise.

Juliette frissonna. Elle garda la main de Paulette dans la sienne un long moment. Des bruits de pas la firent sursauter. Elle dégagea sa main.

– Je dois y aller. Je suis heureuse de vous avoir rencontrée.

Paulette eut un sourire grimaçant.

– Moi aussi, je vais y aller.

Juliette remit ses verres fumés et sortit de la chambre. Elle descendit l'escalier rapidement et retrouva le grand air avec soulagement. Elle courut presque vers le restaurant. La tête lui tournait, elle avait une légère nausée. Trop d'émotions à la fois. Elle ne savait plus si ce voyage avait été une bonne idée. Peu importe, elle avait percé le mystère du loup-garou, mais elle n'avait pas trouvé la raison qui avait poussé Lydia à agir ainsi. La jalousie devant l'abondance ou le désir irrépressible d'avoir un autre bébé ? Seule Lydia pourrait le lui dire. Mais Juliette n'avait pas envie d'avoir cette explication.

La chambre dans toutes ses teintes de rose sembla soudain enfantine à Audrey; elle avait envie de déchirer les volants autour des coussins. Elle savait bien qu'elle ne le ferait pas, sa mère en serait blessée. Charlotte avait travaillé si fort pour lui faire une chambre de princesse avec ses froufrous et ses dentelles. Les peluches alignées sur l'étagère la ramenaient à sa petite enfance. Sa mère n'avait pas encore compris qu'elle n'était plus une petite fille. Heureusement, d'autres personnes semblaient s'en apercevoir.

Audrey s'assit sur le bord du lit et attrapa son sac à dos. Elle l'ouvrit et prit le cahier de Lydia. Elle fouilla davantage et sortit du fond du sac son journal intime. Elle soupira et choisit un stylo dans son étui. Elle ouvrit le journal et contempla la page vierge. Elle réalisa qu'elle n'avait pas beaucoup écrit dedans depuis son retour à Montréal. Le livre des confidences de Lydia avait pris tout son temps. Et puis, elle n'avait pas grand-chose à dire de personnel. Même la rencontre de Charlotte et de Lydia avait été consignée dans l'autre cahier.

L'adolescente lissa la page du plat de la main. Elle porta le stylo à sa bouche et s'arrêta. C'était une vilaine habitude qu'elle s'efforçait de perdre. Elle observa le crayon, sa main, la page. Tout était figé. Ses yeux glissèrent sur le mur fuchsia orné de dessins floraux. Elle tourna la tête et regarda la fenêtre. Les rideaux de tulle blanc bougeaient un peu sous l'effet du vent. Audrey s'étendit sur le lit et fixa le plafond.

Elle revoyait le visage de Vincent, la vivacité de ses yeux bleu foncé. Il n'avait pas les mêmes yeux que sa mère, mais la couleur s'en approchait. Il avait plutôt l'intensité du regard de son père. Il fixait et scrutait tout pour ne manquer aucun détail. Elle avait senti ce regard sur tout son corps. Elle avait eu l'impression qu'il l'avait touchée à plusieurs reprises, s'arrêtant sur ses seins et son ventre. Elle ne voyait pas ce que son ventre avait de sexy, mais les seins, ça, elle savait, car ils picotaient et se gonflaient comme si Vincent les avait vraiment frôlés.

Elle ferma les yeux et sourit. Quand elle était partie, Vincent lui avait fait la bise. Elle pensa à son père qui disait toujours qu'il aimait beaucoup cette belle coutume française qui devenait à la mode au Québec. Nelson avait bien raison. La jeune fille avait pu sentir la joue légèrement rugueuse de Vincent, son odeur de déodorant épicé et de bière. Elle avait vu de très près ses oreilles petites et mignonnes qui donnaient envie de les mordiller. Audrey ne l'avait pas fait, bien sûr. Mais elle trouvait amusant que l'idée lui soit passée par la tête. Et puis, il avait approché son corps du sien. Elle avait senti la dureté de ses muscles quand elle avait posé sa main près de son épaule. Elle se rappelait aussi la solidité de sa main d'homme sur sa taille, la tirant légèrement vers lui. Elle avait failli s'appuyer sur sa poitrine, tellement ses jambes mollissaient.

Audrey soupira. Elle s'assit de nouveau sur le lit et regarda son journal. Elle n'arrivait pas à écrire tout ça comme elle l'avait vécu. Elle renifla son chandail, espérant y retrouver l'odeur de son cousin. Cousin? Il ne l'était plus depuis qu'elle savait ce que Lydia avait fait. Il était un parfait étranger. Mais il était vieux, c'était certain. Sa mère ne la laisserait jamais sortir avec lui.

Quelques mois plus tôt, un garçon du collège américain, à Tegucigalpa, un beau grand Métis de seize ans, l'avait invitée au cinéma. Il avait eu le malheur de lui téléphoner et Charlotte avait répondu. Après des questions dignes de l'Inquisition, Charlotte avait refusé l'invitation au nom de sa fille de treize ans. Audrey n'avait jamais eu aussi honte de toute sa vie. Le garçon la croyait plus vieille à cause de sa taille. Audrey avait été reléguée au rang de fillette et le beau jeune homme ne l'avait plus regardée.

À cause de sa mère, elle ne pourrait jamais être amoureuse, pas avant d'être vieille en tout cas. Et cela prendrait encore des années. Elle se dit qu'elle ferait mieux d'en parler à Lydia. Sa grand-mère aurait peut-être une solution.

La route du retour lui avait semblé interminable, même si son frère avait conduit rapidement. Juliette lui avait à peine résumé sa visite devant une tasse de café. La légende du loup-garou venait de mourir, du moins pour eux. Après avoir déposé Juliette chez elle, Henri se hâta vers son appartement. Il était impatient de voir Michelle. Il avait beaucoup pensé à elle toute la journée. Il avait eu plus d'une fois envie de partager avec elle un paysage, une anecdote.

Il ouvrit la porte et sentit une odeur de poulet grillé. Il se dirigea vers la cuisine. Michelle jetait un œil au four et elle sursauta en voyant quelqu'un entrer. Elle se mit à rire quand elle s'aperçut que c'était Henri.

— Je t'ai pas entendu ouvrir la porte.

Il la serra dans ses bras.

— Ça sent bon.

— Je cuisine pas aussi bien que toi.

— Je parlais de ta peau, de tes cheveux, de ton corps.

Michelle rit de nouveau. Elle avait l'impression que c'était toujours la fête avec lui. Henri remarqua un pot de thym et un autre de persil près de la fenêtre.

— Tu aménages le jardin?

— J'espère que ça te dérange pas.

— Pas du tout. Ça met un peu de vie. Tu as utilisé les tiroirs et une partie des garde-robes?

— J'ai utilisé tout l'espace que tu m'as offert. Ce qui est bien, c'est que ça m'a permis de faire le ménage dans mes affaires. Je suis allée porter deux gros sacs aux Petits frères des pauvres.

Michelle semblait inquiète.

— Tu te sens vraiment prêt à te laisser envahir?

— Je ne t'aurais jamais permis d'apporter plus qu'une brosse à dents si ça n'avait pas été le cas.

— Ça faisait longtemps qu'on vivait en célibataire, nous deux.

Elle n'osait pas parler de ses amants qui ne restaient pas longtemps à cause de ses manies. Est-ce que ce serait la même chose avec lui? Elle préférait ne pas se poser la question. Henri ouvrit le frigo et sortit une bouteille de vin blanc.

— Tu en veux?

— Volontiers.

— Tu vois, un vieux garçon et une vieille fille peuvent partager beaucoup de choses. Je sais pas comment on va réussir à vivre ensemble. J'ai jamais vécu avec une femme assez longtemps pour y comprendre quelque chose.

— J'aime avoir des moments de solitude.

— Moi aussi. Je ne sais pas où on va se cacher pour ça.

— Surtout qu'on a les mêmes horaires, au même endroit en plus. Est-ce qu'on doit leur en parler tout de suite?

— On peut attendre un peu, mais je n'en vois pas la nécessité. Bernard va avoir l'impression qu'on lui joue dans le dos. Je le lui dirai lundi. Ça le changera des rapports financiers.

— Et si ça marche pas?

— On alimentera les ragots du temps des fêtes.

— Raconte-moi ton voyage avec ta sœur.

— C'est une belle histoire de loup-garou. Mais je vais te la raconter au salon. Il fait trop chaud à côté du four.

Les yeux de Michelle s'agrandirent de plaisir. Cette famille était fascinante.

Juliette était assise sur le canapé du salon. Michel avait fait griller des steaks. Elle avait réalisé qu'elle était affamée et avait mangé de bon appétit. La sentant très tendue, son mari lui avait servi plusieurs verres de vin rouge. Elle était maintenant calée sur des coussins et ressentait la fatigue du voyage. Michel remplit de nouveau son verre et s'assit à ses côtés. Juliette prit une gorgée de vin.

— Tu veux me soûler, on dirait.

— On dirait que t'en as vraiment besoin. Tu es prête à me raconter cette histoire de loup-garou? J'ai rien compris.

— C'est simple. Lydia habitait le bout du rang Croche. La forêt est à côté et, en la traversant, on arrive au rang des Tremblay. Pendant que Grégoire et Henri dormaient, elle est allée voler le treizième enfant de la famille. Moi.

— Je comprends pas pourquoi. Je peux pas imaginer Lydia comme une voleuse d'enfant. Tu m'as dit qu'Henri avait été offert par son amie Simone pour pas qu'il soit un bâtard. Albert a aussi été confié à Lydia par sa mère. Charlotte et Béatrice ont été rescapées de familles en difficulté. Pourquoi elle t'aurait volée, juste toi?

— Elle a volé Charlotte et Béatrice aussi. Elle avait essayé avec moi en premier et ça avait marché. Je suppose qu'offrir un deuxième bébé à Grégoire était trop tentant.

— T'es sûre que Paulette a pas raconté à tout le village qu'elle n'en pouvait plus? Que douze, c'était assez? On peut pas prendre un bébé comme ça, sans témoin. Paulette était peut-être sa complice.

— Comment veux-tu que je le sache? Paulette était confuse. Mais je suis pas mal certaine qu'elle m'a reconnue.

— Reconnue? C'est vrai que, de quarante-huit heures à quarante-sept ans, c'est facile à voir, t'as pas changé. Voyons Juliette, t'as beau avoir des yeux rares, elle pouvait pas savoir que c'était toi.

— Non, c'est pour ça que je le lui ai dit. J'aurais pu lui prendre des cheveux aussi pour faire plaisir à Béatrice. Mais, des preuves scientifiques, pour moi, c'est pas nécessaire.

— Tu vas y retourner pour connaître le reste de la famille?

— Non. La treizième des Tremblay est morte. Je ne saurai jamais ce que ma vie aurait pu être sans la louve.

— Moi, je peux te le dire. T'aurais pas rencontré un beau jeune pompier séduit par tes yeux magnifiques. Ah! Soyons francs. Il y avait pas juste les yeux. J'ai remarqué les seins aussi.

Juliette sourit et regarda un moment Michel.

— J'aurais pu rencontrer un pompier là-bas…

— Il aurait pas été aussi bien que moi. Et tu serais devenue une grosse fermière mariée à un gros fermier parfumé au purin.

Juliette le frappa sur le bras en riant.

— Ce que tu peux être idiot des fois!

— Au moins je te fais rire. C'est la première fois depuis ton retour.

— C'est vrai. Tu me séduis encore… depuis le temps.

— Je me souviens quand ton père… je veux dire Grégoire…

— Tu peux dire que c'est mon père.

— Quand ton père m'a vu la première fois. J'ai trouvé ça plus stressant que de combattre un incendie. Il voulait le meilleur pour sa fille et il m'a examiné sous toutes les coutures. Génétiques ou pas, t'as eu des parents exceptionnels.

— C'est vrai. Et j'ai des frères et sœurs que je pourrais pas abandonner.

— Tu vas le dire à Sylvie et à Vincent?

— Je sais pas trop. Est-ce qu'il faut vraiment tout dire ?

— Moi, je le dirais pas à Vincent. Il est devenu tellement strict. Il serait capable d'arrêter Lydia pour kidnapping. Et puis, si tu l'avais vu jouer des muscles devant Audrey. Je l'avais pas reconnue, c'est une super belle fille.

Juliette écoutait à peine le compte rendu de Michel. Elle se disait qu'Audrey n'était qu'une petite fille de treize ans. Vincent n'était tout de même pas un pédophile. Et il aimait trop sa grand-mère pour la faire arrêter. Elle se rappela le premier amour de son fils. Il avait onze ans et la fille en avait quinze au moins. Il n'avait aucune chance. Elle ne l'avait même pas vu. Mais il avait appris à pleurer une peine d'amour. En cachette, bien sûr. Il savait, comme sa sœur, cacher son volcan intérieur.

Juliette n'avait pas à réfléchir longtemps pour savoir que le secret, avec ses enfants, était sans doute préférable aux confidences.

Elle bâilla et mit son verre sur la table du salon.

— Je suis crevée. Et j'ai trop bu. Excuse-moi.

— Monte. Je te rejoins après avoir rangé la cuisine.

— C'est vrai que j'aurais pas trouvé mieux en Mauricie.

Michel sourit et ramassa les verres pendant que Juliette montait l'escalier. Elle laissa tomber ses vêtements et entra sous la douche pour effacer la fatigue de la journée et aussi sa mémoire. Elle avait envie de se vider la tête. L'eau chaude, combinée au vin rouge, la relaxa.

Michel rinça les verres et les plaça dans le lave-vaisselle. Il regarda autour de lui. La cuisine était en ordre. Il repensa aux deux jeunes qui l'avaient visité aujourd'hui. Les hormones de Vincent et d'Audrey sautaient au plafond. Ils étaient prêts à exploser comme la grande finale des feux d'artifice de La Ronde. Qu'est-ce qu'il n'aurait pas donné pour revivre cette excitation ?

Il se rappela son voyage de noces. Juliette et lui étaient revenus tout blancs d'une station balnéaire mexicaine. Ils ne sortaient que pour se baigner à la piscine à la nuit tombée. Le reste du temps, ils le passaient au lit. Tous les Gagnon en avaient ri. Et les avaient enviés un peu aussi.

Michel entendit l'eau de la douche couler. Il entrouvrit la porte de la salle de bain. Juliette savonnait ses cheveux. Il pouvait voir ses seins à travers la porte de verre givré. Il enleva ses vêtements et la rejoignit sous la douche.

Juliette sursauta quand elle vit la porte s'ouvrir. Puis elle sourit.

— Tu me fais des surprises maintenant ?

Michel passa ses mains sur ses hanches.

— T'aimes pas ça ?

— Au contraire.

Elle se colla contre lui. L'eau éclaboussait partout. Ils rirent comme des gamins.

Lydia cultivait ses géraniums avec un plaisir évident. Depuis que ses enfants et ses petits-enfants venaient la voir, elle avait l'impression que son balcon était devenu un jardin merveilleux. Comme si ses fleurs poussaient davantage avec le bonheur. Il manquait Juliette, bien sûr, et ses enfants. Mais elle voyait rarement ces derniers. Ils étaient occupés par leurs études. Lydia aurait aimé avoir de leurs nouvelles par Juliette, mais celle-ci semblait l'avoir rayée de sa vie. Elle regarda l'heure. Audrey serait bientôt là. Cette petite était rafraîchissante, vive et perspicace. Une belle intelligence dans un corps qui devait déjà commencer à faire tourner les têtes.

La sonnette de la porte retentit. Lydia se dit que sa petite-fille était en avance. Audrey devait avoir bien des choses à lui raconter. Lydia lui cria d'entrer : c'était ouvert. La porte s'ouvrit et se referma sans bruit.

— Je suis sur le balcon. Installe-toi au salon. J'en ai pour deux minutes.

Lydia se retourna et vit Juliette debout au milieu du salon.

— Juliette ? C'est toi ?

— Ben oui, je suis pas un fantôme.

Lydia s'avança, un peu craintive. Elle avait envie de serrer sa fille dans ses bras, mais elle avait peur d'être rejetée. Juliette se sentait soudain maladroite.

— T'attendais quelqu'un d'autre ?

— Je suis contente de te voir. Je me suis ennuyée de toi. Je suppose que tu sais pour ta naissance. Tous les Gagnon le savent.

— Je sais. Je suis allée au village, puis à Grandes-Piles... J'ai vu Paulette.

— Elle est encore vivante? Elle a pourtant quelques années de plus que moi. C'est une femme solide.

— Il le fallait pour avoir treize enfants.

— Qu'est-ce qu'elle t'a dit?

— Pas grand-chose. Tu savais que tu as parti une légende de loup-garou?

— Ben voyons!

Juliette la fixait. Elle se sentait trembler à l'intérieur et elle avait peur que ça se voie. Elle décida de plonger.

— Pourquoi tu m'as volée?

Lydia fit quelques pas et s'assit sur le canapé. Juliette s'installa dans le fauteuil lui faisant face. Après une profonde inspiration, elle se sentit prête à entendre son histoire, vraie ou inventée à moitié par Lydia.

Cette dernière lui confirma tout de suite le vol.

— C'était trop tentant. Je pouvais pas avoir de bébé et, elle, elle en fabriquait un par année. Je voulais pas de mal à personne. Je voulais juste doubler le bonheur de Grégoire. Il était tellement heureux de son fils. Pis je me suis dit qu'un de moins manquerait pas vraiment aux Tremblay... J'ai jamais pensé qu'ils auraient de la peine ben longtemps. Surtout à cette époque-là. Les enfants, ça mourait souvent en bas âge. J'ai été égoïste, je le sais, mais quand je t'ai vue... t'étais tellement belle. Je pouvais pas te retourner. Tu nous as rendus si heureux. Pas juste Grégoire pis moi, tes frères et sœurs aussi. T'étais ma grande fille sur qui je pouvais toujours compter. Je...

Lydia s'arrêta. Elle réprima un sanglot. Elle ne voulait pas pleurer. Elle ne voulait pas de la pitié de Juliette.

— Excuse-moi. J'ai jamais voulu te faire de la peine. Je veux pas que tu juges mal Grégoire non plus. Il a jamais su.

Juliette se leva et alla s'asseoir à ses côtés. Elle ouvrit le bras et Lydia se pencha vers elle, appuyant sa tête sur son épaule. Juliette avait l'impression de consoler une enfant.

— Tu as eu raison de rien dire. J'aurais pas compris plus jeune… et je t'en aurais tellement voulu! J'ai pas l'intention non plus d'en parler aux enfants. Ça les regarde pas. Je veux que tu le saches. Michel parlera pas non plus.

— Vous voulez me protéger?

— Non, je veux oublier tout ça. Tu es ma mère et Grégoire a toujours été mon père. Ça te va?

— Je t'aime tellement, ma Juliette.

— Moi aussi, maman. Même si tu es une petite crapaude.

Lydia rit de cette expression qu'elle utilisait souvent quand les enfants faisaient des mauvais coups. Les petits crapauds et les petites crapaudes!

On frappa à la porte. Lydia essuya ses yeux et se moucha. Puis elle cria vers la porte:

— Entre, Audrey. On est au salon.

Juliette vit arriver une grande jeune fille aux magnifiques cheveux d'ébène longs et brillants. Des yeux sombres, un petit nez, des lèvres pulpeuses, tout cela ajouté à un regard intelligent et à une fraîcheur juvénile. Elle se dit que Michel avait raison: cette fillette devenait une jeune femme fort séduisante. Charlotte et Nelson devraient s'en inquiéter. Heureusement que Vincent venait rarement à Montréal et qu'il croyait encore que cette jeune beauté était sa cousine.

Audrey s'avança et embrassa sa grand-mère, puis elle se tourna vers sa tante avec un grand sourire.

— Bonjour, ma tante. Je suis passée te voir l'autre jour, mais tu étais partie avec mon oncle Henri. Vous avez fait un bon voyage?

Juliette prit sa nièce dans ses bras. Elle comprit que la belle enfant était curieuse et savait sans doute plus de choses qu'elle sur Lydia et ses enfants. Quoi de plus normal pour une grand-mère que de se confier à sa petite-fille qu'elle voyait rarement?

Audrey ne porterait aucun jugement et elle pouvait même avaler de petits mensonges sans les questionner.

— La route est très belle le long du Saint-Maurice. On a même visité le cimetière du village.

Juliette jeta un coup d'œil à Lydia.

— Tu savais, maman, que le notaire n'a pas survécu longtemps à Simone?

Lydia sourit. Elle comprenait que Juliette voulait connaître l'étendue des confidences faites à Audrey.

— Oui. Il y en a qui ont dit qu'il était mort de chagrin. D'autres ont préféré la version d'une maladie honteuse mal soignée. Il aurait eu ses habitudes dans certaines maisons de Trois-Rivières. Mais tout ça, c'est des ragots.

Juliette embrassa Lydia et se dirigea vers la porte. Elle sourit à ces deux complices qui papoteraient longtemps après son départ. Elle était contente d'avoir fait la paix avec sa mère et d'avoir vu Audrey. Elle se dit qu'elle devait passer voir Charlotte. Un petit lunch entre sœurs la divertirait. Et elle ne jouerait pas la bonne Juliette.

Audrey déposa son sac à dos et s'assit dans le fauteuil. Elle regarda plus attentivement sa grand-mère.

– Tu as les yeux rouges, tu as pleuré ?

Lydia sourit.

– De joie. Juliette m'a pardonnée.

– Tu lui as dit comment elle était arrivée dans ta vie ou elle a trouvé toute seule ?

– Elle a trouvé. Je sais pas comment.

– Mais comment tu l'as eue ? Tu me l'as jamais dit. C'est comme avec Simone, la mère pouvait pas la garder ?

– Il me reste des brownies, tu en veux ? Je parle mieux l'estomac plein.

Audrey accepta. Lydia poursuivit son récit. Elle ne parla pas de loup-garou. Elle n'avait pas compris cette allusion de Juliette, mais elle se souvenait à présent que Joséphine avait parlé du bébé mangé par les loups. Lydia préféra sauter ce détail et elle essaya de raconter simplement le vol du petit dernier d'une très grosse famille. La famille s'était d'ailleurs consolée rapidement de la disparition du bébé. La pauvre Paulette était épuisée avec ses douze enfants. Ce treizième avait failli lui coûter la vie. Ce petit ange aux magnifiques yeux bleus avait fait le bonheur de Grégoire et de toute la famille. Juliette était une femme remarquable.

Audrey ne posa pas de questions sur ce vol pur et simple qui semblait ne pas avoir fait de vagues. Elle était partagée entre la facilité qu'avait Lydia à tourner les coins ronds et le souvenir de Vincent. Lydia la sentit distraite.

— Et toi, ça va?

Audrey fit signe que oui et ouvrit la bouche pour parler. Puis elle se tut. Lydia lui prit la main.

— Tu as un problème?

— C'est maman. En fait, c'est pas elle. C'est que j'ai rencontré un homme…

Lydia s'inquiéta.

— Un homme? Il t'a fait des avances, il t'a touchée?

— Non, on s'est juste fait la bise, mais… j'arrête pas de penser à lui.

— Et il a quel âge, cet homme-là?

— C'est ça, le problème. Il est vieux, il a vingt ans.

Lydia fit un effort pour ne pas sourire. Ce n'était pas le moment d'offusquer la pauvre Audrey qui prenait la chose très au sérieux.

— Et tu veux que ta mère te laisse sortir avec lui?

— Elle voudra jamais. Et je sais pas si Vincent voudrait sortir avec moi… Il me regardait pas comme une petite fille. Mais mon oncle Michel semblait pas aimer ça.

— Vincent? Ton cousin!

Vincent le gaillard avec cette petite fleur d'Audrey! Ça n'avait pas de sens. Lydia se demanda comment le lui dire sans la blesser ni la traiter comme une gamine. Audrey regarda sa grand-mère.

— C'est pas vraiment mon cousin maintenant.

— Ça reste ton cousin. Et ça va le rester tout le temps. Juliette veut pas que ses enfants connaissent son histoire. Et oublie pas que Vincent va être policier. Il pourrait me faire arrêter pour avoir volé sa mère. Il me jetterait en prison…

— Il ferait pas une chose pareille.

— Oui, je sais bien… Et je comprends que t'es pressée de devenir une femme, mais il y a plein de garçons plus jeunes que lui avec qui tu peux sortir.

– Où ça? J'en ai rencontré un de seize ans et ma mère l'a fait fuir. Elle lui a dit que j'étais une petite fille. La honte!

Lydia essayait de se remémorer son premier béguin. Elle réalisa que c'était un des frères cadets de Paulette. Ils avaient à peine douze ans. Il lui avait volé un baiser sur le bord du ruisseau. Il avait même mis la langue dans sa bouche. Elle avait été si surprise qu'elle s'était figée sur place. Puis comme elle y prenait goût, des rires l'avaient fait sursauter et le garçon s'était enfui. Elle en avait rêvé pendant des nuits. Elle avait remarqué ensuite que sa mère la surveillait de plus près et la gardait au village plus souvent. Lydia sourit. Elle n'allait pas demander à Charlotte de faire la même chose que sa mère des décennies plus tard. Elle se dit que la seule chose rassurante avec le premier amour était qu'il s'appelait ainsi parce qu'il y en aurait d'autres.

– Vincent est un bon garçon, mais il n'est pas pour toi. Juliette m'a dit qu'il voyait une fille à Nicolet. Je sais pas si c'est sérieux. À cet âge-là, les garçons courent un peu partout.

– Grand-père a pas couru, lui. C'est ça que tu m'as dit.

– C'était pas pareil. On se mariait plus jeune dans ce temps-là. Pis j'avais dix-sept ans, pas treize. Attends un peu. Je suis certaine qu'un homme merveilleux t'attend.

Audrey soupira. Sa grand-mère tenait le même discours que sa mère. Les grandes personnes oubliaient bien vite leur jeunesse. La jeune fille mangea un morceau de brownie. À qui pouvait-elle parler de cette histoire sans qu'on lui dise qu'elle n'avait que treize ans?

La chambre minuscule leur était devenue familière, mais leurs rencontres restaient excitantes, avec une note d'imprévu. Ils faisaient l'amour en arrivant, puis ils passaient aux confidences en chuchotant presque. Ce calme, cette sérénité les comblaient. Ils pouvaient aussi passer de longs moments à simplement se regarder dans les yeux, encore surpris de leur complicité.

Patrice caressait les cheveux de Béatrice. Il avait bien écouté son histoire et il hésitait à lui répondre. Tout était trop facile. Il n'aimait pas l'attitude d'Alain. Il avait peur pour elle et les enfants. Il décida d'être le plus franc possible.

— Tu ne trouves pas qu'il a dit oui trop vite ?

— Alain est sûr de son coup. Il est persuadé que ça ne durera pas, que tu vas me tromper rapidement. Et que je vais lui revenir en pleurant.

— Et qu'il te le fera payer chèrement... Excuse-moi. C'est vrai que les aventures extraconjugales ne durent pas longtemps. Mais parfois, comme c'est notre cas, le grand amour change tout. Et contre ça, il ne pourra rien.

Ils s'embrassèrent. Béatrice le regarda.

— Tu ne sembles pas rassuré ?

— Pas tout à fait. Et s'il se servait des enfants pour contre-attaquer, te traîner dans la boue ? Après tout, c'est toi la femme infidèle.

— Alain ne s'attaquerait jamais aux enfants. Ce n'est pas du tout dans son caractère, il est plutôt indolent. Il faudrait qu'il soit fou.

— Il ne serait pas le premier homme à faire ça. Tu sais bien, madame la psychiatre, qu'on découvre trop souvent les fous après qu'ils ont commis des actes irréparables.

Béatrice tira les draps vers elle. Elle refusait de voir cet aspect de son changement de vie. Elle n'arrivait pas à croire qu'Alain pourrait se servir des enfants pour l'atteindre. Il répétait qu'il l'aimait et l'aimerait toujours. Mais n'était-ce pas ce que disaient les hommes délaissés pour justifier le fait de tuer femme et enfants ?

— J'avais hâte de passer la nuit avec toi, mais je devrais peut-être remettre ça à la semaine prochaine.

— Tu as dit aux enfants que tu partais pour Ottawa ?

— Oui, mais je peux toujours dire que ç'a été annulé.

— Ça ne fera que reporter le problème. Il n'y a pas de problème, en fait. Ne t'en fais pas. Alain aime trop ses enfants pour leur faire du mal. Et il est assez intelligent pour être patient. Il va t'attendre un moment. S'il voit que ça tient le coup, nous deux, il va se chercher une autre femme. Comment tu réagirais s'il te quittait pour une autre ?

Béatrice sourit.

— Ça me soulagerait. Je me sentirais moins coupable de mentir. Tu aurais dû voir la tête des enfants quand je leur ai dit que je les reverrais seulement jeudi soir.

— Si tu te sens trop mal à l'aise, tu pourras toujours leur faire une surprise et revenir avant.

— Ça ne te fâcherait pas que j'écourte ma visite à Ottawa ?

— Je suis prêt à tout pour te garder et je suis prêt aussi à m'effacer et à attendre. Je t'ai attendue vingt ans, j'en suis pas à une journée près.

Il la serra dans ses bras. Béatrice se sentait rassurée et heureuse que Patrice l'aime à ce point. Il était un homme qu'elle apprenait à découvrir à chaque rencontre. Elle devait passer plus de temps avec lui pour savoir s'ils pouvaient tous les deux survivre au quotidien. Si leur couple se révélait solide, les enfants finiraient par accepter quelques petits changements dans leur vie.

Charlotte était enchantée de l'invitation de sa sœur. Comme elle remplaçait une infirmière qui travaillait le soir, Juliette lui avait proposé un lunch entre copines. Charlotte avait donné l'adresse du Petit Diable qu'elle avait découvert récemment. Les deux sœurs papotaient de tout et de rien, heureuses de retrouver leur connivence d'adolescentes. Les cinq années qui les séparaient ne paraissaient plus du tout.

Juliette parla d'Henri et de sa nouvelle flamme. La belle Michelle semblait s'installer dans sa vie de vieux célibataire. Juliette la trouvait jeune, mais mature aussi. Une combinaison qui conviendrait sans doute à leur frère aîné.

Charlotte se réjouissait de voir la vie de son frère sortir de sa routine d'adolescent. Elle parla de Guillaume qui reprenait vie et du soulagement d'Émilie.

– Mais raconte-moi cette histoire de loup-garou plus en détail.

Juliette avait l'impression de répéter sans fin cette histoire et de la voir se façonner selon l'auditeur. Les blancs et les points de suspension s'animaient selon son humeur. Elle raconta en gros ce qu'elle avait déjà dit à Michel. Elle parla aussi du village, de la tombe de Simone, puis elle en vint à la réconciliation avec Lydia, la grande louve.

Charlotte écoutait, fascinée. Elle n'arrivait pas à croire que sa mère ait vécu tout ça. Tous les efforts qu'elle avait déployés pour avoir des enfants, tous les mensonges et supercheries accumulés pour finalement se faire prendre par les progrès de la médecine.

– Je suis contente que tu aies pardonné à maman. Je sais que c'est pas facile. En tout cas, ça ne l'a pas été pour moi. Je sais pas si j'aurais réussi à le faire si je n'avais pas eu d'enfants.

– Tu sais ce que ça m'a fait, tout ça ? J'ai compris que je n'avais plus à être la bonne sainte Juliette tout le temps. J'ai le droit de me fâcher.

– Et ça marche ?

– J'ai pas encore vraiment essayé. Mais je vais me pratiquer. Je pense que je vais avoir à le faire avec mon fils.

– T'as des problèmes avec Vincent ?

– Je risque d'en avoir et ce sera aussi à cause de toi.

– Qu'est-ce que tu racontes ?

– J'ai vu ta belle Audrey. Tes gènes mêlés à ceux de ton grand Nelson ont produit une bombe.

Charlotte arrêta de manger et fixa sa sœur avec curiosité. Elle attendait la suite. Juliette prit une bouchée de salade et mastiqua consciencieusement.

– Tu dois savoir que ta fille n'est plus une enfant. Même à treize ans. Elle est passée à la maison samedi dernier. Michel n'en revenait pas.

Juliette fouilla dans son assiette. Charlotte n'en pouvait plus.

– Il ne revenait pas de quoi ?

– De la beauté de ta fille et surtout de l'attitude de Vincent.

– Qu'est-ce qu'il a fait ?

Juliette rit.

– T'en fais pas. Rien de grave. Mais, devant ta fille, il a joué des biceps comme un demeuré.

Charlotte soupira de soulagement.

– Je suis pas vraiment surprise. Audrey grandit, mais elle est encore une enfant. Sa taille trompe tout le monde.

– Plus autant que ça. Elle reçoit les confidences de la louve et grandit vite. Il va falloir ouvrir les yeux et surtout ne pas lui montrer que tu regardes. Je me souviens des premiers émois de Sylvie. Les drames du samedi soir. Elle n'avait jamais la bonne robe à se mettre sur le dos pour sortir. Et sa déception à son retour parce qu'elle n'avait pas encore trouvé le garçon idéal. Ceux qui l'invitaient à danser étaient des cruches et ceux qu'elle voulait pour le dernier slow étaient toujours occupés ailleurs avec une plus belle fille qui avait une plus belle robe. La grande tragédie vestimentaire.

– Ça me rappelle notre adolescence.

Comme le serveur reprenait leurs assiettes, Juliette se retourna pour lui demander deux espressos. Elle vit à ce moment-là Béatrice venir du fond du restaurant. Elle lui fit signe de la main. Béatrice se sentit rougir comme si son corps entrait en fusion. Il fallait qu'elle tombe sur ses sœurs! Elle s'approcha en forçant un sourire. Elles se firent la bise. Juliette lui offrit de s'asseoir.

– Quelle surprise! Je t'avais pas vue avant. Tu as mangé toute seule?

Béatrice, vraiment mal à l'aise, ne savait plus quoi répondre.

– J'ai pris un sandwich au bar. J'ai pas beaucoup de temps.

– T'aurais dû venir t'asseoir avec nous.

– Je vous ai pas vues non plus.

Charlotte se tourna vers le bar du fond. Comment sa sœur avait-elle pu ne pas les voir? Ce n'était pas si loin. Au même moment, elle aperçut le docteur Legendre qui venait des toilettes. Il passa très vite, sans même les saluer. Charlotte pointa le doigt vers lui.

– Béatrice, regarde. C'est bien le docteur Legendre. Il était poli quand maman était dans sa clinique. Il faut payer pour qu'il dise bonjour?

Béatrice eut peur que ses premiers mots sortent tout de travers.

– Les médecins, ils sont souvent pressés. Comme moi d'ailleurs.

Elle embrassa ses sœurs et quitta rapidement le restaurant. Juliette et Charlotte la suivirent du regard.

– Juliette, tu trouves pas ça drôle, qu'on l'ait pas vue de tout le repas?

– Ce que je trouve plus étrange, c'est sa nuque mouillée.

– Comment ça?

– Elle avait le bout des cheveux mouillé, comme quand on sort de la douche.

– C'est peut-être la préménopause. Elle a eu chaud et elle s'est rincé la nuque au lavabo.

– Ouais, mettons. Mais elle est bien jeune pour ça.

Le serveur apporta leurs cafés. Elles se regardèrent un moment. Puis la même image leur vint à l'esprit.

– Patrice Legendre? Non!

Elles se retournèrent pour regarder vers le fond du restaurant. Il n'y avait rien de spécial. Elles rirent de leur imagination débridée.

Il venait de mettre des draps propres. Il courut à la salle de bain pour changer les serviettes. Le panier de linge sale débordait. Patrice tassa les serviettes. Il passa un chiffon autour du lavabo. Il retourna à la chambre. Tout semblait en ordre. Il ouvrit la fenêtre pour aérer. Il alla à la cuisine. Il était excité comme à un premier rendez-vous. Même si Béatrice connaissait l'appartement, cette fois-ci, elle y passerait deux nuits. Deux nuits… Il avait peur qu'elle trouve l'endroit trop petit, le frigo pas assez garni. Il ne cuisinait presque jamais. Heureusement qu'il s'était arrêté chez le traiteur. La sonnette de la porte le fit sursauter. Il mit de la musique et courut ouvrir.

Béatrice était là, tout sourire, un sac de voyage à la main. Il prit son sac, la fit entrer et referma la porte. Il resta un moment sur place, la regardant, comme s'il ne croyait pas ce qu'il voyait. Béatrice l'embrassa.

— Est-ce qu'on va passer toute la soirée dans l'entrée?

Il rit pour cacher sa gêne et mit sa main sur sa taille pour la guider vers le salon. Béatrice s'installa sur le canapé. Patrice était maladroit. Il faillit renverser le seau à glace. Il remplit les verres et s'assit aux côtés de son amoureuse. Ils portèrent un toast à leur nouvelle vie.

— Tu aimes le saumon fumé? J'ai acheté un filet de porc aux canneberges avec des pommes de terre sautées. J'espère que ce sera pas trop lourd. J'ai aussi été tenté par les linguines aux fruits de mer, mais je ne savais pas si tu étais allergique. J'ai hésité entre la crème brûlée et la mousse au chocolat. J'aurais aimé connaître plus tes goûts. Ce sera pour demain. En fait, le seul plat que je cuisine, c'est des œufs miroir. Je suis pas mal aussi pour les toasts.

Béatrice passa sa main sur sa nuque et caressa ses cheveux pour le rassurer.

— Ça va être parfait. T'as pas à t'en faire. Moi, je suis une experte en surgelés.

Il la serra dans ses bras.

— D'accord, une journée à la fois. Et tes sœurs?

— Elles n'ont rien vu, mais je vais devoir leur parler des changements qu'il y a dans ma vie.

— Ça va les jeter à terre.

— Peut-être pas tant que ça. Elles ont toujours trouvé Alain ennuyeux.

— Et qu'est-ce qu'on va faire ce soir? Après l'amour et la bouffe, je veux dire.

— Pourquoi ne pas jouer au vieux couple et regarder la télé?

— Et que dirais-tu du jeune couple qui va prendre un verre après un repas en tête à tête et qui entre ensuite sagement faire l'amour dans son lit, ou ailleurs dans l'appartement?

Béatrice aimait bien ce couple-là.

— On va se montrer ensemble ouvertement?

— Pourquoi pas? On peut aller au centre-ville où on ne court pas grand risque de rencontrer quelqu'un qu'on connaît.

— D'accord. Et on mange avant de défaire les draps ou après?

Pour toute réponse, Patrice déposa les deux verres sur la table du salon et glissa sa main sous la jupe de Béatrice.

Albert jouait au piano comme tous les soirs après le repas. C'était une détente pour lui et pour sa femme qui se sentait toujours apaisée, quelles qu'aient été les difficultés de la journée. Émilie souriait aux anges. Le médecin leur avait dit que Guillaume sortirait bientôt de l'isolation. Il se portait mieux et reprenait des forces. Émilie rêvait de le voir s'amuser sur le tapis du salon pendant que son père serait au piano. Elle l'imaginait avec ses jouets, loin de la chambre d'hôpital, des masques et des blouses blanches des médecins.

Le téléphone sonna. Émilie s'empressa de répondre pour ne pas déranger Albert. Elle tendit l'appareil à son mari. C'était son gérant. Albert écouta un moment, souriant, hochant la tête. Il raccrocha.

— Il a eu des nouvelles de mon agent de New York.

— Il a retrouvé Tom et Hélène?

— Tom est mort il y a quelques années, mais Hélène vit toujours là-bas. Elle donne encore quelques cours de chant à Julliard.

Émilie était heureuse de voir les yeux d'Albert briller.

— Pourquoi tu ne vas pas à New York avec ta mère?

— Lydia?

— Oui. Tu as la chance d'avoir deux mères.

— Je dois regarder mon agenda. Je ne veux pas vous laisser trop longtemps, toi et Guillaume.

— New York, c'est tout près. Un petit week-end avec les deux vieilles complices.

– Plutôt deux jours en début de semaine quand je n'ai pas de concert. Je vais devoir appeler Hélène pour savoir si elle veut me rencontrer avec Lydia.

– Je suis certaine qu'elle va accepter. Pourquoi tu ne l'appelles pas tout de suite?

– Là, ce soir?

– Et pourquoi tu devrais attendre? N'oublie pas que ce sont des dames âgées.

– Je vais devoir rappeler pour avoir son numéro.

Émilie lui tendit le téléphone. Albert obtint le numéro d'Hélène. Il avait les mains moites et se demandait s'il arriverait à dominer ses émotions. Il composa le numéro et attendit, prêt à raccrocher rapidement. Une voix légèrement ensommeillée répondit. Albert s'excusa en anglais de la déranger. Puis il passa au français. Est-ce qu'il parlait bien à Hélène? Il entendit un oui discret.

– Je suis Albert Gagnon. Vous me connaissez, je pense.

Un silence lui répondit.

– Je ne veux pas vous… Enfin… n'ayez pas peur de moi. Lydia m'a parlé de vous. Elle m'a dit que vous étiez son amie. Elle m'a raconté pour la Miséricorde. J'ai aussi vu des photos de vous et de Tom… Je… Excusez-moi. Je n'aurais pas dû vous téléphoner. Je ne veux surtout pas débarquer comme ça dans votre vie.

– Albert!… Oh, Albert! Comme je suis contente de t'entendre… Tu vas bien?

– Oui et Lydia va bien aussi. J'aurais aimé lui faire visiter New York et vous rencontrer en même temps. Si vous le voulez, bien sûr.

Il l'entendit se moucher, puis renifler.

– Excuse-moi. C'est l'émotion. Je pensais que je ne te reverrais jamais. J'aimerais tellement vous voir, tous les deux.

Ils échangèrent leurs coordonnées. Albert promit de la rappeler dès qu'il connaîtrait la date de sa visite. Il devait consulter son agenda et réserver avion et hôtel. Hélène lui demanda de saluer

Lydia. Albert lui assura qu'elle serait folle de joie de la revoir. Quand il raccrocha, Émilie eut l'impression d'avoir devant elle un autre homme. Albert était ému aux larmes. Elle le serra dans ses bras comme elle avait envie de le faire avec Guillaume depuis longtemps. Elle avait l'impression que la vie s'adoucissait enfin.

Lydia commençait à s'habituer à ces visites impromptues. Charlotte était arrivée avec des croissants frais pour le petit-déjeuner de la veille. Juliette était venue dire bonjour avant d'aller travailler en fin d'après-midi. Et Audrey passait régulièrement. Henri téléphonait presque tous les jours, Albert aussi. Quand on frappa à la porte, Lydia fit ce qu'elle faisait de plus en plus souvent ; elle cria : « Entrez. » Puis elle se retourna et vit Béatrice épanouie, toute souriante.

— Comme j'aime ça, te voir de même !

Béatrice était venue sans trop savoir pourquoi. Un arrêt pour partager ses émotions comme dans son enfance. Elle avait toujours hâte de se confier à sa mère. Pour partager son bonheur ou apaiser son chagrin. Elle se sentait si bien ensuite. Elle embrassa Lydia et lui donna une feuille de papier bleu.

— Tu pourras me joindre à ce numéro si je ne suis pas à la maison certains soirs. C'est le numéro de Patrice.

Curieuse comme une adolescente, Lydia demanda ce qui se passait. Béatrice était contente de confier à quelqu'un ce secret qui n'en serait bientôt plus un. Elle parla de l'entente avec Alain qui ménagerait les enfants, du moins pour le moment. De la bonne volonté de Patrice qui acceptait de la partager en secret. Les yeux de Lydia brillaient.

— Et t'as passé la nuit chez lui ? T'es heureuse ?

— Je suis bien avec lui. Vraiment bien. C'est peut-être une illusion, mais j'ai l'impression de vivre un premier amour.

– Dis pas ça. Le premier amour se fait remplacer. Parle plutôt du grand amour. C'est le seul qui peut survivre. Il se transforme et reste solide en même temps. Ça fait des complicités profondes. C'est celui-là que je te souhaite.

– Je le souhaite aussi. Patrice est si attentif. Je me souviens plus de la dernière fois où je me suis fait servir le matin.

Béatrice baissa les yeux et regarda ses mains.

– Il n'y a qu'une seule ombre. Les enfants. Ils me manquaient au réveil. C'était bizarre de pas avoir à courir derrière eux. Je suis arrivée à l'hôpital vingt minutes avant le temps.

– Tu vas t'en sortir. T'es une bonne mère, même si t'en doutes.

– Qui te dit que j'en doute?

– Toutes les mères en doutent, au moins quelques fois.

– Oui, c'est vrai. Mais tu n'as jamais douté que tu nous garderais. Tu n'as jamais eu peur de te faire prendre.

– Oh oui! Souvent. J'ai eu peur pendant des années. Quand le téléphone sonnait ou qu'on frappait à la porte, je me disais que je vous reverrais plus jamais et ça me donnait envie de pleurer. Une chance que j'avais Grégoire. Je me sentais en sécurité avec lui. C'est important de pouvoir compter sur quelqu'un qui t'aime, peu importe ce que tu fais.

L'amour inconditionnel! C'était cette phrase qui était venue à l'esprit de Béatrice quand elle avait croisé sa sœur biologique. La famille Gendron n'avait jamais quitté Verdun, déménageant régulièrement dans un périmètre de quelques rues seulement. Sans trop savoir pourquoi, Béatrice avait conservé les coordonnées récentes obtenues auprès de la DPJ. Et ce matin-là, peut-être parce que ses enfants lui manquaient, elle avait décidé d'aller voir qui étaient les Gendron.

Elle avait retrouvé facilement l'adresse. Elle avait demandé au chauffeur de taxi de l'attendre. Comme elle allait sortir de la voiture, elle avait vu une femme dans la quarantaine se diriger vers un parc avec trois enfants. Elle les avait observés de loin. Un peu boulotte avec des cheveux trop jaunes, la femme n'aurait pas gagné un concours de bon goût, mais elle semblait se plaire dans sa vie. Elle avait étendu une couverture par terre et sorti des sandwichs et des chips. Elle s'amusait avec les enfants, riait, jouait comme si elle avait presque leur âge. Elle s'était retrouvée à quatre pattes avec sa cadette, âgée de six ans environ. L'aîné, qui devait avoir dans les douze ans, faisait de la planche à roulettes sur les installations du parc. Une fillette d'une dizaine d'années jouait aussi avec sa mère. Ils avaient l'air de quatre enfants qui s'amusaient ensemble.

La fillette avait lancé un ballon trop loin. Béatrice s'était approchée et l'avait ramassé. Sa sœur avait crié : « Fais attention, si tu le pètes, celui-là, je t'en achète pus. » Puis elle avait regardé Béatrice et avait ajouté : « Scusez-la. » Celle-ci lui avait souri. Cette femme était une inconnue et elle n'avait rien d'une marâtre.

Béatrice s'était dit que sa sœur avait peut-être eu ses enfants pour l'amour inconditionnel qu'ils lui apportaient. Peu importait. Il y avait plus malheureux qu'eux sur la terre. Béatrice préférait sa vie et n'allait pas se mêler de celle des Gendron. Tout était mieux ainsi. Elle avait ensuite quitté le parc et traversé la ville en taxi pour voir Lydia, sa vraie mère.

Le téléphone sonna et Lydia répondit. Un sourire apparut sur son visage.

– Quand ça ?... Ben oui, je suis prête quand tu veux... Je t'embrasse, mon grand. Tu me rends tellement heureuse. J'en reviens pas... Oui... Merci encore.

Lydia raccrocha et se mit à pleurer. Elle chercha un mouchoir et essuya ses yeux. Béatrice regardait sa mère et attendait de connaître la bonne nouvelle qui l'émouvait autant. Lydia se moucha et sourit de nouveau.

– C'est Albert. Il a parlé à Hélène à New York. Elle était contente d'avoir de ses nouvelles. Elle nous attend la semaine prochaine. Tu te rends compte ? Je vais la revoir après toutes ces années.

Béatrice serra Lydia dans ses bras. Elle se sentait moins coupable d'avoir proposé ces tests génétiques et bouleversé la vie de tout le monde.

– Je suis heureuse pour toi, maman. Tu mérites des félicitations. Tu as bien pris soin de son bébé.

Béatrice réalisa qu'elle serait en retard à son travail. Et alors? Elle avait passé sa vie à être à l'heure. Sa mère méritait bien quelques minutes de plus.

Béatrice était confortablement installée sur le canapé aux côtés de Patrice. Elle sentait la chaleur de son corps, regardait son visage, ses mains, ses longues jambes étendues devant lui. Elle n'en revenait pas, de toute cette sérénité. La veille, ils avaient passé une belle soirée dans un bar du centre-ville. Une soirée d'étudiants qui faisaient la fête, buvant, criant pour se faire comprendre parmi la foule de jeunes qui bougeaient dans tous les sens.

Le soir suivant, ils avaient décidé d'essayer la version couple tranquille en passant la soirée à l'appartement. Patrice avait loué un film au club vidéo. Ils l'avaient regardé en faisant des commentaires amusants. Tout était agréable. Béatrice réalisa qu'après avoir raconté l'appel d'Albert et la joie de Lydia, elle avait à peine parlé de sa visite rapide à Verdun. Elle avait passé le repas et une bonne partie du reste la soirée à parler de Sophie et de Nicolas. Elle commença à dire encore quelque chose à leur sujet, mais elle s'arrêta au milieu de sa phrase.

– Je suis désolée.

– De quoi?

– J'ai toujours le nom de Sophie ou de Nicolas à la bouche… Je ne viens pas toute seule. Je ne suis pas vraiment libre, Patrice. C'est dommage pour toi.

– Je ne me plains pas. Je savais tout ça quand tu es entrée dans ma vie.

— Et je n'ai passé que vingt-quatre heures loin d'eux. Je suis une indécrottable mère poule.

— Non, juste une mère. Si tu as envie de les voir au réveil, tu peux rentrer à la maison.

— Il est tard. Je suis bien dans tes bras.

— Mais ils vont te manquer demain matin. Je t'ai vue les chercher ce matin.

— C'est injuste pour toi.

— On peut se voir demain midi, à notre resto préféré, sinon on devra attendre deux semaines pour dormir ensemble.

— Comment ça se fait que tu sois si extraordinaire ? C'est louche.

— Tu vois tout ce que tu as raté depuis vingt ans ?

Il rit et l'embrassa.

— Je suis plus disponible que toi, c'est tout.

— Alain doit aller avec les enfants à la piscine samedi après-midi. Je pourrais venir déranger un peu ta vie de célibataire disponible…

— J'adore quand tu as des idées brillantes comme ça.

Il la serra dans ses bras. Elle se sentit ramollir. Devait-elle vraiment rentrer ce soir ou pourrait-elle attendre au lendemain ?

Le souper de la veille avait été désagréable. Les enfants n'avaient pas cessé de demander si leur mère serait longtemps partie, si elle ferait ça souvent. Alain avait plus d'une fois pris de grandes inspirations pour ne pas perdre patience. Même les histoires qu'il leur avait racontées avant le dodo n'avaient pas réussi à les calmer. Nicolas avait refusé de se coucher pendant un long moment, prétextant qu'à son âge il n'était plus un bébé. Sophie avait repris le même discours. Elle aussi n'était pas un bébé, à sept ans.

Alain avait compris que les enfants essayaient d'être aussi désagréables que possible pour que leur mère, l'apprenant, ne parte plus aussi longtemps. Il leur avait donc expliqué que, devant des enfants aussi peu obéissants, leur mère n'aurait pas le goût de revenir plus tôt. L'attitude des enfants avait immédiatement changé et ils s'étaient couchés sagement. Alain se sentait un peu honteux d'une telle manipulation, mais il ne savait pas quoi faire d'autre. Le chantage était encore un outil parental excusable.

Ne voulant pas répéter l'expérience de la veille, Alain demanda à Brigitte, qui s'occupait d'aller chercher les enfants à l'école, de manger avec eux une fois les devoirs faits. La jeune femme sentait que quelque chose n'allait pas et accepta de rester. Elle aimait bien Sophie et Nicolas qu'elle voyait tous les jours jusqu'au retour d'un de leurs parents. Elle les aidait parfois aussi à faire leurs devoirs. C'était un travail agréable qui arrondissait ses fins de mois. Elle travaillait également à temps partiel comme caissière à la pharmacie.

Après le repas, les enfants s'installèrent au salon pour regarder un film de Disney. Brigitte commençait à ranger la cuisine quand Alain lui dit :

— T'es pas la bonne ici. T'as pas à faire ça.

— Ça ne me dérange pas, docteur Desrosiers.

— Laisse faire le docteur, appelle-moi Alain.

Brigitte se sentait mal à l'aise. Alain plaça une dernière assiette dans le lave-vaisselle. Il referma la porte et mit l'appareil en marche.

— Pourquoi tu vas pas écouter le film avec les enfants ? Ils l'ont vu cent fois et ils le trouvent encore drôle.

Brigitte rejoignit les enfants, qui furent heureux de sa présence. Le temps passa rapidement. Quand vint le moment de se coucher, Nicolas et Sophie suivirent docilement leur gardienne qui les borda sans problème. Celle-ci retrouva ensuite Alain au salon.

— Ils sont couchés tous les deux. Comme vous n'avez plus besoin de moi, je vais y aller.

Alain la regarda en s'efforçant de sourire.

— Ça te dérangerait de rester encore une heure ?

— Vous avez des problèmes ?

Alain fit signe que oui et s'effondra sur le canapé. Brigitte prit la causeuse à côté de lui. Elle attendit qu'il se vide le cœur. Ce qu'il fit assez vite. Il avait besoin de parler, de raconter que sa femme voulait le quitter, qu'elle prendrait régulièrement des congés de famille. Il avait le droit de faire la même chose, mais ça ne l'intéressait pas vraiment. Il aimait encore Béatrice.

Brigitte écoutait sans commenter. Elle trouvait que cet homme faisait pitié malgré tout son savoir, tout son argent. Il était aussi démuni qu'un jeune enfant. Alain réalisa qu'il venait de tout dévoiler à la personne qui s'occupait quotidiennement de ses enfants. Il aurait honte chaque fois qu'il croiserait son regard. Pourquoi avait-il déballé tout son linge sale ?

— J'apprécie beaucoup ce que tu fais pour les enfants. Je m'excuse de t'avoir avoué tout ça. Mais je vais avoir encore plus besoin de toi.

— Je comprends. Je sais de quoi vous parlez. J'ai vécu un divorce pénible juste après avoir perdu mon enfant de six mois. Le monde s'écroule. Pis, des fois, on trouve la vie sombre, même quand il fait soleil.

— Tu as eu un enfant ? Je ne savais pas.

— Normal. Je le crie pas sur les toits. Au début, j'avais envie de pleurer devant tous les bébés. Maintenant, je me sens bien avec des enfants.

— Tu en veux d'autres ? Tu es avec quelqu'un ?

— C'est l'interrogatoire d'embauche ?

— Excuse-moi.

— Ça va. Je vis toute seule et j'aime mieux ça. Mais vous en faites pas, vous êtes intelligent, instruit, encore bel homme. Les femmes vont vous tomber dans les bras.

Alain rit franchement.

— Tu es experte pour remonter le moral.

Brigitte se leva du fauteuil pour s'en aller. Alain la raccompagna à la porte. Ils se regardèrent un moment. Il se pencha vers elle et posa ses lèvres sur sa bouche. Elle se souvenait à peine du dernier baiser qu'elle avait échangé. Cela faisait si longtemps. Et cet homme était si malheureux. Elle lui rendit son baiser avec délicatesse. Il la serra contre lui.

Béatrice sortit du taxi et marcha vers la maison. Tout était sombre, à part une lumière qui était allumée au salon. Elle ouvrit doucement la porte pour ne réveiller personne. Elle pensait retrouver Alain endormi sur le canapé, mais il avait simplement oublié d'éteindre la lampe. Elle se dirigea à pas de loup vers la chambre. Elle vit de la lumière sous la porte. Puis elle entendit ce cri étouffé dans l'oreiller qu'Alain poussait au moment de jouir. Il n'était donc pas seul. Quelle idiote elle était de ne pas avoir téléphoné avant de rentrer! Elle retourna vers la porte sur la pointe des pieds. Au moment où elle tendait la main vers la poignée, Alain, vêtu d'un caleçon, sortit de la chambre pour aller à la cuisine. Béatrice eut envie de partir en courant, mais elle se retourna. Alain la fixait, étonné. Elle s'approcha de lui et chuchota:

— Je suis désolée, j'aurais dû appeler.

— C'est pas sérieux, je te jure. C'est Brigitte.

— Elle est très bien, Brigitte. Tu n'as pas à avoir honte.

— Mais c'est toi que j'aime, tu le sais.

Ils étaient là à murmurer comme des conspirateurs. Béatrice n'avait qu'une envie: sortir de là et laisser Alain avec Brigitte. Elle voulait les bras de Patrice, son sourire en coin quand elle lui racontait quelque chose, la joie qu'il aurait en apprenant qu'elle n'avait plus à se sentir coupable de leur liaison. Non, ce n'était plus une liaison, c'était une passion commune qui allait se déployer.

— Je t'aime aussi, mais j'ai vraiment envie de vivre avec Patrice.

— Alors, pourquoi t'es revenue plus tôt?

— Les enfants me manquaient. Je voulais les voir avant qu'ils partent pour l'école.

Béatrice vit Brigitte enveloppée dans son propre peignoir qui les regardait. Alain se retourna. La jeune femme s'enfuit dans la chambre. Béatrice regarda Alain.

— Vas-y, retrouve-la. Explique-lui. Elle peut bien passer la nuit ici. Les enfants vont juste croire qu'elle est arrivée très tôt. Je retourne chez Patrice.

Elle n'attendit pas sa réponse et sortit de la maison. Alain resta un moment immobile, puis il se précipita dans la chambre. Brigitte terminait de s'habiller. Elle était nerveuse et n'arrivait pas à enfiler les manches de son chandail. Elle était certaine d'avoir perdu son travail. Ce n'était pas le plus payant, mais c'était le plus agréable. Les enfants allaient lui manquer. Alain entra et s'avança vers elle.

— C'était pas prévu comme ça. Excuse-moi. Je pensais pas… Béatrice est repartie. Tu peux rester si tu veux.

— Est-ce que je dois aller chercher les enfants à l'école demain après-midi?

— Oui, bien sûr. Tu restes leur gardienne. Béatrice va rentrer comme convenu après son travail. La routine va reprendre.

Brigitte finit par passer ses bras dans les manches de son vêtement avec brusquerie.

— Mais oui, la routine. Il y a quelque chose que j'ai pas compris. Vous vous séparez ou non?

— Je sais plus moi-même. Hier, je t'aurais dit non. Maintenant, j'ai plutôt tendance à dire: peut-être, plus tard.

Il s'approcha encore plus d'elle et souleva doucement son chandail.

— Reste pour la nuit. Il faudra juste que tu te lèves avant les enfants pour qu'ils croient que tu arrives tôt.

— C'est mieux si je pars maintenant.

— Attends encore un peu.

Elle tira sur son chandail.

— Non. Je ferais pas une heure de plus. Je ne suis pas la pute de service.

Alain sursauta.

— Mais je ne veux pas de pute de service. C'est ça que tu crois ? Que je te traite comme une… Brigitte ?

Il caressa le contour de son visage.

— Je sais pas où j'en suis, c'est vrai. Les sentiments, les émotions, je suis tout mêlé. Ne me demande pas une déclaration d'amour. Pas maintenant. J'aimerais te connaître mieux. Béatrice dit que tu es très bien, elle a raison.

— Tu as besoin de l'approbation de ta femme pour te choisir une maîtresse ?

Le visage d'Alain se durcit.

— Non. Je veux pas te forcer à quoi que ce soit. La semaine prochaine, c'est ma semaine. Je t'offre ma soirée du mardi. Tu en fais ce que tu veux. On peut aller au restaurant, au cinéma, dans les bars. Tu aménages l'horaire de la soirée. Tu peux choisir le meilleur restaurant en ville, l'hôtel le plus luxueux. Et si tu veux passer la nuit avec moi, je serai très heureux. Si tu veux me planter là après le repas et rentrer toute seule chez toi, c'est correct aussi. Je serai ton humble serviteur. Laisse-moi réaliser tes fantasmes.

— Je vais pouvoir tout choisir ?

— Oui, tout.

— Et je serai pas obligée de coucher avec toi.

— Mais non. Tu te sentais obligée ce soir ?

Brigitte sourit enfin.

— Non, c'était bien. Ça faisait longtemps que ça ne m'était pas arrivé. Mais de savoir les enfants endormis à côté me dérangeait un peu.

— Ça me dérangeait aussi. Tu acceptes de t'occuper de ma soirée libre ?

— Je vais y penser.

— Tu peux rester.

– Non, mais on se voit demain.

Brigitte sortit doucement de la chambre. Elle avait le cœur léger. Alain était un homme bien, affectueux, attentionné au lit. Un peu vieux et un peu chauve aussi. Mais ça ne faisait rien. Elle se demanda pour qui Béatrice avait pu quitter cet homme. Le nouveau devait être extraordinaire. Mais Brigitte pouvait bien se contenter du mari trompé. Elle n'avait eu personne dans sa vie depuis longtemps. Se faire quitter à la mort de son bébé lui avait fait perdre toute confiance dans les hommes. Mais un amant qui était prêt à faire toutes ses volontés, elle n'avait jamais connu ça. Peu importait le temps que cette liaison durerait, elle la voyait comme des vacances exotiques et grandioses. Après tout, il pouvait les lui offrir.

Albert regardait par le hublot la couche moutonneuse d'un blanc immaculé qui s'étalait sous l'avion. Lydia avait la tête sur un oreiller, un peu penchée vers le hublot. Elle dormait enfin après toutes ces émotions fortes à New York.

Il était allé la chercher la veille. Lydia s'était fait aider par ses trois filles pour choisir ses vêtements et préparer un petit bagage. Elle n'avait pas beaucoup dormi, mais elle était souriante à l'arrivée d'Albert. À l'aéroport, elle avait marché à son bras comme une jeune mariée toute fière de ses noces, mais craintive de l'avenir. Elle n'avait jamais pris l'avion, et le seul va-et-vient des gens autour d'elle l'étourdissait. Elle s'était serrée contre son fils. Elle avait apprécié le sourire de l'hôtesse et s'était assise, un peu crispée, près du hublot. Elle avait observé le tarmac, les camions à bagages qui faisaient la navette entre les avions et l'aéroport, les techniciens qui esquissaient de grands signes pour aider les autres avions à se garer. Puis l'avion avait reculé et s'était placé devant la piste.

Quand le pilote avait annoncé leur départ, Lydia avait serré la main de son fils. Elle avait fermé les yeux et les avait ouverts seulement quand l'avion avait quitté le sol. Le vol s'était bien passé et Lydia n'avait presque pas parlé. Elle était simplement en attente. Elle avait rêvé à Hélène, essayant d'imaginer à quoi elle ressemblait maintenant, en vieille femme. La vue des gratte-ciel new-yorkais l'avait impressionnée. Elle s'en allait là. Incroyable!

L'atterrissage à New York lui avait fait pousser un long soupir. Enfin !

Un taxi les avait conduits de l'aéroport à Manhattan. Lydia n'avait pas les yeux assez grands pour tout regarder, le visage appuyé sur la vitre. Hélène habitait, depuis son arrivée à la fin de la guerre, un appartement près du square Washington. Elle avait insisté pour qu'ils passent la nuit chez elle. Albert aurait préféré l'intimité d'une chambre d'hôtel, mais il ne pouvait refuser ces retrouvailles à ses deux mères.

Lydia était descendue du taxi en regardant les immeubles de briques rouges de trois étages, face au parc. Avec leurs fenêtres au contour blanc et leurs portes blanches surmontant quelques marches de pierre, elle avait l'impression d'être devant des maisons semblables de Montréal. Elle avait imaginé des gratte-ciel partout, à chaque coin de rue, et elle fut heureuse de la dimension humaine de ces bâtisses. Albert avait sonné à la porte et ils étaient montés tous les deux au troisième étage. Il avait senti le corps de Lydia trembler à son bras.

La porte s'était ouverte sur une femme aux cheveux bruns, au sourire radieux. Quelques rides entouraient ses yeux et sa bouche, mais Hélène était restée une belle femme, ressemblant encore à la photo de la publicité du *lounge*. Elle avait regardé Albert un moment, comme si elle voulait s'assurer qu'elle ne rêvait pas, puis elle avait ouvert les bras à Lydia. Les deux femmes avaient pleuré un peu. Albert aurait voulu être ailleurs à cet instant-là. Puis Hélène lui avait demandé si elle pouvait l'embrasser. Il l'avait serrée dans ses bras, essayant d'analyser ses émotions. Il était heureux, fier de sa mère biologique, mais il était désolé de voir qu'elle restait pour lui une étrangère. Il avait cru que les émotions le submergeraient. Il était tout simplement bien.

L'appartement était grand et meublé avec goût. Il aurait été hors de prix aujourd'hui, mais Hélène était une locataire de longue date qui pouvait encore se payer cet endroit. Un piano trônait dans le salon. Le piano de Tom qu'Hélène avait tenu à garder. Un mur était orné de photos, la plupart en noir et blanc, de lui et d'elle en concert ou posant pour des photographes professionnels. Albert avait l'impression d'être entré dans un musée. Le piano l'attirait, mais il n'avait pas osé s'en approcher.

La journée s'était passée en bavardage et en promenade dans le parc rempli d'étudiants qui se rendaient à l'Université de New York ou en revenaient. Albert aimait le quartier de Greenwich Village. Ils avaient mangé sur la terrasse d'un café. Les deux femmes papotaient en se tenant par le bras. La grande brune et la petite aux cheveux immaculés.

De retour à l'appartement, Albert s'était finalement approché du piano. Il avait levé avec précaution le couvercle du clavier. Ses doigts avaient été attirés par les touches. Albert n'était pas un improvisateur, mais il avait essayé quelques airs de jazz. Puis il avait vu une partition de *Unforgettable* et s'était mis à la jouer. Tout lui semblait facile. Une voix s'était élevée derrière lui. « *In every way and for evermore, that's how you'll stay…* » Hélène chantait doucement. Un frisson avait parcouru Albert. L'émotion avait été si forte qu'il avait eu l'impression d'arrêter de respirer régulièrement. Tout son corps tremblait. Il avait pensé à Émilie qui lui avait déjà dit ressentir parfois ces frissons quand il jouait pour elle. Albert avait alors réalisé qu'il était heureux, simplement et merveilleusement heureux. La musique le comblait encore une fois.

Hélène était venue s'asseoir sur le banc du piano à côté de son fils et l'avait regardé longuement. Il ressemblait tellement à Tom. Albert le savait. Et il était maintenant heureux d'avoir eu deux pères aussi. Lydia les observait avec tendresse. Hélène lui avait fait un merveilleux cadeau et elle était ravie du bonheur que son amie connaissait enfin.

Dans la soirée, devant des digestifs, la conversation était devenue plus intime. Hélène avait raconté qu'elle avait fait deux fausses couches. Tom et elle étaient restés ensemble, mais ils avaient toujours senti qu'il leur manquait quelque chose. Tom avait eu une aventure en arrivant à New York. Une fille était née. Tom ne voulait pas quitter Hélène ni vivre avec la mère de l'enfant. Mais il s'en était toujours occupé, veillant à son éducation. À la mort de Tom, sa fille, maintenant dans la jeune quarantaine, avait continué de voir régulièrement Hélène. Elle la considérait comme sa tante. Hélène était heureuse de l'avoir dans sa vie.

Épuisé, Albert était allé se coucher dans la chambre d'amis et il s'était endormi en écoutant les deux femmes parler. Elles avaient repassé leur vie en détail. Lydia avait raconté comment elle avait eu ses enfants et Hélène avait parlé de sa carrière et de celle de Tom, de leur amour qui avait duré jusqu'à sa mort. En fait, jusqu'à maintenant, car il lui manquait encore. Albert les avait retrouvées assises à la même place au petit matin.

Il avait eu l'occasion de voir sa demi-sœur le midi. Meredith enseignait la littérature dans un collège du New Jersey. Elle était mariée et avait deux enfants adolescents. Tom avait voulu en faire une musicienne, mais elle n'avait pas ce talent. Elle avait choisi les lettres et était contente de sa vie. Albert et elle avaient parlé un bon moment de leur vie de famille et de leur travail. Elle avait tous les disques de son demi-frère. Elle était fière de lui et elle aimait bien Hélène. Elle faisait partie de sa famille. Albert était heureux de connaître un autre aspect de la vie de ses parents biologiques.

Les adieux avaient été émouvants. Hélène avait promis de les visiter à Montréal et de rencontrer Émilie et Guillaume. Les deux femmes avaient souri et pleuré pendant que le taxi attendait de conduire Albert et sa mère à l'aéroport. Dès qu'elle s'était assise près du hublot, Lydia avait pris un oreiller et s'était endormie. Elle n'avait rien vu du décollage et Albert souhaitait qu'elle ne voie pas l'atterrissage non plus. Il savait sa mère épuisée et pourtant heureuse.

David secouait la tête en protestant.

— Moi, je veux pas que ça m'arrive.

— C'est parce que t'es juste trop jeune. Quand tu seras grand, toi aussi, tu vas avoir envie d'être amoureux.

Audrey avait croisé les bras pour appuyer ses dires. David n'était pas impressionné pour autant.

— Non, ça m'arrivera pas. Devenir tout mou et avoir des yeux de poisson… ouache.

— J'ai pas des yeux de poisson.

— T'en avais quand tu parlais de Vincent. Je les ai vus.

Audrey se renfrogna. Elle n'aurait jamais dû aborder ce sujet avec lui. Tout avait commencé quand David était entré sans permission dans sa chambre. Il l'avait surprise à regarder le plafond en souriant. Quand il avait demandé à qui elle pensait, elle avait dit bêtement la vérité. Ensuite, il avait fallu expliquer ce qu'était tomber en amour. Pas facile !

La voix de Nelson retentit :

— Audrey, David, on a besoin de vous.

David se dirigea vers la porte de la chambre. Sa sœur le retint par le bras.

— Si tu racontes ça à quelqu'un…

— Tu sauras que je suis plus un bébé non plus. Je sais garder un secret. Mais quand tu vas le voir, tout le monde va le savoir. Tu vas avoir des yeux de poisson.

— C'est pas vrai. De toute façon, il viendra pas aujourd'hui.

— Qu'est-ce que t'en sais? C'est la fête de grand-mère, tout le monde va être là. Maman l'a dit.

Audrey sentit son cœur s'accélérer. Elle n'avait pas prévu revoir Vincent devant toute la famille. Nelson s'impatientait.

— Mais qu'est-ce que vous faites? On doit vous crier après, maintenant?

David courut au salon. Audrey le rejoignit après avoir caché le cahier où elle avait retranscrit les confidences de Lydia. Elle continuait de noter ses histoires, essayant de préciser des points au fur et à mesure que les souvenirs revenaient à sa grand-mère. Personne ne devait les lire, mais elle aimait beaucoup les écrire. Et qui sait si elle n'écrirait pas un jour l'histoire de Lydia dans un vrai livre.

Audrey et David aidèrent leur père à poser les guirlandes. L'adolescente regarda ce qu'elle portait. Est-ce que ces vêtements ne faisaient pas trop petite fille? Parfait pour grand-mère, mais pour… Il fallait qu'elle cesse de penser à lui. David avait raison: dès qu'elle regarderait Vincent, toute la famille saurait qu'elle était amoureuse. Son secret serait dévoilé.

Charlotte s'approcha de sa fille et mit doucement la main sur son épaule. Audrey sursauta. Sa mère la rassura.

— Je voulais pas te faire peur. Tu viens m'aider à la cuisine?

Audrey partit pour la cuisine avec soulagement. Charlotte échangea un regard avec Nelson. Elle lui avait rapporté les propos de Juliette sur la rencontre des deux cousins. Nelson sourit à sa femme. Leur grande fille se transformait. Trop vite à son goût. Ils étaient décidés à la surveiller à distance. Pas question de lui reprocher de vouloir être une femme. Pas question, non plus, de la livrer au premier venu. Cousin ou pas.

On sonna à la porte. David alla ouvrir en courant. Sa tante Juliette était là avec un énorme gâteau de fête. Elle se pencha pour l'embrasser.

— Comme tu grandis, David! Tu veux dépasser ton père, on dirait.

David rougit. C'était le plus beau compliment du monde et Juliette était sa tante préférée. Il vit arriver derrière elle sa tante

Béatrice avec des bouteilles de champagne. Elle, c'était sa tante la plus belle. Il se marierait un jour avec une fille comme elle.

Juliette et Béatrice retrouvèrent Charlotte à la cuisine. Audrey resta près d'elles, prêtant l'oreille. Béatrice sourit à Juliette pour la remercier de l'avoir avertie que cette petite curieuse recevait les confidences de Lydia. Elle complimenta Audrey.

— Tu deviens une belle jeune fille. Tu devras t'habituer à avoir tous les hommes à tes pieds.

Charlotte jeta un regard sévère à Béatrice.

— Elle a le temps.

— Bien sûr. Elle aura des hommes toute sa vie. Il lui faudra simplement faire les bons choix.

Charlotte trouvait que Béatrice manquait de subtilité. Même la vérité méritait un enrobage, surtout avec une adolescente.

Michel essayait encore une fois de faire son nœud de cravate. Juliette était partie plus tôt pour prendre le gâteau qu'elle avait commandé à la pâtisserie. Il devait donc se débrouiller tout seul.

Il détestait porter une cravate, mais Juliette lui avait dit de bien s'habiller, pour une fois. Il préférait de loin les jeans et les chandails de coton ouaté. On sonna et il descendit l'escalier en grognant. Qui venait encore le déranger?

Sylvie était devant la porte, une boîte-cadeau argentée dans les mains, accompagnée d'Alex. Michel leur ouvrit. Sylvie embrassa son père et Alex lui serra la main. Comme Michel allait refermer la porte, Vincent arriva en courant.

— Salut, papa.

— Qu'est-ce que vous faites ici?

— Ben, c'est la fête de grand-mère. C'est ce que maman nous a dit. C'est pas ça?

— Oui. Mais c'est pas ici, c'est chez Charlotte.

Vincent referma la porte. Sylvie donna la boîte à Alex et s'approcha de son père. Elle l'obligea à lui faire face et noua sa cravate. Michel regarda son fils, puis sa fille et de nouveau son fils.

— Bon, aussi bien être clair tout de suite. Vous allez tous chez Charlotte, mais toi, Vincent, tu fais attention à la petite Audrey. Elle a juste treize ans.

— Tu me l'as déjà dit.

— Écoute-moi. Pas de flirt, même si elle te supplie.

Sylvie rit de bon cœur.

— Voyons, papa, Vincent préfère les femmes matures. Je l'ai vu sortir d'un appartement pas loin d'ici pendant qu'Alex cherchait une place pour stationner. Une femme dans la trentaine, en peignoir de soie rouge, l'a embrassé langoureusement. Et il se gênait pas pour lui tâter les fesses.

Elle se tourna vers son frère.

— C'est pour ça que tu viens plus souvent à Montréal depuis quelque temps?

— Premièrement, elle a pas trente ans, mais vingt-cinq. Et deuxièmement, ça te regarde pas.

Michel regarda son fils.

— C'est qui?

Vincent soupira. Il détestait les confidences, les mises à nu de l'âme.

— C'est une comédienne qui travaille parfois pour l'école de police de Nicolet. Elle joue les victimes ou les agresseurs. On a mangé ensemble la semaine dernière. Ç'a cliqué. Pis je l'ai revue hier soir.

Sylvie avait les yeux brillants. Quand elle allait raconter ça à sa mère! Est-ce que son frère allait enfin devenir adulte et sortir plus de trois fois avec la même fille? Elle avait passé son adolescence à consoler les filles qui s'étaient amourachées de lui. Le beau Vincent fuyait dès qu'une fille parlait de sortir *steady*. Et il ne se gênait pas pour afficher la nouvelle conquête devant les laissées-pour-compte. Beau et cruel. Il ferait un bon flic. Pas trop de cœur et beaucoup d'atouts. Mais peut-être qu'une comédienne pouvait le tenir en bride. Ou elle pourrait jouer des femmes différentes pour deux ou trois représentations seulement.

Michel regarda l'heure.

— Maudit! Lydia doit m'attendre. Vous avez l'adresse de Charlotte?

Sylvie encouragea son père à mettre son pantalon.

— T'as beau être encore présentable en caleçon, grand-mère va te trouver bizarre.

Michel réalisa qu'il était descendu ainsi ouvrir la porte. Il monta à la chambre finir de s'habiller.

— Merci pour le nœud de cravate.

— On va chez Charlotte. Tu viens avec nous, Vincent?

— Certain, je vais voir si Alex sait conduire.

Alex n'était pas un bavard. Il sourit à son futur beau-frère.

— T'en fais pas. Surveille plutôt ta conduite.

Vincent rit. Il n'était pas si mal, ce gars-là, après tout. Il avait un bel avenir comme beau-frère, en tout cas.

Les trois sœurs Gagnon étaient toujours dans la cuisine à préparer des hors-d'œuvre avec une lenteur calculée. Audrey, discrète, suivait les conversations. Juliette avait parlé de sa rencontre avec Paulette. L'adolescente avait appris que cette dernière n'avait pas eu d'autre enfant après elle.

Charlotte s'approcha de sa fille et l'entoura de ses bras. Audrey la fixa, curieuse.

— J'aurais pas existé si Lydia t'avait pas volée?

— Je sais pas. J'aurais eu des enfants, mais c'est pas certain que j'aurais rencontré ton père. Ç'aurait été une autre vie avec quelqu'un d'autre.

— Comme dans un univers parallèle?

— Un peu ça… Mais on le saura jamais. Tout ce que je sais, c'est que tu m'aurais manqué.

Béatrice s'avança vers sa nièce.

— Ta mère est trop gentille. Elle aurait eu une vie de merde comme la mienne si Lydia ne m'avait pas sortie d'une famille de poqués. J'ai l'impression d'être née deux fois. La deuxième naissance, toute récente, a été douloureuse, mais j'en suis contente…

Elle regarda ses sœurs.

— Aussi bien vous le dire tout de suite: il y a quelqu'un d'autre dans ma vie.

Tous les regards se tournèrent vers elle. Elle sourit.

— C'est Patrice.

— Le docteur?

Charlotte et Juliette échangèrent un regard complice : elles avaient vu juste au Petit Diable sans vraiment y croire.

— Oui. L'amour de mes vingt ans que j'ai refusé pour être raisonnable. Imagine, Charlotte, si tu avais été raisonnable et que tu avais refusé d'épouser Nelson parce qu'il était Américain et mormon.

— Ç'aurait été une grave erreur. Surtout que je l'ai guéri des deux choses. Il se sent étranger quand il visite ses parents.

Audrey rit.

— Et toi, tante Juliette, tu as marié l'amour de tes vingt ans, non ?

— Oui, même s'il était pompier, j'ai pas pu le guérir. Et c'est tant mieux. Mais dis-moi, Béatrice, Alain dans tout ça ?

— Il est au courant. Il est persuadé que ça ne durera pas et que je vais changer d'idée.

— Est-ce que c'est possible de te faire changer d'idée ? lança Charlotte. J'ai jamais réussi ça avec toi.

Béatrice sourit.

— C'est pas ma faute, j'ai des gènes entêtés. Et puis, il se console avec la gardienne. Tant mieux.

Audrey se faisait toute petite et imaginait les pages qu'elle allait remplir avec toutes ces histoires.

Juliette la prit par les épaules.

— Il y a une chose que tu dois savoir, jeune fille.

Charlotte et Béatrice l'encadraient. Juliette poursuivit :

— Ce sont des secrets de famille, et les secrets de famille…

— … ça reste dans la famille.

— Bravo, tu as tout compris.

Charlotte caressa la joue de sa fille.

— Je suis fière de toi, ma grande. Et je suis contente que tu sois proche de ta grand-mère.

— Je t'aime, maman. Je vous aime toutes. Vous êtes vraiment spéciales. J'ai les meilleures tantes du monde.

Lydia passa de nouveau devant le buffet. Chaque fois, elle s'arrêtait quelques secondes pour admirer son arrangement tout récent. Après avoir tout jeté pour préserver son secret, elle avait fait une provision de photos glanées auprès de ses enfants. Hélène lui en avait offert aussi. Des photos sur la plage à Sorel et des photos de Tom et d'elle à New York. Albert avait pris des photos de ses deux mères marchant dans le parc. Elles se tenaient par le bras. On ne pouvait pas savoir qui soutenait qui. Lydia se rappela l'hiver à Montréal, quand elle cherchait avec Hélène une chambre pour abriter les derniers mois de sa grossesse. Elles avaient froid et elles étaient solidaires dans la difficulté et l'espoir de voir arriver cet enfant qui allait faire la tristesse de l'une et le bonheur de l'autre. Lydia avait retrouvé leur amitié intacte à New York. Quelle joie!

Elle regarda les photos de Grégoire devant son parterre, les enfants grandissant d'année en année devant le sapin de Noël, puis les petits-enfants à leurs anniversaires et en vacances. Sa vie avait été bien remplie.

Lydia se dirigea vers la salle de bain. Elle appliqua un peu de rose sur ses joues. Ses cheveux avaient allongé. Ils lui plaisaient davantage comme ça, frôlant ses épaules. Elle les brossa pour leur donner un peu de volume. Elle allait avoir soixante-dix ans. Elle n'aurait jamais cru se rendre jusque-là. Elle aurait aimé que le beau et grand Grégoire puisse être là pour l'accompagner. Elle rêvait souvent qu'elle se promenait à son bras avec fierté. Elle avait heureusement tous ses enfants encore à ses côtés. Aucun ne l'avait écartée de sa vie, même s'ils avaient souffert de ses mensonges. Ils l'attendaient pour la fêter comme une bonne mère et une bonne grand-mère. Elle était heureuse de s'être confiée à Audrey. Elle avait l'impression qu'elle avait passé le flambeau. Elle était prête à partir.

Elle sentit sa poitrine se serrer. Son bras s'engourdit. Elle respira lentement et ferma les yeux pour chasser la douleur lancinante. Elle avait eu la vie dont elle n'avait même pas osé rêver. Elle avait commis des crimes pour apporter du bonheur. Elle ne regrettait rien, même pas le chagrin qu'elle avait pu infliger aux autres. Trop de bien en avait résulté. Trop de vies heureuses reposaient sur ces cendres.

La douleur s'estompa. Lydia alla s'allonger sur le canapé. Elle se sentait soudain vide d'énergie. Michel serait bientôt là. Elle avait tout juste le temps de se reposer un peu.

Henri et Michelle allaient sonner à la porte quand ils entendirent des pas dans l'escalier. Albert arrivait avec Émilie. Henri présenta Michelle.

— Tu vas devoir t'y faire : je vais passer l'après-midi à te présenter à tout le monde comme la femme la plus merveilleuse qui soit.

Émilie donna une tape sur le bras d'Henri.

— Et moi ? De toute façon, Michelle, les frères Gagnon ont hérité des plus belles femmes, même s'ils ne les méritent pas toujours.

Albert ne voulait pas être en reste.

— Comment ça ? Vous êtes jeunes, belles et extraordinaires, mais si vous saviez tous les efforts qu'on fait pour être à la hauteur.

Henri posa la main sur l'épaule de son frère.

— Parle pour toi. Moi, je n'ai pas d'effort à faire. Je suis extraordinaire de nature.

Michelle regarda Émilie d'un air complice.

— Est-ce qu'ils sont toujours comme ça ?

— Oui, je pense que c'est incurable.

Émilie se tourna vers Henri.

— Et la fête, elle se passe sur le palier ?

Henri tendit la main et sonna à la porte. Nelson vint leur ouvrir. Le petit groupe fut accueilli par les trois sœurs qui sortaient finalement de la cuisine. Elles déposèrent les plats sur la grande table de la salle à manger et vinrent saluer les nouveaux arrivés. Michelle essayait de se rappeler le nom de chacune. Elle était accueillie comme une complice supplémentaire. Henri lui avait dit plus d'une fois qu'il avait eu la chance de grandir dans une famille extraordinaire. Elle commençait à le croire.

Béatrice prit Henri par le bras et l'entraîna à la cuisine sous prétexte qu'il devait l'aider à apporter le champagne. Albert cherchait de l'eau minérale dans le frigo. Béatrice leur chuchota que c'était fini entre Alain et elle. Elle avait un autre homme dans sa vie : Patrice.

Les deux frères se regardèrent un instant. Patrice ? Celui qui lui tournait autour à l'université ? Lui-même. Henri fixa sa sœur avec étonnement. Comment une fille si raisonnable pouvait-elle choisir un séducteur ? Mais qui était-il pour juger qui que ce soit ? Michelle l'avait bien choisi, lui.

— Tu es heureuse ?

— Beaucoup.

— C'est tout ce qui compte.

— Les enfants ne le savent pas. Alors… secret.

La porte s'ouvrit de nouveau. Un silence succéda au bourdonnement. Sophie et Nicolas entrèrent en souriant. Ils allèrent directement vers leur mère. Béatrice se pencha, leur ouvrit les bras, puis les enlaça. Alain sourit à la ronde. Il sentait que tout le monde savait déjà ce qui se passait entre Béatrice et lui, et cela le soulageait de ne pas avoir à en parler.

Sophie et Nicolas étaient dans la chambre de David. Nicolas examinait la console de jeux pendant que Sophie admirait la décoration. David était content d'avoir quitté le monde des vieux qui étaient au salon et dans la salle à manger. Nicolas et David avaient presque le même âge. Sophie avait trois ans de moins. Nicolas la traitait comme une gamine. Mais David la trouvait plutôt mignonne. Une petite blonde comme sa mère. Il se disait que quand elle serait grande et ressemblerait plus à tante Béatrice, peut-être qu'il pourrait sortir avec elle et avoir des yeux de poisson. Mais, pour le moment, il y avait des choses plus intéressantes, comme les jeux vidéo.

Sophie prit un ourson en peluche. Le préféré de David. Mais il n'allait pas le lui dire, il aurait l'air d'un bébé. Elle s'assit par terre et elle regarda son frère faire bouger les personnages sur l'écran. Elle se tourna vers David.

— T'es bon pour jouer avec ça?

David gonfla son maigre torse.

— Je suis meilleur que ma sœur. Je bats même mon père. Je suis presque rendu au dernier niveau.

Il prit la deuxième manette, prêt à écraser Nicolas pour les beaux yeux de la petite Sophie.

— Je vais te montrer.

Béatrice passa la tête par la porte entrouverte. Elle sourit aux enfants qui avaient les yeux rivés sur l'écran. Elle s'éclipsa rapidement pour ne pas les déranger. Elle croisa Audrey qui sortait de sa chambre.

— As-tu hâte de repartir?

— Non. En fait, j'aimerais bien rester.

— Tes amis sont là-bas, non?

— Oui, mais je peux me faire des amis ici aussi... C'est vrai que tu as retrouvé ton amour d'enfance?

— De jeunesse, pas d'enfance. Quand j'ai connu Patrice à l'université, j'étais déjà sortie avec d'autres garçons. J'avais connu des peines d'amour comme tout le monde. Ça fait mal mais, en même temps, ça nous fait découvrir ce qu'on veut vraiment d'un homme et ce qu'on ne veut pas du tout.

— C'est comme ça que tu es sûre ensuite?

Béatrice prit Audrey par les épaules.

— Ma belle Audrey, on n'est jamais sûr. Ça fait partie de la beauté de la vie. On découvre chaque jour quelque chose. L'amour, ça se développe, ça grandit, ça risque aussi de s'éteindre. C'est pour ça qu'on y tient.

Audrey regarda sa tante. Personne n'avait eu avec elle une vraie conversation d'adulte. Sauf Lydia peut-être. La sonnette de la porte retentit. Ce devait être elle qui arrivait. Elles se dirigèrent vers le salon.

La porte s'ouvrit sur Sylvie et Alex. Vincent les accompagnait. Audrey pâlit. Les nouveaux venus firent la tournée des embrassades. Arrivé près d'Audrey, Vincent hésita à lui faire la bise et lui lança un «salut» distant. Il passa rapidement aux autres personnes et l'évita du mieux qu'il put. À se répéter sans cesse: «Elle a treize ans», il voyait bien qu'elle était encore une gamine. Audrey trouvait l'accueil glacial. Elle examina Vincent, cherchant ce qui l'attirait tant. Il était si différent des autres hommes de la famille. Tout semblait à l'état brut chez lui. Comme Rambo.

L'adolescente regarda autour d'elle. Son oncle Henri ne lâchait pas des yeux sa nouvelle femme, Michelle. Son oncle Albert posait la main sur la taille de tante Émilie, une caresse furtive signalant sa présence. Son père regardait souvent sa mère comme pour s'assurer que tout allait bien. Et le fiancé de sa cousine Sylvie la suivait des yeux. Même l'oncle Alain regardait sa femme à la dérobée, comme s'il avait peur de se faire surprendre. Audrey réalisa que Vincent la regardait aussi discrètement. Elle se sentit flattée. Elle n'était plus une petite fille, après tout.

Tout le monde commençait à se demander où était Lydia. Juliette avait téléphoné chez elle et chez sa mère. Pas de réponse. Une certaine inquiétude commençait à apparaître sur les visages joyeux. Le ton des conversations baissait.

La sonnette résonna. Le silence se fit. Tous les regards se tournèrent vers la porte. Audrey alla ouvrir. Lydia s'avança au bras de Michel. Tout le monde l'embrassa, les bouchons de champagne sautèrent.

Lydia était rayonnante malgré la fatigue. Tout ce qu'elle avait fait n'avait pas été inutile. Elle était contente de les voir tous réunis. Elle les regarda un à un. Heureusement qu'elle n'avait pas parlé de son malaise à Michel. La douleur était d'ailleurs partie. Il n'était pas question qu'elle fête son soixante-dixième anniversaire à l'hôpital. Elle devait être parmi les siens. Ils étaient toute sa vie.

Remerciements

J'aimerais remercier mon complice de toujours Daniel Guilbeault pour ses idées inventives et ses encouragements.

Merci également à Ingrid Remazeilles pour ses commentaires pertinents.

Écrire est un travail solitaire, mais publier nécessite un travail d'équipe. Merci à celle des Éditions Goélette.

MARQUIS

Québec, Canada